U0093111
古龍

盛期之風貌

與

臥龍生作品　帶動武俠風潮

《飛燕驚龍》開一代武俠新風

《飛燕驚龍》(1958)爲臥龍生成名作，共48回，約120萬言。此書承《風塵俠隱》之餘烈，首倡「武林九大門派」及「江湖大一統」之說，更早於香港武俠巨匠金庸撰《笑傲江湖》(1967)所稱「千秋萬世，一統」達九年以上。流風所及，臺、港武俠作家無不效尤；而所謂「武林盟主」、「江湖霸業」等新提法，竟成爲社會大眾耳熟能詳的流行術語了。

《飛燕》一書可讀性高，格局甚大。主要是寫江湖群雄爲覬覦傳說中的武林奇書《歸元秘笈》而引起一連串的明爭暗鬥；再以一部假秘笈和萬年火龜爲餌，交插敘述武林九大門派（代表正派）彼此之間的爾虞我詐，以及天龍幫（代表反方）網羅天下奇人異士而與九大門派的對立衝突。其中崑崙派弟子楊夢寰偕師妹沈霞琳行道江湖，卻如夢似幻地成爲巾幗奇人朱若蘭、趙小蝶之絕世武功技驚天龍幫，而海天一叟李滄瀾復接連敗於沈霞琳、楊夢寰之手；致令其爭霸江湖之雄心盡泯，始化解了一場武林浩劫云。

在故事佈局上，本書以「懷璧其罪」（與真、假《歸元秘笈》有關）的楊夢寰屢遭險難，卻每獲武林紅妝垂青爲書膽(明)，又以金環二郎陶玉之嫉才害能，專與楊夢寰作對(暗)爲反派人物總代表。由是一明一暗交織成章，一波未平，一波又起，極盡波譎雲詭之能事。最後天龍幫冰消瓦解，陶玉帶著偷搶來的《歸元秘笈》跳下萬丈懸崖，生死不明，卻予人留下無窮想像空間。三年後，作者再續寫《風雨燕歸來》以交代陶玉重出江湖，爲惡世間，則力不從心，當屬狗尾續貂之作。

在人物塑造方面，臥龍生寫男主角楊夢寰中看不中用，固然乏善可陳，徹底失敗；但寫其他三名女主角如「天使的化身」沈霞琳聖潔無瑕，至情至性，處處惹人憐愛；「正義的女神」朱若蘭氣質高華，冷若冰霜，凜然不可犯；「無影女」李瑤紅則刁蠻任性，甘爲情死等等，均各擅勝場。乃至寫次要人物如「賓中之主」海天一叟李滄瀾之雄才大略，豪邁氣派；玉簫仙子之放蕩不羈，爲愛痴狂；以及八臂神翁聞公泰之老奸巨猾，天龍幫軍師王寒湘之冷傲自負等，亦多有可觀。

台港武俠文學

流行天王

臥龍生

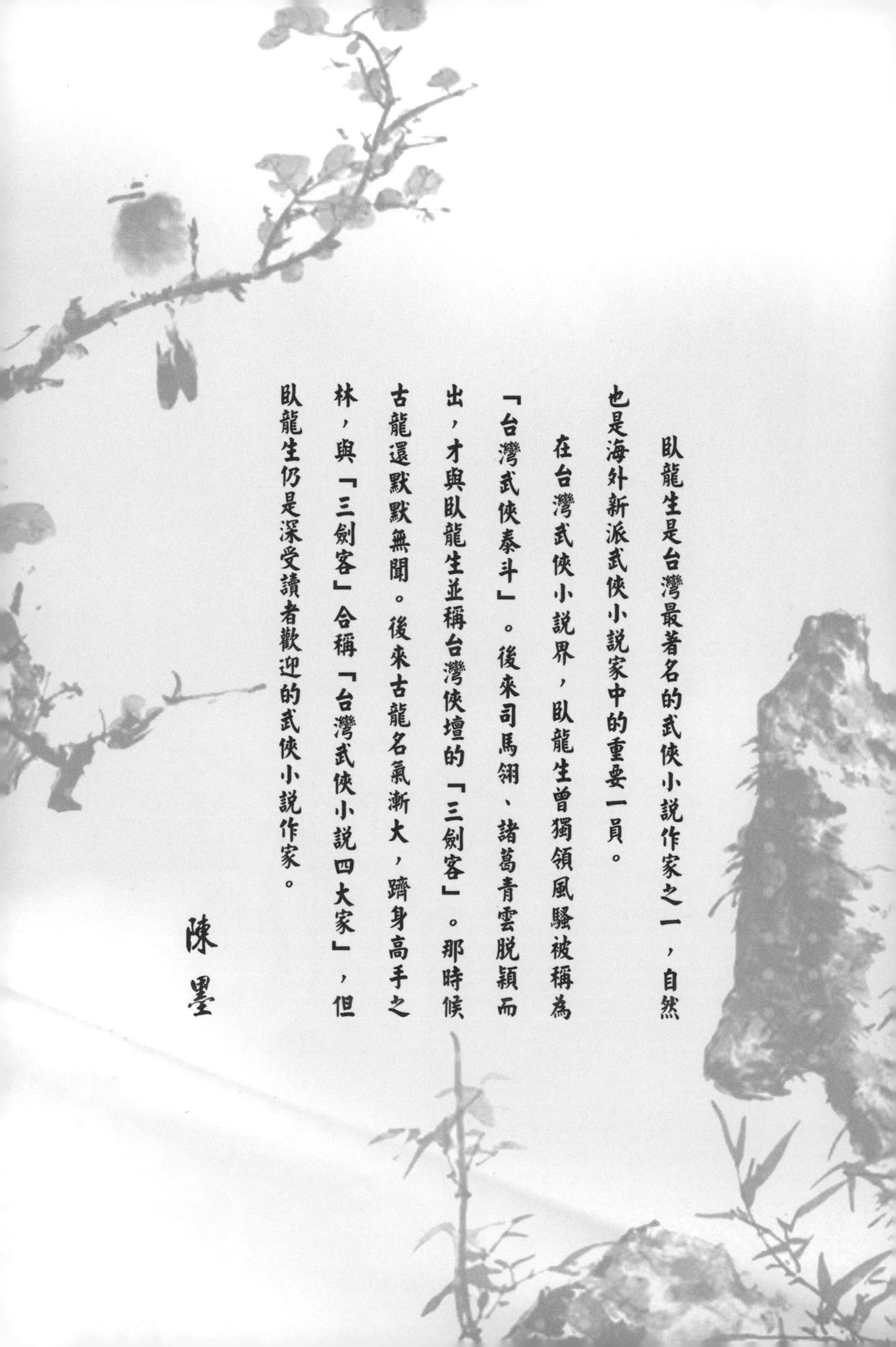

臥龍生是台灣最著名的武俠小說作家之一，自然也是海外新派武俠小說家中的重要一員。

在台灣武俠小說界，臥龍生曾獨領風騷被稱為「台灣武俠泰斗」。後來司馬翎、諸葛青雲脫穎而出，才與臥龍生並稱台灣俠壇的「三劍客」。那時候古龍還默默無聞。後來古龍名氣漸大，躋身高手之林，與「三劍客」合稱「台灣武俠小說四大家」，但臥龍生仍是深受讀者歡迎的武俠小說作家。

陳墨

臥龍生
臥龍生
武俠經典珍藏版
24
金劍雕翎
（四）
大結局

臥龍生精品集 24

金劍雕翎(四)

四五　苦求良藥

只見那長髮少女突然一整臉色，柔聲地對蕭翎說道：「蕭公子，你可知道我的姓名嗎？」

蕭翎略一沉吟，道：「你可是叫婉兒？」

那女子道：「唉！那婉兒乃我爹爹叫我的小名，我真正名字叫南宮玉。」

蕭翎道：「喔！南宮小姐，在下記住了。」

南宮玉沉吟了一陣，道：「爹爹，你如若真的疼愛女兒，你就放過了蕭公子，我告訴你一個解救我的法子。」

只見南宮玉瘦削的臉上，帶著一絲微微的笑意。

毒手藥王道：「我兒有何自救之法，快些說吧！」

南宮玉轉動一下眼睛，望了蕭翎一眼，道：「女兒有一事不明，請問爹爹。」

毒手藥王道：「什麼事？」

南宮玉道：「蕭翎身上之血，爲何能救女兒之命？」

毒手藥王道：「簡單得很，因爲他食用過一種奇藥，體內之血，與人不同。」

南宮玉道：「這就是了，他並非是天生的奇血，可救女兒，既然如此，爹爹爲什麼不問他食用了何物，生長何處？」

毒手藥王一掌拍在腦袋上，道：「不錯，不錯，爲父的當真一直急昏了。」

目光轉注到蕭翎身上，道：「如是蕭兄肯據實說出，食用的是何物，蕭兄就不用放血，也可救小女的性命了。」

蕭翎凝目思索了片刻，道：「那是一種生長在懸崖上的奇草，色呈灰白，形如撐傘……」

毒手藥王道：「那是千年石菌了，正是小女病體需要之物，不知生在何處？」

蕭翎道：「長江沿岸，三峽之間，那地方在下無法說出名字。」

毒手藥王道：「你可還記得那地方？」

蕭翎道：「隱隱約約，或可尋得。」

毒手藥王道：「那就有勞蕭兄帶老夫一行如何？」

蕭翎略一沉吟，道：「好！不過在下要事先把話說明，那石菌生在一處上不著天，下不見地的峭壁之間，而且已被在下無意中食用了大半，餘下多少，在下已茫然……」

微微一頓，接道：「而且那地方千峰重疊，生長石菌的峭壁，究竟在何處，在下也是無法一下指出，因此，如要找出那面峭壁，恐非是短短時日中能夠如願，令嬡的身體……」

話到此處頓口不言。

毒手藥王道：「老夫以絕世醫術，還可讓她支撐一個月，如是一個月內，仍然找不到那生長千年石菌的峭壁，只有借用閣下之血，救小女性命了。」

南宮玉突然接口說道：「不要緊，別說一個月，就算兩個月我也相信能夠支撐得過。」

毒手藥王長長吁一口氣，接道：「蕭大俠至誠君子，一諾之允，決不輕變，只是，我兒許出兩月限期之諾，爲父的實無把握，能讓我兒多活一月！」

南宮玉微微一笑，道：「爹爹少算了一樁支撐女兒生命的力量。」

毒手藥王奇道：「少算了什麼？」

南宮玉道：「女兒求生的潛力。」

毒手藥王沉思了一陣，道：「我兒爲何會動了強烈的求生之意？」

南宮玉一雙失去神采的眼神，突然轉注到蕭翎的臉上，道：「爲了不讓爹爹放他身上之血。」

毒手藥王略一沉吟，哈哈大笑道：「爲父的明白了。」

一抹羞紅泛上南宮玉瘦削的雙頰，緩緩把嬌軀偎入了毒手藥王的懷中，閉上雙目。

毒手藥王望著蕭翎說道：「蕭大俠，小女的話，你都聽到了？」

蕭翎道：「都聽到了。」

毒手藥王道：「那很好，小女自願許下兩個月之期，我雖是她爹爹，但也不便更改她許下之言，兩個月之內，老夫決不取你身上之血，但如超過兩月，仍然尋不到那千年石菌，那也是天意取你蕭翎之血了。」

突然間雙目神光一閃，接道：「你可知小女爲什麼要許兩個月的諾言嗎？」

蕭翎道：「令嫒心地善良，不忍加害他人……」

毒手藥王厲聲接道：「因爲早已自知無法活過兩月時光。」

蕭翎呆了一呆，道：「這個在下就想不明白了。」

毒手藥王一字一字地說道：「小女對閣下情有所鍾，寧甘自斃，不忍加害於你。」

蕭翎道：「這個，這個……」

毒手藥王道：「不用這個那個了，小女雖有捨命相救你蕭翎之心，但我毒手藥王卻沒有這等寬宏大量。」

蕭翎道：「藥王之見呢？」

毒手藥王道：「如是在一月之內，找不到那生長石菌的懸崖，小女是非死不可，但她有言在先，縱然是至死無救，我也不能取你身上之血，因此，如是小女死去，那老夫就把你和小女葬在一起，免得她一人長眠在那深山大澤之中，孤獨無依！」

蕭翎只聽得心中一涼，道：「藥王之意，可是要在下陪葬嗎？」

毒手藥王道：「正是此意！」

蕭翎淡然一笑，道：「藥王想得很好，只是在下卻未必答應，要我帶你去找那千年石菌，勢必要先解開我的穴道不可，在下只允放血救人，並沒有答應殉身陪葬，藥王想要在下殉葬，只有一個辦法。」

毒手藥王道：「什麼辦法？」

蕭翎道：「各憑武功，一決生死！」

毒手藥王道：「年輕人究竟是閱歷淺薄，老夫難道不會防患未然嗎？」

蕭翎道：「如何一個防患之法？」

毒手藥王道：「告訴你也不要緊。老夫借物傳毒之能，早已天下皆知，快近一月期限時，如仍未找到那千年石菌，老夫就暗中在你身上下毒，小女死後迫你殉葬，那時你身中劇毒，自是無法和老夫抗拒。」

蕭翎道：「你不該事先說出，在下既然知道了，自是要嚴加防備。」

毒手藥王笑道：「老夫不怕。」

蕭翎忖道：如若他說的句句實言，這人的能耐，當真是可怕得很。

口中卻緩緩說道：「藥王也不用先自誇口，到時間再說不遲。」

毒手藥王道：「不錯，此刻咱們先得決定一樁緊要之事，你還沒答應願帶老夫和小女，去尋那千年石菌。」

蕭翎道：「只憑令嬡那善良之心，在下也是義不容辭。」

毒手藥王道：「那你是答應了？」

蕭翎道：「藥王可是不信在下嗎？」

毒手藥王笑道：「哪裏，哪裏，如若不信你蕭翎的話，世間再無可信之人。」右掌連揮，拍活了蕭翎被點的穴道。

蕭翎挺身而起，舒展一下雙臂，道：「只有咱們三人同去嗎？」

毒手藥王道：「中州二賈見多識廣，如若能夠帶著他們同行，那是最好不過。」

蕭翎道：「他們願否同去，在下也難作主，必得先和他們商量一下才行。」

毒手藥王笑道：「老夫所見，他們兩人對你蕭翎的敬重之情，別說要他們同去尋那千年石菌，就算要他們上刀山、下油鍋，兩人也萬死不辭。」

大步行到洞口處，高聲說：「兩位老闆，你們那龍頭大哥有請。」

中州二賈正自等得心急，不知石洞中變化如何，聽得毒手藥王招呼之聲，急急奔了上來。

只見蕭翎站在石洞之中，精神奕奕，不禁大感意外，呆了一呆，抱拳道：「大哥無恙嗎？」

蕭翎道：「我很好。」

商八目光轉注到毒手藥王的臉上，道：「藥王可是改變了主意？」

毒手藥王道：「老夫已和蕭翎約好，入川尋找一種靈藥，療治小女傷勢，不知兩位是否有興同去？」

商八目光轉到蕭翎身上，道：「大哥，這毒手藥王之言，可是當真嗎？」

蕭翎道：「不錯，我已答應了他，同去尋找靈藥，相約以兩月為限，如是尋不得……」

毒手藥王接道：「兩月之期是小女和閣下所訂……」

杜九冷冷接道：「如是兩月之內尋不到靈藥，可是還要取我家大哥之血，救你女兒之命？」

商八生恐杜九惡言相對，引起衝突，急急接道：「藥王不用生氣，當今武林之中，有誰不知杜老二說話難聽，小不忍則亂大謀，想爲令嫒尋藥，藥王最好忍耐一些。」

毒手藥王冷哼一聲，未再開口。

杜九仍是那冷冰冰的聲音，說道：「咱們龍頭大哥答應了，我們做兄弟的自然是亦步亦趨，追隨一行了。」

蕭翎輕輕歎息一聲，道：「兩位兄弟最好是別去，一定要去，小兄不敢阻止。」

毒手藥王道：「老夫常聽人言，你們中州二賈養了兩隻奇種猛犬，不知是否帶著同行？」

商八道：「咱們帶去一隻就是。」

毒手藥王道：「不知要幾時動身？」

蕭翎道：「本當向父母拜別，但此去仍是生死難卜，也不用再去打擾兩位老人家……」

毒手藥王道：「既是再無要辦的事，咱們就立刻動身如何？」

蕭翎道：「兩位的虎獒，現在何處？」

商八道：「大哥先請等候一陣，在下去招來虎獒，再行動身。」轉身躍出石洞而去。

蕭翎回顧了毒手藥王一眼，道：「藥王，那生長千年石菌的地方，乃是山崖中一片峭壁，由山頂垂下一道瀑布，掩遮去了那壁上的千年石菌，而四面高山拱圍，下臨絕谷千丈，壁間生滿了青苔，別說不容易找，就算是僥倖找到了，只怕也無法攀上石壁，取那石菌。」

毒手藥王道：「如此險惡之地，蕭兄又是如何去的，如何出來？」

蕭翎略一沉吟，望了杜九一眼，道：「我是無意間找到了那裏。」

當下把中州二賈把他帶出武當，被迫落江，爲人所救，送入峭壁一座山洞中，那洞中的枯瘦老人，留自己住在洞內，因和那青衣少年賭氣，跑到後洞，跌下懸崖，誤食石菌的經過之情，說了一遍。

毒手藥王道：「絕壁那般險惡，你又如何離開？」

蕭翎道：「說來也許令人難信，有一隻極爲罕見的大鵬，也去食那石菌，我是騎在牠背上飛離峭壁的。」

毒手藥王道：「老夫就算不願相信，也是非得相信不可了。」

杜九聽蕭翎述說昔年被迫落江的往事，心中慚愧，垂下頭去，一語不發。

蕭翎道：「眼下只有仍從那石洞之中，結索而下，或可有望取得石菌，不過……」

毒手藥王接道：「不過什麼？除此之外，已是別無良策。」

蕭翎冷冷說道：「藥王如是想要在下助尋千年石菌，最好是言語客氣一些。」

毒手藥王輕輕咳了一聲，道：「如若取你之血，照樣醫好小女之病，老夫以你的性命交換你帶路尋藥，難道還要感謝你不成？」

蕭翎只覺他言之有理，登時爲之語塞，呆了一呆，道：「藥王說得不錯。只是在下那時全然不會武功，一直躺在艙中，被他們送入石洞之中，自然是在三峽中了，咱們雇上一艘快艇，

沿江上行，站在船頭查看兩邊絕壁，如是有些相似，咱們就攀上峭壁，尋那山洞就是。」

毒手藥王道：「也只有這個辦法了。」

兩人說話之間，商八已趕回石洞。

商八望也不望毒手藥王，卻對蕭翎抱拳為禮，道：「虎獒帶到，恭候大哥下令動身了。」

蕭翎緩緩站起身子，道：「咱們走吧！」

行出石洞，突然停下，說道：「不行，家父母留此幽谷，豈是良策，那司馬兄和金蘭、玉蘭，實不足保護二老的安全。」

商八微微一笑，道：「大哥放心，兩位老人家已有向飛率領群豪，護送到安全所在去了。」

蕭翎道：「送往何處？」

商八望了毒手藥王一眼，哈哈一笑，道：「害人之心不可有，防人之心不可無，大哥只管放心，那地方十分安全就是。」

毒手藥王冷哼一聲，抱起女兒，大步當先行去。

商八低嘯一聲，草叢中奔出來一隻黑毛大犬，緊隨在商八身後而行。

毒手藥王當先帶路，幾人在虎獒的銳利嗅覺之下，避開了百花山莊的暗樁，繞到江邊，已經四更時分。

陰雲密佈，夜暗如漆，耳際間江流澎湃，卻不見一點漁火。

杜九冷冷說道：「月黑風高，漁火斂跡，看起來，只有等到天亮了。」

毒手藥王道：「多等一刻，你們那蕭大哥就減少一刻生機。」

商八起身說道：「在下去碰碰運氣，看看能不能找上一艘客船。」言罷，起身而去。

大約有半個時辰左右，商八急急奔了回來，道：「在下找到了一艘長行三峽的客船，我們快些上船吧！」

毒手藥王抱起女兒，隨在商八身後，沿江而下，行約七、八里路，果見一艘雙桅帆船，泊在岸邊。

全船中一片黑暗，不見燈火。

商八當先躍上甲板，直奔艙中。

蕭翎、杜九、毒手藥王等隨後而入。

杜九晃燃火摺子，只見艙中橫七豎八地躺了七、八個人。

蕭翎一皺眉頭，道：「這是怎麼回事？」

商八笑道：「這些人是船上的艄公，我來時，他們都集中在艙中賭錢，我一談僱船入川，就被他們一口氣回絕，情勢所迫，小弟只好先點了他們的穴道，再去請大哥來了。」

蕭翎輕歎一聲，欲言又止。

毒手藥王卻一伸大拇指，讚道：「商兄高才，這一手實在叫兄弟佩服。」

商八道：「如非爲了咱們大哥，商某豈肯出此下策。」右掌揮動，拍活了艄公被點的穴道。

杜九燃起案上火燭，右手從懷中摸出一錠黃金，兩顆明珠，放在桌案上，冷冰冰地說道：「各位都是常跑碼頭的人，眼睛裏揉不進一粒砂子，黃金有限，明珠無價，諸位立刻啓碇，送咱們溯江而上。」

眾水手眼看那兩顆明珠，都有貓眼大小，單是一顆，就可造上三、兩條大船有餘，個個面露喜色。

一個四旬左右的大漢，望了案上明珠一眼，道：「幾位是進川的嗎？」

商八道：「閣下想是船主了？」

那大漢道：「小人周順，大爺有事請吩咐。」

商八笑道：「你先收好黃金、明珠，立刻開船。」

周順道：「夜黑風大，水急浪高，行舟甚難，但你大爺一句話，小人們賣給你啦……」

語聲一頓，高聲接道：「夥計們，起碇升帆，開船了。」

艙中水手，應聲奔出艙外。

但聞一片彼呼此應之聲，響不絕耳，巨舟起碇離岸，張帆駛動。

蕭翎望了毒手藥王一眼，道：「藥王，把令嫒放在榻上，讓她安睡一陣。」

毒手藥王望了蕭翎一眼，長長歎一口氣，依言把懷中女兒，放在艙中木榻之上。

這艘雙桅巨舟，專門往返三峽，水手們個個俱是經驗豐富，熟知水道形勢，夜風急浪中，行駛仍極平穩。

蕭翎步行出艙門，站在甲板上，抬頭看東方天際，一片魚肚白色，已是天色將亮時分。

迎著河風，四下流顧，蕭翎希望能回憶起昔年往事，辨認出行經之處。

但見江流滾滾，一片白浪，哪裏還能辨別出昔年的行止，不禁暗暗歎息一聲，回到艙中。

他說那石洞在三峽之間，只不過是憑藉推斷而言，究竟在何處，卻一時無法確定。

巨帆逆水而上，直奔三峽水道。

蕭翎坐在艙口處，望著那一波未平，一波又起的浪花，心情卻和那江浪一般地起伏不定，想到此行成敗，毫無把握，不禁有些黯然之感。

中午時分，船家送來午餐，竟是有酒有肉，十分豐富。

毒手藥王心知愛女虛弱的身體，實難受長時行舟之苦，忍不住叫過周順，問道：「咱們幾時可以進入三峽？」

周順道：「如老天爺送咱一帆風順，日落之前，即可進入峽道，要是風向不對，似此等逆水行舟，只怕要明天晚上了。」

毒手藥王道：「老夫兩臂，有千斤以上神力，不知能否幫助你們行快一些？」

周順道：「不敢勞動你老。再說，你老力量再大，也是無法和這等自然威力抗拒。」說罷，急急出艙而去。

大約有一個時辰左右，瞥見周順重又奔入艙中，滿臉歡笑地對毒手藥王說道：「你老可以放心了，風勢已有轉變之象，也許咱們今夜就可能進到入口之處。」

毒手藥王道：「不能連夜進去嗎？」

周順道：「不行，三峽水道中到處都是淺灘礁石，小人雖熟悉，也不敢冒險在夜間行舟。」

毒手藥王道：「若是小女嬌弱之軀，受不了長時逆水行舟之苦，而有三長兩短，你們誰也別想活。」

周順呆了一呆，悄然退出艙去。

風向轉變，順風送舟，到了水道口處，太陽還未下山。

周順找了水灣所在，停了下來。

毒手藥王心中雖然著急，但也不願強迫船家，連夜冒險行舟。

次晨天亮，毒手藥王立時催促行船。

舟入水道，愈行愈見險要，急流暗礁，比比皆是。

水道兩側的山壁，也愈來愈見高聳、陡峭。

毒手藥王和蕭翎並肩站立在甲板之上，望著兩面峭壁，不時追問蕭翎，詢問那石洞所在。

蕭翎目光雖銳利，但也無法一眼間，瞧出石洞所在，只能憑昔年一點記憶判斷，口中卻是連應「尚未到達」。

但是否走過了頭，心中亦是毫無把握。

蕭翎口雖不言，但心中卻比毒手藥王更爲焦急，站在船頭，苦苦思索。

正自焦慮之間，突聞刷的一聲，一艘梭形小舟，掠著船邊行來，只見那操舟人身披簑衣，留著山羊鬍子，不禁心中一動，暗道：這人頗似五年前送我的兩人之一。

但覺腦際間靈光連閃，發覺那梭形快舟，也頗似昔年乘坐之舟。

那小舟去勢奇快，蕭翎這麼心念一轉之間，小舟已到了數丈開外。

就在這一瞬之間，蕭翎感覺到良機不可失，縱身一躍，直向小舟飛去。

毒手藥王眼見蕭翎飛躍離船，不禁心中大急，當下一提真氣，疾追而去。

二人這突然的舉動，立時引起中州二賈的注意，雙雙追出艙外。

這時，蕭翎和毒手藥王皆已飛上小舟，那小舟已然到了三、四丈外。

且說蕭翎將要落上小舟之時，那身披簑衣的老者，已然瞥見，右手一翻，劈出一掌。

一股強猛絕倫的掌力，直擊過去。

蕭翎心知如若硬接他這一掌，勢必被逼入水中不可，當下暗提真氣，懸空一讓，橫身避開三尺，一股掌風，掠身而過，人卻借勢踏上小舟。

那老者似是毫無畏懼之感，反而讚道：「好身法。」

左手搖櫓，穩住小舟，不讓它順流而下，右手一翻，順手抄起一根竹篙，一招橫掃千軍，平掃過來。

蕭翎雙足落上小舟，膽氣立生，右腿舉起一跨，直向那老者身側欺去，左手暗運功力，向外推出。

逼近那人身體愈近，竹篙的力量愈小，當竹篙近身，蕭翎已到了老者身側二尺左右處，吃蕭翎推出的掌勢逼住。

這時，毒手藥王已藉機登上小舟。

蕭翎右手疾快伸出，抓住竹篙，急急對那身披簑衣的老者說道：「兄台住手，在下有事請教。」

那身披簑衣的老者，看蕭翎出掌抓篙的快速舉動，已知遇上勁敵，霍然站起身子，冷冷喝道：「有何見教？」

蕭翎道：「水流湍急，說話不便，兄台可否把小舟划至安全所在一談。」

那身披簑衣老者，雙目盯注在蕭翎的臉上，一皺眉，說道：「咱們素昧平生。」

蕭翎道：「在下並無惡意，兄台先請穩好小舟，咱們再談不遲。」

身披簑衣的老者冷笑一聲，雙手搖櫓，把小舟划向一側停妥，接道：「閣下何人？有何見教？」

蕭翎目光轉動，四下打量了一眼，道：「如是在下的記憶不錯，我想兄台這小舟上，應該還有一位同伴。」

那身披簑衣的老者大感不耐地說道：「閣下究竟是何人？如再推三阻四，不肯實說，請恕

在下不客氣了！」

蕭翎道：「咱們五年前見過面，兄台可是想不起來嗎？承閣下和那位同伴，把我逼入江中，又把我救上小舟。」

那穿簑衣老人從頭到腳的望了蕭翎一陣，搖搖頭，道：「在下毫無記憶。」

要知蕭翎五年前身形瘦小，弱不禁風，此刻是人若臨風玉樹，英氣逼人，就讓他想破了腦袋，也是不容易想得出來。

蕭翎回顧了毒手藥王，又對簑衣人說道：「五年之前，閣下和貴友，在江中救了在下，卻把我送來此處，給一位臥病中的老人，那人高居懸崖峭壁間一座石洞之中，你們經常去擒些十幾歲的孩童，送來此地，在下這般說，閣下可以明白了吧！」

那人雙目聳動，又望了蕭翎一眼，道：「不錯，五年前確然有這麼一件事情，如若那人是你，你就是蕭翎了？」

蕭翎道：「不錯，正是區區在下。」

簑衣老人長長吁了一口氣，道：「你不是跌下懸崖摔死了嗎？」

蕭翎不願講出詳情，隨口應道：「在下該死未死，被人救起。」

簑衣人道：「當今江湖上傳誦之名，那人就是閣下了。」

不論何人，一提此事，蕭翎就覺得夾纏不清，很難說得清楚，當下說道：「當今之世重名重姓之人甚多，也許那是另外一位蕭翎。」

那身披簑衣老者冷冷說道：「閣下是否蕭翎，在下也不願多問，但不知你率人來此，是何用心？」

蕭翎心中暗道：我們來採取那千年石菌的事，不能對他洩露，和他談話，自然是愈少愈好，當下說道：「在下一則想舊地重遊，二則想向那位病中的老人，致謝一聲。」

那簑衣人冷笑一聲，道：「如果當真爲此，由你一人來此，也就是了，用不著這等勞師動眾。」說完，目光回轉，望了大船甲板上站立的中州二賈一眼。

蕭翎道：「在下雖然有友同行，但絕無惡意……」

那簑衣老者搖搖頭，道：「不行。」

登上小舟，一直未發一語的毒手藥王，突然冷冷說道：「誰說不行了，行也得行，不行也得行。」

簑衣人怒道：「你是何人？」

毒手藥王道：「老夫毒手藥王。」突然伸手，抓住竹篙，直向那簑衣人橫裏擊去。

那身披簑衣老者突然一伸手，抓住竹篙道：「毒手藥王，在下久聞你用毒之能，天下第一，今日有幸一晤。」

毒手藥王淡淡一笑，道：「你已中了老夫之毒。」

簑衣人先是一怔，繼而淡淡一笑，道：「藥王可是想嚇唬在下嗎？」

毒手藥王道：「你如不信老夫之言，何妨運氣一試。」

那人依言暗中運氣一試，果然是覺出有了中毒之徵，不禁臉色一變，道：「毒手藥王之名，果不虛傳。」

一轉身正待躍入水中，蕭翎卻急急叫道：「兄台留步。」

那簑衣人怒聲喝道：「老夫五年之前如若把你放在江中淹死，也不會有今日中毒之事。」

毒手藥王冷然接道：「老夫不但施毒之能，稱尊天下，而且還有著控制毒性發作之能，你此刻身中之毒，最是怕水，冷水一浸，毒性立刻發作。」

那身披簑衣的老者，舉手微捋山羊鬍子，道：「浸入水中，能引發毒性，在下倒是有些不信。」

他口中雖說不信，但人卻已不敢跳入水中，想到毒手藥王借物傳毒之能，此言也許不虛。

蕭翎回目望著毒手藥王，道：「在下帶藥王到此，旨在尋藥，並無尋仇傷人之心，你這般……」

毒手藥王想他下面之言，定然十分難聽，急急接道：「老夫要防患未然，不得不爾。」

突然伸手從懷中摸出一粒解藥，一翻手腕，投向那簑衣人，接道：「接住解藥服下，立刻可解劇毒。」

那人一伸手，接住解藥，張口吞了下去。

毒手藥王道：「閉上眼睛運氣調息。」

那簑衣人似是已為毒手藥王施毒之能震懾，竟是言聽計從，依言閉上雙目，運氣調息。

片刻之後，那身披簑衣的老人緩緩睜開雙目，望了蕭翎和毒手藥王一眼，正待開口，蕭翎已搶先說道：「兄台身中劇毒，是否已解？」

毒手藥王接道：「老夫施放之毒，再贈解藥，自然是瞬息可解了。」

那身披簑衣的老者道：「好像已經解去。」

蕭翎接道：「五年前承蒙相救，但兄弟卻一直未請教兄台姓名，不知此刻肯否相告？」

身著簑衣的老者道：「在下宋保。」

蕭翎向身著簑衣老者一抱拳，道：「原來是宋兄。」

宋保一拱手，道：「不敢當。」

蕭翎道：「五年之前，小弟承蒙相救之後，送往那石洞中去，山道崎嶇，早已不復記憶，勞請宋兄指明去路……」

宋保沉吟了一陣，道：「我家公子脾氣不好，諸位就算無惡意，這等直接尋上門去，只怕也將激怒於他。」

蕭翎說道：「麻煩宋兄大力幫忙，小弟等感激不盡。」

宋保凝目沉思片刻，道：「如是蕭兄果無惡意，兄弟倒有一策在此。」

蕭翎道：「請教高見。」

宋保道：「諸位請在船上相候，在下先去稟報我家公子一聲，諸位再去不遲。」

蕭翎道：「如是你家公子不肯答允呢？」

宋保道：「這個，在下就做不得主意了，如是我家公子不肯答應，在下亦當來通知諸位一聲。」

蕭翎突然想到那常臥病榻，骨瘦如柴的老人，問道：「有一位臥病的老人，可還住在那石洞中嗎？」

宋保長長歎息一聲，道：「那是在下的老主人，已於前年死去。」

蕭翎道：「你口中的公子，想來定是我五年前遇到的青衣少年了。」

宋保道：「我家老主人只此一子，你如見過，定然是不會錯了。」

蕭翎道：「我等如若放你回去，萬一被你家公子扣留，不肯放你回來……」

宋保道：「那是情非得已，而且依在下看來，機會不大。」

蕭翎道：「話雖如此，但我等不得不作防備，在下有一個兩全之策在此……」

他頓了一頓，又續道：「我等隨你身後，找上那石洞所在，隱在暗處，宋兄去稟報你家公子，他如願意接見，我等自是依照江湖上規矩，拜府求見，如是他萬一不肯接見，那也不敢有勞宋兄，半個時辰之後，我等自行進入那石洞中去就是。」

宋保道：「這個，只怕不很妥當吧……」

毒手藥王道：「如是太妥當了，我等就少一分制勝機會，老夫之見，此乃是最好之策，你如再不答應，咱們就只有動強了！」

宋保暗暗忖道：此人不知從何人學藝，本是身罹絕疾必死的人，此刻竟然是療好病情不

算，而且又得了一身非凡武功。

只聽蕭翎道：「此刻時光，寸陰如金，閣下也不要太拖延了。」

宋保突然一咬牙，道：「如不獲公子答允，諸位就自行前去叩門，直接找我家公子……」

蕭翎接道：「既是如此，那就有勞宋兄了。」

毒手藥王抱起女兒，抬頭瞧瞧那聳立的峭壁，道：「可否把小舟靠到岸邊？」

宋保連忙轉動小舟，靠在岸邊。

蕭翎招來中州二賈，連同毒手藥王一起登岸，直向峭壁之上攀去。

絕壁過於陡峭，群豪要手足並用，才可攀上，那毒手藥王懷中抱著女兒，無法施展雙手，蕭翎用一條細繩，拖著毒手藥王，助他一臂之力。

啇八緊隨宋保身後，暗中監視著他的行動。

攀到百丈之後，才到了一條小徑之上，宋保回顧了蕭翎一眼，道：「西行百丈，就是敝公子的息居石洞，諸位就請在此地留步如何？」

蕭翎道：「咱們到那石洞口處，也是一樣。」

宋保輕輕歎息一聲，道：「近洞十丈之內，就有埋伏，諸位又何苦涉險呢？」

毒手藥王道：「如是真有埋伏，咱們更需得借重閣下帶路了。」

宋保似是自知失言，不再答話，當先舉步行去。

四六　藥王降蛇

行在曲折小徑之上，蕭翎已不用再助那毒手藥王，連忙搶先一步，緊隨在宋保後面，道：「宋兄可知那十丈內埋伏有幾道暗樁？」

宋保道：「不是暗樁，那石洞之中，除了我家公子之外，只有二婢和在下等共四個人，人手不夠分配，如何還能派出暗樁。」

蕭翎道：「不是暗樁，那是什麼？」

宋保道：「各種毒物，毒蛇、蜈蚣，應有盡有！」

蕭翎心中暗道：毒蛇、蜈蚣，雖不可怕，但這等夜暗之中，牠們如突起施襲，倒也真使人防不勝防了！

商八從懷中摸出金算盤，道：「老二，亮傢伙，對付毒蛇、蜈蚣之類，不用客氣。」

毒手藥王突然大跨幾步，追在那宋保身後，道：「老夫不畏毒蛇。」

宋保回顧了毒手藥王一眼，道：「諸位如信得過在下，讓在下走前一些，設法退去毒蟲。」

毒手藥王道：「閣下請便。」

宋保放開腳步，行出丈餘，突然從懷中取出一個銅鈴，揮手搖動。

靜夜中叮噹鈴聲，傳出老遠。

宋保行約十幾丈後，突然停了下來，說道：「到了。」

蕭翎急行幾步，抬頭瞧去，只見一個高大的岩石之旁，果然有一座緊閉的石門。

宋保突然行前一步，伸手在石門旁側大巖上，點了一指。

只聽一陣隆隆之聲，傳了過來，聲音由上而下，逐漸遠去。

蕭翎心中暗道：原來他們用滾石傳音之法，用做叫門的訊號。

大約過了有頓飯工夫之久，那滾石之聲，早已消失不聞，仍不見石門開動。

毒手藥王首先不耐，怒聲對宋保說道：「你如敢再耍花槍，老夫就讓你嘗試一下，抽筋縮肌的奇毒滋味。」

宋保冷冷說道：「石府幽深，總得讓他聽到滾石聲後，趕來開門。」

說話之間，突聞呀然一聲，石門大開。

夜色沉沉，洞中更是黑暗，以幾人過人的目力，也只能看到丈餘左右。

宋保冷冷地說：「石門已開，諸位請進啊！」

蕭翎突然大邁一步，當先搶行，道：「在下帶路。」

杜九急衝兩步，搶在蕭翎前面，道：「小弟開道。」拔出鐵筆，戒備開路。

只覺那石洞左曲右折，繞入山腹，但地勢逐漸平坦，顯然是天然的石洞，又經過一番人工的修築。

突見燈光隱隱透了過來。

幾人目力何等敏銳，有此微弱之光，立時有著如入白晝之感。

杜九加快腳步，轉過一個彎子，抬頭看去，只見一盞高燃的油燈，放在一片轉彎處山壁之上。

燈光下看得明白，那光滑壁上，寫著「止步」兩個字。

商八沉聲對宋保道：「宋兄，這油燈芯心未開，顯然剛剛燃起不久了！」

宋保道：「不錯。」

商八道：「這就是說，在我們未到之前，先有人在此點起燈火而退。」

宋保道：「正是如此。」

杜九接道：「這兩個字寫在轉彎的山壁上，那是有著示警之意了？」

宋保道：「諸位見此示警二字，如是仍然不肯停下，遇上什麼凶險，那是咎由自取了！」

商八抬頭打量了石道一眼，只見石道高不過丈五，寬不過四尺，如是在這石道中有什麼機關埋伏，實是不易閃避。

只聽杜九說道：「大哥請暫行留此，兄弟先行一步瞧瞧如何？」

蕭翎道：「事已至此，已是有進無退，就算他們在這石道中設有險惡的埋伏，也只有闖過去了。」

語聲甫落，那高燃的燈火，搖了兩搖，突然熄去。

杜九冷哼一聲，道：「鬼鬼祟祟，算得什麼英雄人物。」

啇八突然縱聲大笑，道：「好啊！熄去燈光，難道就能難得住中州二賈嗎？」

但見寶光一閃，幽暗的石道中，突然亮起了一片青碧光輝。

仔細瞧去，只見啇八手中捏著一顆龍眼大小的瑩晶明珠，青碧色的光彩，就由那明珠之上發出。

毒手藥王喜道：「夜明珠。」

啇八點頭道：「不錯，夜明珠，中州雙賈，富甲天下，區區一顆夜明珠，算不得稀奇之物。」

但聞宋保冷冷地接道：「就算這石道中的光耀如白晝，但諸位如想通過那重重埋伏，也不是容易的事。」

毒手藥王突然右手揮動，嗖嗖兩聲，拍在宋保雙肩之上，道：「諸位放心，我已卸了他兩肩的胛骨。」

珠光映射下，只見宋保疼得滿頭大汗，滾滾而下。

蕭翎突然舉步一跨，行近宋保身側，雙手齊出，接上他雙肩胛骨，道：「宋兄請吧！」

這一下，宋保倒是大感意外，回顧了蕭翎一眼，道：「你這是何用心？」

蕭翎道：「不論如何，咱們無怨無仇，我們此來，又無和貴公子爲敵之心！只不過想瀏覽一下後山的飛瀑、絕壑、峻奇景物而已。」

宋保道：「這倒叫在下有些難信。」

蕭翎道：「宋兄不敢相信，那也是沒有法子的事，不過，宋兄此刻可以走了。」

宋保奇道：「當真的可以走嗎？」

蕭翎道：「在下素來不說謊言。」

宋保暗中運氣一試，果然沒有異徵。

蕭翎輕輕歎息一聲，接道：「見著你家公子之時，代我向他問候一聲！」

宋保沉聲對蕭翎說道：「在下當盡量設法，說服我家公子，與諸位方便。」

蕭翎道：「那是最好不過，免得鬧出不歡之局。」

宋保一抱拳，道：「諸位保重。」大步向前行去。

蕭翎站在最前，望著宋保的背影不見，才沉聲說道：「在下開路，藥王請走中間。」說罷，舉步向前行去。

毒手藥王依言隨在蕭翎身後，中州二賈卻走在最後。

大約又深行了四、五丈，轉過四個山彎，突聞一個清脆的聲音，傳了過來，道：「站住！」

蕭翎依言收住腳步，依據拜山常規，抱拳一禮，道：「在下蕭翎，有事求見貴洞中主人。」

那女子似是料不到蕭翎說得如此客氣，怔了一怔，道：「諸位既有事求見，就該守候在洞外才是，這般輕易的闖了進來，那自然不是求見了。」

毒手藥王道：「就算咱們打進來的，那又該將如何？」

那清脆的聲音怒道：「你是什麼人，講話如此無禮。」

毒手藥王道：「老夫毒手藥王。」

那清脆的女子聲音應道：「沒有聽人說過。」

毒手藥王心中雖怒，但卻無法出口發作，只氣得冷哼兩聲，沉聲說道：「蕭兄，一個區區女子，也能攔住咱們去路嗎？」

蕭翎道：「在下一向是先禮後兵……」

突然提高了聲音，道：「姑娘有什麼話，快些請說，如是貴洞主人不肯相見，在下只好闖進去了。」

那女子聲音應道：「如是你們向前欺進一步，我就立刻發動埋伏。」

蕭翎聽聲辨音，認準那女子停身位置，突然高聲說道：「姑娘小心了。」縱身一躍，疾撲過去。

但覺寒光一閃，劍風迎面襲來，石洞間同時響起了一片軋軋之聲。

毒手藥王、中州二賈，都是久經大敵的人物，聞聲警覺，全神戒備，一面大步向前衝去。

蕭翎右掌一揮，迫出一股潛力，逼住了襲來劍勢，左手一指點出，反擊過去。

但聞一聲嬌呼，那女子突然收劍而退，疾奔而去。

蕭翎冒險直進，追了過去。

毒手藥王、中州二賈同時以快速無比的身法，追到了蕭翎的身後。

但聞砰砰兩聲大震，洞頂上，疾落下來兩塊巨石。

如非蕭翎出手一擊，凌厲絕倫，迫得那女子略慢發動機關，和毒手藥王、中州二賈等的身法快速，勢非傷在那兩塊巨石之下不可。

金算盤商八回顧了巨石一眼，只見整個石道，全被堵塞，只不過相差半尺，就要碰到杜九，不禁暗暗忖道：好險啊！好險！

毒手藥王急急說道：「商兄請托明珠照路，他們既然已發動了埋伏，咱們也不用再客氣了。」

商八身子一側，繞到蕭翎前面，道：「藥王說得有理。」右手摸出金算盤，大步向前行去。

蕭翎沉聲說道：「商兄弟，你要多多小心……」

餘音未絕，突聞一股腥臭之氣，迎面撲了過來。

珠光映射下，只見一條小蛇，箭一般地急射而來。

商八停下腳步，揮動手中金算盤，擊了過去。

但見白光打閃，蕭翎的長劍，後發先至，沙的一聲，那條飛來的小蛇被斬作兩斷。

就這一陣，地下響起了沙沙之響，各種奇形怪蛇，不下數百條，蜂擁而至。
這石洞寬不過數尺，蛇群密集而來，簡直避無可避。
饒是商八見多識廣，智謀百出，在狹道中遇上此等蛇群，也不禁有些慌張失措。
蕭翎疾忙地發出了一記劈空掌力，捲地襲去。
前面幾條蛇，吃那強猛掌力一擊，當場死去，但更多的毒蛇，卻被激怒，疾竄而上。
毒手藥王大聲喝道：「諸位退開。」揚手打出一片藥粉。
商八、蕭翎知道藥王要施展奇毒，以制毒蛇，立時向後退去。
但見毒手藥王右手連連揮動，片刻間，灑成了一道三尺寬窄的毒區。
蛇群行到那毒粉跟前，果然停了下來，不敢再向前爬行，越集越多，不過一盞熱茶工夫，已然疊成數堆。
蕭翎望著那重疊的蛇群，心中暗道：這蛇群前面遇上阻力，仍是不停地擁至，想來後面必有一種逐蛇之力，迫使群蛇擁來，想退群蛇，必得先行消滅那逐蛇的力量。
凝神聽去，忽聞一種奇異的笛聲，傳了過來。
每當那笛聲發出急急之音，蛇群就躍躍欲試，重疊而起，似是要越過毒區。
大概那劇毒，是蛇群的剋星，竟然是無一條毒蛇敢越毒而來。
商八看那毒蛇越集越多，而且形狀古怪的奇蛇，也愈集愈多，一股腥臭之氣撲了過來，不禁一皺眉頭，道：「藥王，毒蛇愈集愈多，似這般對峙下去，也非良策，藥王既有阻蛇之法，不知是否有退蛇之計？」

毒手藥王道：「現下只有一策，但卻不知是否有用？」

啇八道：「不管有沒有用，先用出試試再說！」

毒手藥王還未及答話，忽見群蛇紛紛跌滾，讓到一側。

啇八心中大奇，高舉手中寶珠望去，只見一條全身金黃，長可及丈，頭生紅冠，兒臂粗細的怪蛇，昂首急游而來。

此蛇大概是蛇中之王，昂然游至，群蛇立時停止了傾擠蠕動，蜷伏一側。

那頭生紅冠的蛇王，行經那毒粉灑布邊緣，突然人立而起，蛇頭向前探來，似要越過毒區。

啇八急急說道：「這頭生紅冠之蛇，似是蛇中之王，如能擊斃此蛇，想可驚退蛇群。」

蕭翎望著那重疊的蛇群，心中暗暗發毛，忖道：月前被困那百花山莊之中，亦曾為沈木風逐動蛇群所困，那夜蛇群雖多，但卻不似今夜這等聲勢，看今宵之蛇，大都是極罕見的奇形怪蛇，這紅冠蛇王，看上去更是凶悍，早除此蛇，或有收驚退群蛇之效，但亦可能一擊不中，激怒蛇王，迫使群蛇，越過毒區，如群蛇蜂擁而至，倒也難以對付，此刻，又後退無路，只有硬著頭皮，挺受群蛇攻擊了。

心中念頭轉動，暗中運集功力，正待發出修羅指力，忽聽毒手藥王喃喃自語，道：「好一條名貴的奇蛇……」

商八道：「藥王可是讚美那紅冠奇蛇嗎？」

毒手藥王道：「不錯，如若能生食此蛇之血，至少可增十年功力……」

突然縱聲大笑一陣，道：「如是那後山瀑布之下，當真有千年石菌，療治好小女的傷勢，再借此蛇腹中之血，可使小女虛弱之軀，脫胎換骨，很快成爲當今武林中第一流高手，那是足可和當今天下任何人，一較神力了。」

只聽那紅冠蛇王咕咕兩聲大叫，那靜伏不動的蛇群，突然又掙扎起來。

忽見一條三角大頭的怪蛇，突然躍入灑布毒藥的藥區之中，靜伏不動。

一蛇赴死，群蛇相應，片刻間，已有數百條毒蛇，竄入毒區。

毒手藥王不知用什麼奇毒，果然奇惡無比，蛇身一和藥粉相觸，立時中毒而死。

奇怪的是，在那紅冠蛇王之前，群蛇竟然是個個悍不畏死，前仆後繼，不大工夫，蛇屍已滿佈了毒區，布成了一座可以越渡的蛇橋。

毒手藥王右手一揮，又撒出一把藥粉，口中卻暗施傳音之術，道：「老夫毒粉，已將用完，那時少了憑借之後，再無別法對付群蛇了！此刻唯一的退蛇之策，全在那紅冠蛇王身上。」

只見那紅冠蛇王，由群蛇屍體疊成的一座橋上，直游而過。

群蛇魚貫相隨在那紅冠蛇王之後，游過毒區。

商八低聲說道：「藥王可有對付那蛇王之策嗎？」

毒手藥王道：「如是只此一蛇，老夫還可勉強對付，如今群蛇相隨，大都是絕奇之毒物，只怕不易對付。」

只見蕭翎右手一揚，一縷指風，直襲向蛇王頭上紅冠。

那紅冠蛇王，似有所警覺，一縮蛇身，避了開去。

指風到處，那隨在紅冠蛇王身後的兩條奇形毒蛇，應指而斃。

蕭翎只瞧得呆了一呆，道：「奇怪，難道一條毒蛇也懂武功不成。」

毒手藥王道：「蛇雖不會武功，但此蛇似已達通靈之境。」

幸好毒手藥王又布下一道毒區，那紅冠蛇王和一些隨行毒蛇，又被阻止。

蕭翎道：「竟有此等事情。」

刷的一聲，抽出長劍，道：「看來只有先行斬此蛇王，再設法對付群蛇了！」

毒手藥王道：「據老夫所知，此蛇皮鱗堅硬，已然不畏刀劍。」

蕭翎突然欺進兩步，道：「有這等事？」

毒手藥王道：「你如不信，何妨問問中州二賈。」

蕭翎目光轉到商八臉上，道：「可有這等事嗎？」

商八道：「據小弟所知，世間確有一種奇蛇，鱗皮不畏刀劍，至於這紅冠蛇王，是否不畏刀劍，小弟就不知道了。」

毒手藥王道：「老夫倒有對付這蛇群之策。」

杜九冷笑一聲，道：「此時何時，此情何情，你還要藏私不成？」

毒手藥王道：「老夫還是先要把話說明才行。如是老夫擒得這紅冠蛇王，這蛇王，就歸老夫所有。」

蕭翎道：「這點小事，還用商量嗎？只要你能提得到，眼下所有的蛇，全部給你就是。」

毒手藥王哈哈一笑，突然揚手一揮，一陣暗勁，直襲過去，人也跟著欺進一步，直向那紅冠蛇王欺去。

那紅冠蛇王先中了毒手藥王一記劈空掌力，只打得連翻了兩個身，早已急怒如狂，眼看毒手藥王欺了過來，立時張開大口咬了過去。

毒手藥王右手一揚，一顆藥丸，疾投入紅冠蛇王的口中，人卻疾向後面退出五步。

那紅冠蛇王陡然咕的一聲，搖尾一擊，身後群蛇，立時被牠擊死數條，大口張動，生生把身側兩條尺許長短的青色毒蛇，吞入了腹中。

群蛇對這紅冠蛇王，畏懼異常，不敢抗拒，紛紛向後退去。

蕭翎眼看牠們同類相殘之狀，不禁黯然一歎。

逐蛇的笛聲，也突然停了下來，顯然因那紅冠蛇王的瘋狂，使群蛇不肯再受那笛聲管制。

群蛇來得奇快，退得也十分迅速，片刻之間，走得只剩下那一條紅冠蛇王。

這時，那紅冠蛇王，已然不似剛才那般神氣，靜靜地伏在地上。

毒手藥王計算那藥力已經發作，左手從懷中摸出一個布袋，右手一伸，抓了過去。

那紅冠蛇王，有如冬眠一般，任那毒手藥王抓起放入袋中，始終未轉動過一下。

商八眼看毒手藥王收起那紅冠蛇王的高興之狀，心中暗道：看來這紅冠蛇王必然有大用。當下說道：「恭喜藥王。」

毒手藥王哈哈一笑，道：「好說，好說……」

他似是不願把心中之事說出來，但終又忍耐不住地接道：「老夫只在一本奇書上，瞧到過這紅冠蛇王的記載，想不到今天竟然被咱們遇上了。」

杜九道：「聽藥王口氣，這紅冠蛇王，似是一條十分珍貴之物？」

毒手藥王道：「千古奇珍，絕無僅有，對小女的助益很大。」

蕭翎道：「可是能療救令嬡的病勢嗎？」

毒手藥王凝目思索了一陣，搖搖頭，道：「不行，非得取一千年石菌……」

他似是不願再談紅冠蛇王的事，把口袋挽了一個結，藏入懷中，當先而行，兩袖拂動，拂去布在地上的劇毒。

蕭翎身子一側，原想搶在前面帶路，卻被商八橫出右臂擋住，低聲說道：「讓藥王走前面，也是一樣。」

又折了兩個彎子，石道突呈遼闊。

蕭翎暗自估算行徑，已深入了數十丈遠，應該到了那多病老人居住的石室所在。

正忖思間，突聞毒手藥王喝道：「鼠輩敢爾。」

右手一揮，推出一掌。

兩股強猛的暗勁，懸空相接，激盪成風，靜夜夾道中，響起了一陣呼嘯之聲。

只聽一個冰冷的聲音，傳了過來，道：「爾等無緣無故，犯我石府，是何用心？」

毒手藥王正待答話，蕭翎已搶先說道：「在下等爲了救一位姑娘性命，到此求取一種藥物，適才一位宋兄，想已把內情轉告兄台了。」

那冰冷的聲音傳了過來，道：「你是何人？」

蕭翎道：「在下蕭翎，五年之前，承蒙那位宋兄，和另一位兄台相救到此……」

那冰冷的聲音接道：「難得你還能記起此事……」

語聲微微一頓，突轉冷厲地接道：「斬草未除根，春風吹又生，閣下昔年如被摔死了，也不會有今日率人入我石府的事了。」

杜九怒聲喝道：「你這小子，能不能講出一口中聽的人話出來。」

那冰冷聲音喝道：「你是何人？」

杜九道：「杜老二……」

商八接道：「薄有虛名的中州二賈。」

毒手藥王接道：「老夫毒手藥王，雖可妙手回春，但也能傳毒取命。」

那人沉吟了一陣，說道：「諸位原來都是武林中大有名氣之人，那是無怪有些狂妄了。」

杜九怒聲喝道：「好大口氣，你小子出來，先鬥杜九三百回合。」

那冰冷的聲音應道：「好，在下如不現身，只怕你們心中懷疑，我怕了幾位。」語聲甫落，瞥見丈餘外，轉彎處，緩步走出來一個人影。

商八高舉手中明珠，仔細看去。

只見來人白面無鬚，一襲青衫。

那青衫人，行近幾人六、七尺處，停了下來，冷冷說道：「諸位地形生疏，敗了只怕也不肯心服。」突然舉起雙手，互擊兩掌。

只見火光一閃，轉角處，緩步走出兩個高挑紗燈的青衣少女。

兩女身著勁裝，各揹著一柄長劍。

石道中，陡然間明亮起來，景物清晰可見。

二女行近那青衫少年身前，放下紗燈，轉身緩步走去。

毒手藥王回顧了蕭翎一眼，道：「你有耐心等待，老夫卻沒有這份耐心了！」突然舉步向前跨出。

青衫少年一揚右手，冷冷說道：「回去！」一蓬銀芒，電射而出。

毒手藥王身子一側，讓避開去，心中卻吃了一驚，暗道：好強勁的功力。

只見蕭翎右腕一翻，快速無比地拔出長劍一揮，一陣叮叮咚咚之聲，四枚精光閃動的小巧銀梭，齊落地上。

銀梭著地，蕭翎的長劍，也同時還入了鞘中。

蕭翎一抱拳，道：「不論令尊昔年的用心如何，但他總算救了我蕭翎一命……」

青衫人道：「如非先父昔年一點仁慈，也不會留下今日的禍根了。」

蕭翎道：「在下此來，確無惡意，還望兄台破格賜允，我等在此石洞，多則半日，少則一個時辰，立刻撤走，決不多留。」

青衫人冷笑一聲，道：「就憑閣下適才那拔劍一擊的快速手法？」

蕭翎道：「兄弟並沒有炫耀之心。」

青衫人道：「但卻激起我爭勝之意。」

蕭翎緩緩向前走了三步，道：「除了動手之外，不知兄台是否還有其他辦法，能容我等在此停留半日？」

青衫人搖搖頭，道：「別無良策……」

蕭翎接道：「那是非要動手不可了？」

青衫人沉吟了一陣，道：「辦法倒有一個，只怕閣下不肯答允，說了亦是枉然。」

蕭翎道：「只要在下能力所及，決不推辭。」

青衫人兩道森寒的目光，凝注在蕭翎的臉上，瞧了一陣，道：「你認識岳小釵……」

蕭翎只覺前胸突被人打了一拳般，全身一陣顫動，道：「不錯，那岳姑娘現在何處？」

青衫人臉上掠過一抹獰笑，道：「你很想見她嗎？」

蕭翎道：「不錯，還望兄台指示一條明路。」

毒手藥王突然接口道：「姓蕭的，咱們取藥要緊，你可是忘去在老夫面前許下的約言？」

蕭翎緩緩回過臉來，星目中神光，直逼在毒手藥王的臉上，良久之後，才緩緩說道：「藥王說得不錯……」目光一轉，望著那青衫少年，緩緩接道：「岳姑娘的事情，可否等候一陣再談，先讓我等取過藥物救人命……」

青衫人一聳雙肩，道：「什麼藥物？」

蕭翎道：「在閣下這石府之後，可有一道飛瀑？」

青衫人道：「不錯。」

蕭翎道：「我等要取之藥，就在那飛瀑之下的懸崖峭壁之間，但得兄台相容，使我等在這石府中，停上一個時辰即可。」

青衫人道：「那石壁間生的什麼藥物？」

毒手藥王接道：「閣下不覺問得太多了嗎？」

青衫人沉吟了一陣，道：「好！在下破例答允，不過時限不得超過一個時辰。」

蕭翎道：「夠了。」

青衫人又舉起手來，互擊三掌，那兩個青衣少女，急急奔了過來，欠身說道：「公子有何吩咐？」

青衫人道：「掌燈帶他們到後山飛瀑之下。」

兩個青衣女應了一聲，各自取起放在石道中的紗燈，道：「小婢為諸位帶路。」一齊舉步

向前行去。

那青衫人突然舉步而行，搶在二女前面，轉過彎角不見。

商八低聲對蕭翎說道：「大哥，情形有點不對，這小子問出大哥識得那岳小釵姑娘之後，突然改變心意，答允我等取藥，只怕別有用心，不可不防！」

毒手藥王道：「不妨事，老夫已在他身邊下了劇毒，一個時辰之內，劇毒就要發作。」

蕭翎回目望了毒手藥王一眼，道：「當真嗎？」

只聽那掌燈二婢齊齊失聲而笑。

毒手藥王怒道：「兩個臭丫頭，有什麼好笑的？」

左面一婢，突然轉過臉來，望了毒手藥王一眼，道：「你這個糟老頭子，講話客氣一點，咱們雖是為人奴婢，但除了我家公子之外，可是誰的氣也不願受。」

毒手藥王氣得雙目中殺機閃動，但想到小不忍則亂大謀，出手傷了二婢，妨礙取藥的事，那可是太不划算，竟是強自忍了下去。

杜九眼看著毒手藥王，氣得大瞪著一雙怪眼，作聲不得，心中暗自好笑，忖道：這毒手藥王，為了那一個多病的女兒，倒是受了不少窩囊之氣。

蕭翎對那毒手藥王暗中施毒一事，甚是不滿，沉聲對二婢說道：「兩位之中，有一人為我們帶路就行了，隨便哪位去告訴你家公子，要他運氣試試看，是否真的中毒。」

右面一婢忍不住又是嗤的一笑，道：「咱們公子，終日吃食奇毒之物，還會害怕中毒，豈

不是大大的笑話了。」

蕭翎聽得怔了一怔，道：「你們公子終日以奇毒為食……」

左面一婢道：「是啊！別說我家公子了，就是小婢們，每天也得吃上三、五條毒蛇。」

蕭翎只覺全身一冷，脊背上冒上來一股涼氣，暗道：看這兩個丫頭，人都長得十分清秀，想不到卻是終日以毒蛇為食。

說話之間，又轉了一個彎，只見右側石壁，隱隱有光亮透出。

蕭翎心中一動，暗道：此地頗似那多病老人的養病之處，那可憐的老人，對我卻是很好……

往事歷歷，一一閃過腦際，人也不自覺地舉步一跨，直奔向透出燈光的石壁所在。

二婢要阻止，已是晚了一步。

蕭翎右手已然暗運功力，拍在那石壁之上，內勁暗發，猛力向上一推。

但聞嗤的一陣輕響，一道石門，應手而開。

大約是有人離開時十分匆急，未曾把石門關好，以致那燈光透了出來。

右面一婢見蕭翎推開壁上石門，不禁心中大急，刷的一聲，拔出長劍怒道：「快退出來！」

她人也緊隨著跨行兩步，衝入了石室之中，舉手一劍，直向蕭翎刺去！

蕭翎回手一拂，拍出一股潛力，逼住劍勢，緩緩說道：「五年之前，在下就在此室中晉見你家老主人，那時，姑娘還未進入這座巫山石府。」

那少女的劍勢被蕭翎回手一掌逼開，心中暗自驚道：這人的武功不弱。口中卻不自覺地應道：「怎麼？你認識我家老主人嗎？」

蕭翎道：「嗯！可惜，他已作了古人！」

目光轉動，只見白素燭高台，白幔垂壁，一具棺木，倚壁而放。

這時，兩婢都進入了石室，雙劍出鞘，四目神凝，注視著蕭翎的一舉一動。

金算盤商八緊隨著二女，也進入了石室，外面的石道中，很自然地布成了一個拒敵之勢。

蕭翎望了那棺木一眼，道：「這棺木之中，可是你家老主人的遺體嗎？」

二婢應聲道：「不錯，你如敢妄動那棺木一下，決難生離巫山石府。」

蕭翎想到昔年那老人愛護之情，抱拳對那棺木一揖，道：「晚輩重來石府，想不到老前輩竟已作了古人。」

二人見他對那棺木行禮，似是並無惡意，也就未再多管。

蕭翎長揖之後，原想退出，突然有一個念頭，電光石火般閃過腦際。他記得見那老人時，似是還進了一道石門，如果這停棺之室，就是那老人昔年的養病所在。在那石壁之後，還應該有一間複室，和一張木榻。

心中念頭轉動，人卻突然欺進一步，直向那石壁而去，估計那石門所在，陡然拍出一掌。

但聞砰的一聲，石壁回應，顯是中空。

左面一婢突然側身而上，長劍一振，點了過來。

蕭翎左手一招「揮塵清談」，輕描淡寫地逼開長劍，問道：「這石壁之中，還有一座複室，姑娘知道嗎？」

那青衣女婢劍勢被蕭翎拍向腕上的掌力封射出去，急切間收不回來，心中大急，怒聲應道：「不知道！」

蕭翎淡淡一笑，道：「昔年你家老主人對我蕭某十分優遇，今日在下舊地重遊，自是應該拜拜他的靈棺……」

毒手藥王冷冷接道：「此刻寸陰如金，咱們最好是不要無端的浪費時間。」

蕭翎不理毒手藥王，右手一揮，又向那石壁間拍出一掌。

那女婢已收回劍勢，玉腕一揮，長劍斜裏劈下。

蕭翎身軀疾閃，避開劍勢，道：「姑娘可是迫我出手奪劍嗎？」

那女婢應道：「我不信你能奪去我手中的兵刃。」

蕭翎道：「好，不信你就試試！」

說話之間，右手已疾快地伸出，五指一翻，扣住了那少女的右腕，接道：「姑娘可知那複室石門的開啓之法嗎？」

他口中雖在問話，左手卻向石壁迅快地移動，不停發出內力試探。

另一個青衣小婢，眼看蕭翎左掌不停在壁間移動，但見左面小婢已爲蕭翎掌勢扣制，一時

之間，不但無法掙脫，並且又正好擋住了自己去路，大急之下，突然揮手一掌，向高燃的素燭上拍了過去。

她希望先行撲熄室中火燭，再行設法對付蕭翎。

哪知金算盤商八早已戒備，右手一抬，托住了那青衣女婢的肘間關節，迅快地向上一抬。

那少女掌勢已然難再由自己控制，發出掌力，擊在石壁上，竟未能撲熄空棺前面的素燭。

二婢的武功不高，蕭翎、商八，一舉手間，就把二婢制服。

蕭翎左掌迅快地在石壁上移動，片刻間，已遍及八尺方圓，終於被他觸摸在按鈕之上。

但聞呀然一聲，石門大開。

蕭翎回憶前情，仍然記起那老人木榻停放之處，正待舉步進入複室瞧瞧，突然聞得一個冷漠的聲音喝道：「什麼人？」

那聲音的來處，正是那老人置放木榻所在。

蕭翎回手一指，點了那女婢穴道，身子一側，直欺而入，雙掌護胸，全神戒備，口中反問道：「閣下何人？」

他動作迅速，話問出口，人已欺入石室。

室中黑暗，蕭翎雖目力過人，但陡然由燭光高照的外室進入了複室之中，也是無法適應。

只聽那冷漠的聲音傳了過來，道：「此室不宜久留，快請退出。」

四七　乍逢奇人

這時，蕭翎已聞得室中有一股強烈的腥臭之氣，急退兩步，出了石門。

但聞一陣軋軋之聲，複室石門，又自行關了起來。

蕭翎回手兩掌，拍活了那女婢被點的穴道，問道：「那複室中，原爲你們巫山石洞老人息居之處，此事只怕你還不知。」

那女婢長吁一口氣，道：「你怎麼知道我不知道呢？」

蕭翎目光轉到商八的臉上，道：「放了她。」

商八右手還托著另外一婢肘間關節，應聲放開，道：「我家大哥宅心仁厚，素來不肯輕易傷人，他如想收拾兩位姑娘，只不過是舉手投足而已，但兩位如是不肯答覆他的問話，太過激怒於他，那就很難說了。」

二婢相互望了一眼，伏著身撿起寶劍，還入鞘中，四目轉動，望望商八，又望望蕭翎，道：「兩位究竟是哪一個年紀大了？」

商八目光掃掠了二婢一眼，道：「武林之中向以武功強弱排行，有什麼奇怪了……」語聲微微一頓，接道：「兩位姑娘如若不願吃苦頭，最好是別耍花招，如若顧左右而言

他，那是自找麻煩了。」

二婢中一位年歲較長之人，冷冷說道：「咱們奉公子之命，只是為幾位帶路，如是要想問到題外之事，就算幾位當真有膽子殺了我等，小婢亦是寧死不說。」

但聞毒手藥王冷冷地說道：「一個時辰的期限，轉眼即屆，如是延誤了取藥的事，老夫決不放過二位。」

蕭翎雖然滿腹狐疑，也只好強自忍了下去，轉身出了石室，道：「好，兩位帶我們去後山吧！」

兩婢出了石室，回身帶上石門，提起放在室外的紗燈，當先向前行去。

蕭翎緊隨在二婢身後，目光轉動，只見兩側石壁上，很多石門，都貼著不得擅入的封條。五年前，他已對這些石室，有著懷疑，此刻更是疑竇重重，但形勢所迫，只好強自按下好奇和懷疑之心。

又轉過兩個彎子，耳際間已可聞飛瀑激瀉之聲。

左面一婢，突然加快腳步，伸手在一片山壁間輕輕一按，石壁開啓，現出了一道石門，說道：「到了，石門之外，就是飛瀑。」

毒手藥王快行幾步，搶在蕭翎前面，抬頭看去，只見一道巨瀑，由頭上峰頂，激射而下，直落入深谷之中。

探首向下望去，峽谷千尋，一片幽暗，不知多深多高。

蕭翎望了毒手藥王一眼，道：「那石菌就在這飛瀑籠罩的石壁之間，昔年在下由此失足跌落，自忖必死，絕料不到途中抓到了一根突出的石筍，得以保得性命。」

毒手藥王道：「石筍距這洞口，有多少距離？」

蕭翎思索一陣，道：「這個，在下已經記不清楚了，大約估計，至少在百丈左右，只長不短。」

毒手藥王道：「咱們兩人哪個下去？」

杜九冷冷接道：「自然是你毒手藥王下去了，我家大哥，帶你到此，已算是盡到了心力。」

毒手藥王道：「老夫和蕭翎相約之言，是要取得靈藥爲止。」

蕭翎道：「藥王之意呢？」

毒手藥王道：「情勢演變至此，只好讓蕭翎陪老夫一同下去了。」

杜九道：「咱們備帶的這條絲繩，也許無力同時繫得兩人。」

毒手藥王道：「這事簡單得很，先要蕭翎下去，尋得那突出的石筍之後，再拉動絲繩，再由老夫下去，豈不是只須負擔一人的力道。」

商八氣得仰臉打個哈哈，道：「上來之時，反道行之，藥王先上，在下的大哥，等藥王上來之後，再繫他上來，是嗎？」

毒手藥王道：「不錯，除此之外，兩位還有何高見？」

蕭翎輕輕地歎息一聲，道：「此時何時，此地何地，藥王還要在此用心機，那也未免是太過多慮的了……」語聲微微一頓，道：「杜兄弟取過絲繩，我先下去吧！」

杜九臉色一片肅然，冷冷地望了毒手藥王兩眼，緩緩由身上摸出一盤大針粗細的絲繩。

這盤絲繩，原是周順船上補網之用的絲線，杜九把它合成細繩，帶了一盤，此繩雖細，但甚堅牢，用來繫負普通的人，或難負荷，但如用來繫負蕭翎和毒手藥王等武林高手，如無意外，那是綽綽有餘了。

蕭翎抓住絲繩一端，繫在腰間，大步向洞外行去。

金算盤商八突然叫道：「大哥且慢！」

蕭翎回頭一歎，道：「我答應了替他取藥，不用再和他爭執了。」

商八道：「這兩位姑娘，守在洞口，有些不妥。」

大步行到二女身側，接道：「兩位請解下身上兵刃如何？」

二婢似是自知武功難以和人抗拒，竟然依言取下兵刃。

商八接過長劍，道：「還要委屈兩位姑娘一會兒，我得點了你們的穴道。」

話出口，右手已運指如風，點了左面一婢穴道。

右面一婢方待出手反抗，毒手藥王指風已到，點了那女婢暈穴。

蕭翎星目中神光如電，掃掠了商八和毒手藥王一眼，道：「藥王也不用下去了，你們已點了二婢穴道，只怕將激起此地主人的怒火，說不定要有一場惡戰，藥王留在此地助我兩位兄弟拒敵，在下如取得千年石菌，就抖動絲繩，你們再繫我上來。」

毒手藥王忽然輕輕歎息一聲，道：「蕭兄，多多保重……」目光一掠中州二賈，接道：「兩位好好的照顧你們大哥，老夫去守這石道轉彎所在，以阻此地主人施襲。」大步轉身而去。

杜九道：「大哥不用涉險，小弟願代大哥……」

蕭翎搖手接道：「不用了。」

行至洞口，貼壁而下，施展壁虎功，向下游去。

杜九雙手握著絲繩，蹲在洞中，小心翼翼地放著手中絲索。

蕭翎剛剛游下兩丈，突聞毒手藥大喝之聲，傳了過來，道：「時限未到，閣下何以不肯守信？」

蕭翎運氣行功，雙掌貼在石壁上，高聲說道：「杜兄弟，快放索繩。」

商八摸出懷中金算盤，低聲對杜九說道：「兄弟不要分心，好好的照顧大哥，我去幫那毒手藥王拒敵！」言罷，轉身奔去。

杜九心情緊張，連商八的話也未回答，探首向下瞧看。

怒瀑激射，濛濛水絲如霧，加上夜色黝暗，目難及遠，杜九用足目力，也無法瞧得蕭翎。但覺手中索繩下墜之力，逐漸加快，顯然蕭翎已冒險向下滑落。

只覺手中絲索，愈放愈長，估計已在一百餘丈，手中絲索，已然將盡，不禁心中大急，暗

道：如是絲索的長度不夠，那可是大傷腦筋的事！

正自擔心之間，忽覺手中絲索一鬆，似是蕭翎身子突然停了下來。

正待出口喝問，身後飄來毒手藥王的怒喝，和兵刃交擊之聲。

杜九江湖經驗豐富，一聽那喝聲和兵刃撞擊的聲音，竟然是遠近不同，顯然是有人已越過了毒手藥王的防守，和商八動上了手。

回頭望去，只見商八手中的金算盤，寶光流動，瀰漫石道，顯是正在和人惡鬥，怕驚動了自己，苦戰不言。

這時，杜九心情的緊張，尤甚和勁敵作生死之搏，頭上的汗水，滾滾而下。

突聞一聲悶哼傳來。

杜九憑藉江湖經驗，知道是有人受了重傷。

他不敢回頭瞧看，只怕受傷的是商八，攪亂了自己原已不堪負擔的緊張心神。

他唯一的期望，是手中緊握的絲繩，快些傳上蕭翎取得千年石菌的消息。

但那蕭翎卻如投海沙石，久久不見動靜。

杜九久久不見蕭翎的動靜，輕輕歎息一聲，暗自伸手，由懷中摸出一支鐵筆，準備出手。

這時，突覺手中的絲繩，一陣搖動。

杜九心中大喜，立即雙手拉緊絲繩，全力向上收拔。

蕭翎似是已知道遇上了勁敵，手足並用，幫助那杜九向上收繩索的速度。

這時，身後的兵刃交擊聲，更是響亮，想是搏鬥凶惡，商八不支，邊戰邊退。

杜九儘管心中猜想萬種，但他卻始終不敢回頭看上一眼。

但聞一聲「杜兄弟！」

隨著那喝叫聲，手中的繩索猛然一鬆。

杜九心中一喜，道：「大哥上來了嗎？」

蕭翎道：「上來了！」

原來杜九外面冰冷，內心熱情，心知商八正在惡鬥，不敢回頭看商八一眼，蕭翎身處險境，也不敢看著蕭翎。

直待他聽到了蕭翎的聲音，才突然抬起頭來，目光由蕭翎臉上掠過，一抱拳，道：「大哥無恙。」

翻手一躍，手中鐵筆已隨手點出，同時，左手探入懷中，摸出了一只銀白色的護手圈。

他翻身出手，看也未看，但手中鐵筆，卻指向來人的前胸，只見一柄鐵尺，橫裏伸過，封開了杜九擊出的鐵筆。

但聞砰的一聲，寶光閃閃，傳了過來，噹的一聲，架開一柄急襲而至的單刀。

杜九護手圈橫裏一轉，一陣乒乓之聲，擋開了數件連環襲來的兵刃。

這時杜九才有暇，打量了一下眼前的敵勢。

二婢放在地上的燈籠，仍然燃著，看的甚是清晰。

只見四個全身藍衣的少年，分握著單刀、寶劍、鐵尺、鏈子槍。

四種不同的兵刃，各以兵刃特性，分以不同武功攻來，其間又加以適當的配合，故而，以那商八武功之高，也是抵不住四人的攻勢。

耳際間，只聽商八說道：「老二，獨擋一陣，我要抽時間裹下傷勢。」

杜九右手鐵筆，左手銀圈，突然一緊，盡數把招數接了過來。

商八停下身子長長吁一口氣，道：「大哥取到了千年石菌嗎？」

蕭翎道：「取到了。」

商八右手一揮，嚓的一聲，撕開了一片衣襟，自己包上了左臂傷勢。

蕭翎一面運氣調息，一面低聲問道：「你傷得很重嗎？」

商八道：「左臂上一點皮肉之傷，倒是左腿傷較爲重些。」

蕭翎目光一轉，果然見到商八左腿上鮮血淋漓，而且還在不停地湧出，不禁歎息一聲，道：「腿上如何？」

商八道：「大哥放心，還未傷到筋骨。」

兩人說話之間，突聞一聲悶哼傳來。

蕭翎凝目望去，果見杜九左腿之上，鮮血湧出，受傷似是很重。

蕭翎長長吁一口氣，道：「杜兄弟，向後撤退，愚兄爲你拒敵。」

喝聲未絕，長劍已自出鞘。

杜九知他武功高強，疾快地向後退了兩步，撕下一片衣襟，包紮傷勢。

蕭翎右手一振，手中長劍呼的一聲，直捲而上，寒芒電掣，逼開了四般兵刃。

四個藍衣少年，四種兵刃，配合得佳妙無比，擋開單刀，鐵尺緊隨而到，尤以那鏈子槍，有如靈蛇鑽穴，水銀瀉地，常常緊隨那攻來的長劍，抵隙而入。

蕭翎和對方幾人接手數招，亦覺著對方攻勢猛銳異常，心中暗暗忖道：無怪中州二賈，都傷在鏈子槍下，這人的招數，果是怪異惡毒。

心中念頭轉動，手中劍勢忽然一緊。

剎那間，劍花朵朵，灑了過去，封住了整個石道。

左手施展出連環閃電掌法，補助劍勢，才把四人猛惡的攻勢擋住。

只聽毒手藥王的聲音，傳了過來，道：「杜兄，蕭大俠上來了嗎？」

杜九冷冷接道：「上來了。」

毒手藥王道：「可曾取得石菌？」

蕭翎搶先應道：「幸未辱命。」

毒手藥王道：「老夫遇上了生平很少遇到的強敵。」

商八道：「怎麼？藥王也受了傷嗎？」

毒手藥王道：「兩處皮肉之傷，算不得什麼……」

語聲微微一頓，道：「老夫雖然受傷，但仍有再戰之能。」

蕭翎反擊雖然淩厲，但四人配合的攻勢，並未被壓制下去，仍然是守中有攻。

中州二賈包好傷勢，運氣調息片刻，重又揮動兵刃，攻了上來，道：「大哥，這些人的武功，似是自成一路，招招惡毒，大哥也不用和他們客氣了。」

蕭翎心中暗道：不錯，今日如若不傷他幾人，只怕是難以衝出這巫山石府。

念頭轉動，絕招連出。

劍凝一片寒光，冷芒電射而出。

只見那手執鐵尺的藍衣少年，突然放手丟去了手中鐵尺，身子搖了幾搖，一跤跌摔在地上。

他身子跌倒之後，前胸才有鮮血流出。

原來，他被蕭翎快迅的一劍，劃破了前胸，內臟碎裂，氣絕而逝。

中州二賈，原本要出手助蕭翎一臂之力，哪知卻被蕭翎劍氣給逼了回來，竟是無法近身相助。

蕭翎傷了一個藍衣少年後，厲聲喝道：「你們主人，和我原有約定，在一個時辰之內，不得出手攻襲，想不到他竟棄約背信，爾等再不住手，不要怪我蕭翎心狠手辣了。」

喝聲中劍勢速變，那施劍的藍衣人，又傷在蕭翎劍下，身子一搖，隨之栽倒。

這一劍由前胸透穿後心，一劍致命，氣絕而逝。

又一個傷在了蕭翎的劍下。

這時，四個藍衣少年，已然傷了三個，只餘那一個施用鏈子槍的少年，仍然苦戰不退。

蕭翎連傷三人，心中有些不忍，不願再多傷人，手中劍勢一緊，希望那使用鏈子槍的少年，能夠知難而退。

哪知那人竟是豪勇絕倫，蕭翎那凌厲的劍勢，迫得他團團亂轉，但他竟然是不肯後退。

商八低聲說道：「大哥，這巫山石洞中有些奇怪，既以毒物爲食，武功又自成一家，決非是什麼好人，此刻，咱們處境仍然險惡，不宜拖延時間了。」

蕭翎道：「兄弟說得不錯。」

左手掌勢一緊，逼住了那條鏈子槍，右手一招「雲破月光」，嘶的一劍，劃破了那藍衣少年的前胸，衣服破裂，鮮血湧出。

蕭翎見他受傷不輕，不忍再出手進攻，右腕一挫，收回了劍勢。

但見那藍衣少年，身子搖了兩搖，突然一抖手中鏈子槍，直點過來。

蕭翎未料到他重傷之後，仍然能攻出這般凌厲的一招，幾乎被刺中一槍，不禁大怒，長劍一揮，直踏中宮而上，撥開鏈子槍，橫裏削下。

寒光過處，鮮血迸流，生生斬斷了那少年一條右臂。

杜九道：「這人至死不悟，留他不得。」

一筆點出，刺入了那人後心要害，當場倒地死去。

蕭翎搖搖頭，道：「想不到，這四人竟然是如此的悍不畏死。」

杜九飛起一腳，踢開那人屍體，道：「咱們走吧，去瞧瞧那毒手藥王怎麼了。」當先向前行去。

蕭翎仗劍居中，商八緊隨在蕭翎身後而行。

轉過一個彎子，立時聽得呼呼拳風。

凝目望去，只見毒手藥王赤手空拳，和兩個白髮飄髯的老人打在一起。

兩個老人，一個施用金絲拂塵，一個執劍，攻勢猛惡無比。

毒手藥王在那拂塵和長劍迫攻之下，施展開空手奪白刃的手法，夾著擒拿手，僅勉強打了個不分勝負之局。但他顯然已被迫處於劣勢，雙手變招迅快，不敢稍緩，連騰手施毒的工夫，也難抽出。

蕭翎長劍一擺，道：「杜兄弟退下。」

長劍一伸，一招乘龍引鳳，接下那拂塵招術，道：「在下助藥王一臂之力。」

毒手藥王口中不言，雙掌一緊，全力攻那執劍老人。

原來，毒手藥王早已感覺不支，如是再打下去，只怕難再支撐十回合以上，蕭翎及時而來，接去那最難對付的拂塵招術，對毒手藥王而言，實是幫助甚大，但他為人高傲自負，心中雖然感激，但卻不肯說出口來。

蕭翎接了那白髮老人的金絲拂塵數招，立時感覺到是一個很難抵禦的強敵，他攻來招術，看著普普通通，很容易接架，但真的動手之後，才知厲害全在柔軟的金絲之上，忽剛忽柔，忽

張忽聚，極是難以對付。

蕭翎心中暗忖道：這人手中拂塵如此霸道，那施劍老人的武功，自然是也不會錯，毒手藥王能在兩人合攻下，支撐這麼久的時間，確非易事。

心中念頭轉動，手中的劍勢，也突然一快，和使用拂塵的白髮老人，展開了一場搶制先機的快攻。

毒手藥王，自從蕭翎出手相助之後，才消去壓力，那執劍老人似是感覺出如此打法，難分勝負，劍勢一變，攻勢陡轉凌厲。

激鬥之中，突然聞得一陣似嘯的聲音，傳了過來。

兩個白髯飄飄的老人，手中兵刃突然一緊，各自猛攻了兩招，向後躍退。

毒手藥王心中暗道：這兩人不知又要施展什麼詭計。

忖思之間，瞥見那兩個白髯老人，轉身疾奔而去，片刻間，走得蹤影不見。

毒手藥王望著兩人退去的背影，道：「這兩人尚不該如此狼狽而逃。」

這話既似自言自語，又似是在問人。

杜九突然接道：「那兩個老人急急退走，臨去不發一語，也許別有陰謀，咱們也不能在此地久停，快些走。」轉身向前行去。

幾人又轉了兩個彎子，突聞一個冰冷的聲音傳了過來，道：「屬下不聽約束，自行發動攻襲，此刻已為在下拘禁，諸位已可暢行無阻……」

語聲微微一頓，接道：「此刻，已過一個時辰之約，但因屬下違約施襲，其行不當，在下破例爲諸位延長半個時辰，諸位還在我巫山石府之中，那就不要怪我出手暗施襲擊了。」

蕭翎高聲說道：「只可惜你那些屬下，大都被我殺死了……」

正待再言，那冰冷聲已搶先接道：「只有半個時辰時光，諸位是否肯聽我之言早離此處，悉憑尊便，如是不信在下之言，那就不妨故作拖延。」

在蕭翎幾人想來，出這石道，必定還要經過幾番惡戰才行，哪知事情竟然大出了幾人的意料之外，一行人毫無阻礙地離開了巫山石洞。

就在四人剛剛走出石洞大門，大開的石門，轟的一聲，關了起來。

商八長吁一口氣，道：「奇怪呀！奇怪呀！」

杜九道：「什麼奇怪了？」

商八道：「只要他不肯移開，那石道中機關控制的攔路巨石，咱們就不易離開，不知何以石府主人，竟然肯輕易放出咱們。」

蕭翎道：「也許他是個信守約言的君子。」

商八哈哈一笑，道：「怎麼？大哥可是真的相信了他的話嗎？」

蕭翎正待接口，毒手藥王突然伸過手來，說道：「蕭兄，取得的千年石菌，給老夫瞧瞧。」

蕭翎探手入懷，就袋中藏的石菌，抓了一把，遞了過去。

毒手藥王接過石菌，就黯淡星光下瞧了一陣，喜道：「果是此物。」藏入懷中，又伸過手來道：「還有嗎？」

商八哈哈一笑，道：「怎麼？一把還不夠用嗎？」

毒手藥王道：「小女病勢沉重，區區一把石菌，自然是不足為效了。」

蕭翎一聲不響，又掏出一把石菌，遞了過去。

毒手藥王又接在手中，瞧了一陣，放入懷中，未再伸手討取。

四人魚貫而行，直奔大舟。

艙中紅燭高燒，船主正坐在艙中相候，眼看四人歸來，抱拳一禮，起身出艙而去。

商八望望蕭翎，又望望毒手藥王，道：「咱們此行幸未辱命，在下大哥和藥王訂下的約言，也該到此為止了。」

毒手藥王道：「好！三位如是不願和老夫同乘一舟，老夫立刻就告別離船。」

蕭翎道：「那也不用了，藥王既已取得靈藥，眼下最要緊的，是該先給令嬡療治病勢才是。」

毒手藥王道：「蕭兄說得不錯，老夫亦是此意，而且就在這船艙之中動手，調和藥物，療治小女病勢，不知三位意下如何？」

杜九冷接道：「藥王此刻怎的忽然客氣了。」

毒手藥王輕輕咳了一聲，欲言又止。

蕭翎道：「如是舟中方便，藥王儘管動手就是。」

毒手藥王道：「三位如肯答應，那是最好了，只不過，老夫在爲小女治療逐退久年病魔時，必得借這船艙使用，三位就難在艙中休息了。」

蕭翎道：「原來如此。」

毒手藥王一拱手，道：「不情之請。」

杜九冷說道：「要用多長時間？」

毒手藥王接道：「從此刻開始，最快也得到明日太陽下山的時候……」

商八接道：「那時，咱們也該棄舟登岸了。」

毒手藥王道：「如三位不肯答應，老夫就和小女離開此舟，另尋一處僻靜所在。」

蕭翎道：「那也不用了。」起身出艙。

中州二賈等相繼出了船艙。

毒手藥王迅快地掩上艙門，拉上四周垂幔，把船艙掩遮的密不透風。

蕭翎和中州二賈出艙後，盤膝坐在甲板上，閉目養息。

天色漸亮，東方天際泛起一片魚肚白色。

船家跑了過來，道：「幾位大爺船行何處？」

商八道：「立時起碇，原路轉回。」

那船家望了三人一眼，不敢多言，轉身而去。

巨舟折返，復出三峽。

商八爲人心細，雖然人在甲板之上打坐，但仍然注意艙中的舉動。

直待天到中午時分，才見艙門一啓，毒手藥王緩步走了出來。

他滿頭大汗，一臉倦容，有如剛經過一場惡戰般，步履踉蹌地行到三人身側，盤膝坐了下去。

杜九望了毒手藥王一眼，心中暗道：此刻如要殺他，倒是輕而易舉了。

蕭翎輕輕咳了一聲，道：「藥王，令嫒可好了？」

毒手藥王點點頭，有氣無力地說道：「老夫已打通她全身經脈，讓她服下藥物，此刻，正在靜靜的安睡之中。」

言罷，閉上雙目，運氣調息。

這時，順水放舟，船行如箭，但見兩側的絕峰峭壁，閃電般向後倒去。

太陽偏西時分，快舟已出三峽。

放眼看去，滾滾江流濁浪中，帆影點點。

毒手藥王內功精深，經過約有一個時辰的調息，精神盡復，睜開雙目，掃掠了三人一眼，道：「蕭兄，老夫還有一個不情之請，不知三位是否應允。」

杜九道：「如是不情之請，最好是不用說了，免得我等不允，使藥王難看。」

毒手藥王一皺眉頭，道：「老夫好意和三位相商，三位如是不肯答允，豈不是迫使老夫……」

蕭翎道：「什麼事？」

毒手藥王道：「小女病勢，得蕭兄取得靈藥相救，已復元有望，但她十數年病魔纏身，元氣耗消將盡，療治養息期間，難耐勞累，目下歸州地面，又正是風雲際會，混亂異常，老夫想在船上耽誤七日，待小女體力恢復之後，再行登岸。」

商八笑道：「這是藥王的事，不用和我們兄弟相商了。」

毒手藥王道：「老夫還有借重三位之處，不得不和三位商量。」

商八道：「要是借重我等，藥王就得先說一遍，看我等是否同意？」

毒手藥王道：「老夫爲小女療傷時，勢難兼顧到拒敵之事，萬一有人登舟施襲，我們父女，勢難招架，因此，想請三位爲老夫和小女護法。」

杜九冷冰冰地說道：「藥王心中所思所想的事，都是一廂情願，咱們兄弟……」

毒手藥王搖搖右手，接道：「蛇無頭不行，鳥無翅不飛，你們三位之中，也該有一位主腦當家之人才是。」

商八道：「自然是我們龍頭大哥了。」

毒手藥王道：「兩位既是自知身分，無權作主，最好少說幾句話，免得亂了章法。」

蕭翎道：「藥王是強迫我們呢？還是向我等求助？」

毒手藥王道：「這就很難說了，老夫一生中，很少求人。」

蕭翎說道：「藥王既非相求，那是強行相迫了，在下可以奉覆……」

毒手藥王笑道：「可是答應了？」

蕭翎道：「不答應。」

毒手藥王收起笑容，道：「唉！諸位剛才如是出手點中老夫穴道，實是輕而易舉的事……」

杜九忍不住又接口說道：「那時，咱們就是想宰了你，大概也不用大費手腳。」

毒手藥王道：「不錯，老夫實代三位可惜。」

蕭翎道：「大丈夫豈能乘人之危，何況，此刻也未必算晚。」

毒手藥王道：「晚了些，如若，那時施展一點手段，傷了老夫，此刻咱們也不用商量了，可惜那等良機，三位卻悄然放過。」

商八臉色一沉，道：「聽藥王的口氣，似是要強迫我等留此了。」

毒手藥王道：「三位還有一件失策的事，不該讓我和三位坐在一起……」

蕭翎雙目圓睁，冷冷接道：「你可是已經在我們三人身上下了毒？」

毒手藥王道：「老夫已經告訴過三位，我有著借物傳毒之能。」

商八道：「在下有些不信。」

毒手藥王道：「你如不信，何妨運氣一試。」

啇八運氣一試，果然發覺已中了毒，不禁大怒道：「好啊！你既然在我等身邊下毒，那就不能怪我等手段毒辣了！老二，快進艙去，先殺了那丫頭！」

杜九霍然站起身子，右手已拔出腰中鐵筆，舉步向艙中行去。

毒手藥王冷笑一聲，道：「站住！」

啇八突然一橫身，攔住了毒手藥王，道：「藥王如若有此自信，能夠出手一擊，就把啇某打倒，或可救你女兒。」

蕭翎冷笑一聲，道：「藥王為人如此卑下，倒是出了我蕭翎的意料之外，行事、為人反反覆覆，實無君子氣概。」突然一揮右手，疾向毒手藥王主腕之上扣去。

毒手藥王被蕭翎罵得滿臉火熱，疾退兩步，避開抓來之勢，探手從懷中摸出一個玉瓶，道：「這瓶中乃解毒藥物，三位服下，立時可解奇毒。」

啇八伸手接過玉瓶，道：「我先嘗你一粒試試。」倒出一粒白色的丹丸。

只覺一股奇熱，直沉丹田，流布全身。

蕭翎暗運修羅指力，全神戒備，冷冷說道：「藥王這一次如若再耍花招，不用別人登舟向你們父女施襲，在下就要先行出手了。」

毒手藥王道：「老夫並不怕你們三人。」

他口中雖是說得強硬，實則知道難是三人之敵。

只見商八閉目調息一陣，睜開雙眼，道：「果是解藥。」

蕭翎、杜九各自服用一粒，運氣催開藥力，解了身受之毒。

毒手藥王道：「老夫一生之中從未有過此等之事，施毒之後目的未達，立時送上解藥。」

杜九道：「形勢所迫，藥王是只好屈服了。」

毒手藥王突然大步行入艙中，抱起愛女，重出艙外，目注蕭翎說道：「老夫並非爲三位氣勢所迫，奉上解藥，實因被蕭大俠的君子氣度所感，大義……」

蕭翎望著那枯瘦如柴的可憐少女，心中忽生不忍之感，長歎一聲，道：「兩位兄弟，咱們助人到底，既然幫他尋得了靈藥，何不爲他護法七日，兩位意下如何？」

商八舉手抓抓頭皮，道：「小弟等悉憑大哥之命，大哥既是覺得該爲他父女護法七日，想是不會錯了。」

毒手藥王道：「小女如是命不該絕，自有生機，不敢有勞三位了。」

蕭翎道：「令嫒生死，是何等重大之事，藥王豈可意氣用事。」

杜九道：「咱們龍頭大哥說了，替你們父女護法七日，藥王不要也是不成。」

毒手藥王道；「老夫既不願迫你們就範，也不願白受你們恩情。」

蕭翎道：「藥王之意呢？」

毒手藥王道：「三位如若定要爲我們父女護法，老夫當有回報之物，三位如是願受，老夫就在此船艙中七日，如是不願接受，老夫就借乘一艘漁舟而去。」

蕭翎心中暗道：這人倒也是奇怪得很，如不能迫人屈服，甘為所用，就不願受人一點恩情。略一沉思說道：「七日護法完滿之後，咱們接受藥王賜贈之物就是。」

毒手藥王道：「好！咱們就此一言為定。」抱起少女，重又回入艙中。

蕭翎低聲對中州二賈道：「咱們既然答允為人護法，就該小心從事，不可稍存大意之心。」

杜九道：「船行大江之中，哪裏還有人到此干擾，那毒手藥王也未免太過小心了。」

蕭翎道：「話雖如此，咱們也不可不作萬一的準備。」

商八道：「唯一可以追蹤施襲之人，可能就是巫山石府中人，除此之外，再無其他之人了。」

語聲微頓，接道：「不過，他如有追蹤施襲之心，何以肯放咱們出來，這一點，機會亦是不大。」

只聽船艙中傳出毒手藥王的聲音，道：「老夫的看法，是那巫山石府之中，已有了大變，那石府主人，無暇兼顧我等了。」

杜九冷冷地道：「也許是震於藥王的威名。」

毒手藥王不再接口，船上頓然間沉寂下來。

船上歲月，逐浪而過，彈指間，已過了六天。

大船本是早已靠岸，但那毒手藥王小心謹慎，要大船泊在江心之中。

四八 齊力卻敵

這日，中午時分，蕭翎背著雙手，站在甲板上，正在瀏覽江上景物，見毒手藥王緩步由艙中行了出來，道：「明日太陽下山後，小女就可以離開此船，也正好七日期限屆滿。」

蕭翎道：「如是令嬡病勢未癒，多留上三、兩日也不要緊。」

這些日子中，毒手藥王本已和蕭翎等，消去了甚多敵意，彼此間情勢大爲好轉。

毒手藥王道：「不用了，小女此刻絕脈已通，病勢漸癒，老夫將帶她選一處清靜所在住下，盡我之力，借助藥物，助長她的成就，我要打破武功規限，短短三年，把她造就成當今武林一位出類拔萃的人物。」

蕭翎道：「但願藥王能如心願，在下拭目以待……」

談話之間，突見兩艘快艇，疾駛而來。

毒手藥王急道：「這兩艘快舟有些不對，蕭大俠多多小心了。」

蕭翎凝目望去，只見每一艘快舟上，各自坐著兩人。

一人掌舵運櫓，另一個卻站在船頭上，站在船頭兩人四道目光，盯注在大船之上瞧著。

但見兩艘快舟繞著大船，轉了一周，突然又掉頭而去。

蕭翎瞧出情形有些不對，心中暗道：六天之中，幸無事故，難道要在這最後的一日，出些事情不成，此地已近歸州，那兩艘快舟，可能是百花山莊中的眼線……

忖思之間，瞥見兩艘快舟，重又折了回來。

商八、杜九，都已發覺快舟去而復返的情勢，覺出有異，一齊行到蕭翎身側，道：「這兩艘快舟，來路有些不對。」

毒手藥王道：「如是爲著我們而來，老夫倒是希望他們早些動手……」

蕭翎奇道：「爲什麼？」

毒手藥王道：「因爲兩個時辰之後，老夫得相助小女，最後一次打通脈穴，無暇相助幾位。」

話剛說完，小舟已然駛近了大船。

只見第一艘快舟上站的一位黑衣大漢，突然縱身一躍，飛上大船甲板之上。

蕭翎心中忖道：青天白日，朗朗乾坤，這人的膽子，倒是很大。

只見那大漢一雙銳利的目光，緩緩由蕭翎臉上掃過，道：「諸位將船停此，時間不短了吧！」

杜九道：「閣下何人？說話怎的沒有一點禮數。」

那人冷笑一聲，道：「我在問話，閣下卻是答非所問。」

杜九道：「咱一向不願答人所問。」

那大漢冷冷說道：「閣下何人？口氣如此托大。」

杜九怒道：「你再囉囉嗦嗦，我就把你趕下船去。」

那大漢道：「何不試試？」

杜九突然向前欺進一步，正待出手，陡聞蕭翎喝道：「不可造次。」

杜九一吸真氣，向前欺進的身子，又重回原位。

蕭翎望了那大漢一眼，道：「閣下到此，有何見教，還望明言。」

那大漢上下打量了蕭翎一眼，只見儒雅秀俊中，另有一股英挺之氣，倒也不敢輕視，一拱手，道：「請教大名？」

蕭翎略一猶豫，道：「兄弟蕭翎。」

那大漢怔了一怔，道：「久仰大名，今日幸會。」

蕭翎道：「還未請教朋友？」

那大漢道：「區區之名不見經傳，說出來，只怕蕭大俠也不知道。」

商八心中暗道：這小子滑頭得很，騙得大哥說出了姓名，自己卻是不肯報名，當下輕輕咳了一聲，道：「黑夜點燈，打鈴聽聲，朋友這一手就不夠漂亮了。」

那大漢目光移注到商八臉上，道：「閣下何人？」

商八道：「中州二賈的老大商八，金字招牌，公道買賣，老不欺，少不哄，閣下也該報個名兒上來吧！」

那大漢道：「嘿！大老闆，久聞中州二賈，做生意一帆風順，聚斂之廣，富可敵國……」

杜九冷冷接道：「咱們問你姓名？你如是耳朵有毛病，換一個會聽話的活人上來。」

那大漢目光又轉到杜九臉上，問道：「朋友說話這樣難聽，想來定然是那中州二賈中的二老闆杜九了。」

杜九道：「不錯，正是區區在下。」

那大漢道：「二老闆手中的一支鐵筆，和一個護手銀圈，久已是揚名於世，但還不及閣下的討債本領。」

毒手藥王道：「閣下聽聞之事，倒是很廣，你可知老夫是誰嗎？」

那大漢凝目打量了毒手藥王一眼，道：「朋友雖然乾枯瘦小，但卻是大有名望的人物……」

毒手藥王接道：「老夫也不用你來頌讚，你是說不出老夫姓名了……」

那大漢借毒手藥王說話的機會，卻低聲對蕭翎說道：「諸位如肯相助在下，救我一命，在下必有厚報。」

這幾句話說的聲音雖然低微，但因距離甚近，蕭翎和中州二賈，都聽得清清楚楚。

這意外的變化，不但是蕭翎有些茫然之感，就是久走江湖，見多識廣的中州二賈，也是一樣的瞠目結舌，半晌答不出話來。

那大漢不聞蕭翎答話，又轉臉望著中州二賈，道：「兩位如肯相助在下，在下願意出極高

的代價，予以報償。」

商八不自覺地接口說道：「什麼價錢？」

那大漢道：「畫聖時天道的一幅親筆畫。」

商八道：「價錢很好，咱們接下去了……」

話說出口，忽然警覺到不對，轉臉望著蕭翎，尷尬一笑，道：「唉！小弟已決定不再做生意了，但遇了買賣，總是情難自禁。」

蕭翎心中暗道：你已經答應了，再問我，豈不是多此一舉嗎？

口中卻說道：「事已至此，問問他什麼事吧？」

另一艘快舟站著的大漢，似是已瞧出情勢不對，縱身一躍，飛登上船，冷冷地說道：「咱們也該走了！」

右手一伸，疾向那當先躍上大舟的大漢抓了過去。

商八一皺眉頭，喝道：「住手！」

那當先躍上大船的漢子，一閃避開，未曾還手，人卻向中州二賈身邊奔了過去。

商八橫跨兩步，放過那當先躍上大船的大漢，擋住那後來之人，道：「光天化日之下，你竟敢出手傷人……」

那大漢怒道：「誰要你多管閒事了。」呼的一掌劈了過來。

商八揮掌硬接一招，道：「閣下可是當真的想打上一架嗎？」

那後來大漢和商八對了一掌，已知遇上勁敵，轉身一躍，下船而去。

商八望著那大漢的背影，自言自語地說道：「奇怪呀！這一筆未免是賺得太容易了？」

那大漢突然舉手在臉上一抹，脫下了一個人皮面具，露出了本來面目。

只見他濃眉大眼，方臉海口，年約五十上下。

毒手藥王上下打量了那大漢一眼，道：「閣下又要破財了。」

那大漢奇道：「哪裏不對了？」

毒手藥王道：「看你面色，似已中毒很深，難道連一筆醫藥費用，也不肯花嗎？」

那大漢愣了一下，道：「你怎麼知道，我中了毒？」

毒手藥王道：「老夫如是沒有這點眼光，也不用在江湖上走動了。」

那大漢道：「閣下究是何人？咱們素昧平生，何能在一眼間，瞧出我中了毒？」

蕭翎道：「他叫毒手藥王，當今武林中第一名醫。」

那大漢抱拳一揖，道：「原來是藥王，在下失敬了。」

毒手藥王淡然一笑，道：「你看老夫這等模樣，哪裏像是有名的大夫。」

言罷，突然一個轉身疾躍，隱入船艙之中不見。

商八微微一笑，道：「生意，咱們是已經接下來了，但閣下究是何人？也該說個清楚才是。」

那大漢輕輕歎息道：「在下時青……」

突聞蕭翎大喝一聲，寒光一閃，噹的一聲，擊落了一支長箭。

只聽一個宏亮的聲音，讚道：「好快的拔劍手法。」

商八抬頭看去，只見四艘快舟，疾駛而來，每艘快舟船頭上，站著四個勁裝大漢，兩人手執兵刃，兩人執著強弓。

蕭翎高聲說道：「兩位兄弟，快些帶他進入艙中……」

話還未完，已聞得弓弦聲動，四支長箭，盡被擊落。

商八一撩長衫，摸出金算盤，隨手搖動，寶光閃動中，一陣陣嘩嘩亂響，擊落兩支近身長箭。

杜九也從懷中摸出了鐵筆、銀圈，心中暗自盤算道：必得設法，登上他們小舟，才能傷他們……

哪知小舟相距大船三丈左右時，竟是不再逼近。

右首一艘快舟上，響起一個洪亮的聲音，道：「住手！」

那紛紛射向大船的弓箭，突然停了下來。

蕭翎低聲對商八、杜九說道：「他們已布成三面可發弓箭的陣勢，我們不宜在船頭上和他們對抗，快些進入艙中，再想對付他們的辦法。」

杜九道：「這些人不知是何來歷，能在江面之上，片刻間，聚積這麼多梭形快艇和弓箭手來，顯然不是一般過路的武林人物，而是有組織的水上大盜……」

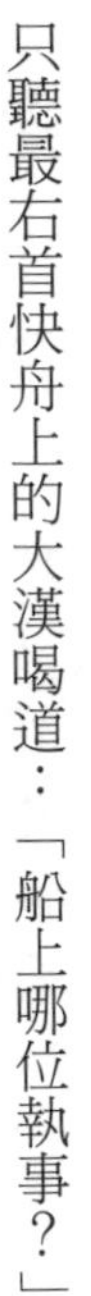

只聽最右首快舟上的大漢喝道：「船上哪位執事？」

蕭翎道：「有何見教？」

那大漢道：「閣下可已看清今日形勢了嗎？」

蕭翎目光轉動，四顧了一眼，道：「看清楚了，諸位不過是想憑仗幾個弓箭手，三面放箭施襲，那也嚇不倒人。」

那大漢冷冷說道：「如若我等箭上燃起火來，射向閣下船上，情勢該當如何？」

蕭翎怔了一怔，暗道：這一招果是厲害，如若他們當真射來燒火之箭，倒是一樁棘手的事。

這時，那時青已在商八和杜九護衛之下，退入艙中，商八守在艙門之處，準備接應蕭翎。

只聽那大漢說道：「好！閣下想是不見棺材不掉淚，先讓你見識一下也好……」

回頭對身側一個弓箭手道：「你讓他們見識一下。」

那執弓大漢應了一聲，伸手從箭袋中取出一支特製的箭來。

一個手執長矛的大漢，伸手從懷中摸出了火摺子，一晃而燃，點起箭頭，那執弓的立時架箭開弓，嗤的一箭，射了過來。

那箭不知是何物製成，破空而來，火勢不熄。

蕭翎長劍一揮，啪的一聲，那火箭擊落在水中。

只見那箭上燃燒之力甚強，浮在水中，燃燒了甚久時光，才行熄去。

蕭翎心中暗道：果然厲害！

但聞大漢說道：「看閣下拔劍之快，出手之準，定然是武林中大有名望的人物，但如我手下八張強弓並發，分由三面，連續不絕的射向大船，閣下縱然有快劍、奇招，只怕也無法盡行擊落射向那大船的火箭，只要閣下大船上，中上三、五支，那就別再存撲滅之想，片刻間，可使一座巨舟，化為灰燼。」

蕭翎雖然聰明機智，但人家說的句句實言，一時之間，倒也無言駁斥。

商八低聲說道：「咱們處境雖險，但也不能輸了氣勢，如若毒手藥王肯一齊出手，咱們四人各自對付一艘快舟，以迅雷不及掩耳的行動，分向四艘快舟撲去，那最右一艘船首上發話之人，似是指揮這四艘快舟的首腦，其人武功，定然也較高強，由大哥對付他，小弟等和毒手藥王，分別對付另外三艘快舟。」

他說的聲音很低，江濤澎湃，那四艘快舟，又相距在三丈開外，雖然商八口齒啓動，卻不知他說的什麼。

蕭翎道：「就依你之見，你去和那毒手藥王商討一下，看他是否另有高見。」

商八道：「那毒手藥王，對你敬重異常，由你說出，他決然不會推辭，對付這些來人的事，交給兄弟。」

蕭翎略一沉吟，道：「好吧！」轉身向艙中行去。

商八收好金算盤，大步行了過來，對右手快舟一拱手，道：「朋友，如何稱呼？」

那人答非所問地冷冷說道：「你們兩位，究竟哪一個是管事的人？」

商八笑道：「那是我們大哥，自然由他作主了。」

那大漢冷笑一聲，道：「閣下既非首腦，還是換你家龍頭大哥談吧！」

商八笑道：「話不是這麼說，他既被尊爲龍頭大哥，自是不肯輕易承諾，由兄弟和閣下談談，那是最好不過，朋友先請開出價來，咱們也好還價，如是開價不昂，咱們自是可以答應。」

那大漢冷笑道：「第一條，先要交出你們收護的叛徒。」

商八道：「這事容易，咱們處境險惡，自顧不暇，那人縱然肯出重金，這生意也是虧定了。」

那人道：「閣下倒還有自知之明。」

商八雙手一抱拳，道：「朋友還請報個名來，咱們談話也好有個稱呼。」

那大漢道：「在下水蛇湯平。」

商八道：「原來是湯兄，失敬，失敬。」

他有意拖延時間，無話找話。

湯平冷冷說道：「第二件，要諸位隨同在下，去見我家君主。」

商八微微一笑，道：「你家君主？」

湯平接道：「不錯，我家君主出道不久，武林中人，甚多不知。」

商八道：「原來如此，無怪在下未曾聽說過了。」

湯平道：「諸位去見我家君主之時，要棄去兵刃，戴上刑具。」

商八一撥手中金算盤，道：「四二添作五，二五進一十，賠錢，賠錢……」

湯平怒聲道：「條件只有這兩個，你們答不答應，還請早些決定，如想拖延時刻，那就是自找苦吃了。」

商八道：「去見你家君主不難，但如要戴上刑具，只怕有些不雅觀了。」

湯平道：「凡是初次晉見我家君主之人，不論是誰，都要戴上刑具。」

商八回顧了艙中一眼，不見動靜，只好接口說道：「此事必得我家龍頭大哥作主……」

只聽蕭翎大聲說道：「不能答應。」大步行出船艙。

湯平怒聲喝道：「不能答應，那就是自找死亡。」

這時，蕭翎已然步上船頭，低聲對商八說道：「那毒手藥王已經答應，等我乘坐之船，行近那四艘快艇，不動則已，既然發動，就要一擊成功。」

商八道：「眼下咱們距那小船，約有三丈，只要能再向前行近五尺，就可以躍上小舟了。」

只聽水蛇湯平高聲說道：「兩位商量好了沒有，在下耐心有限。」

商八高聲應道：「湯兄請再等候片刻如何？」

湯平冷冷說道：「在下由一數起，如是數到十字，兩位還未決定，在下就要讓他們放箭

了。」突然舉起右手，在頭上打一個旋轉。

蕭翎凝目望去，只見四艘快舟上，八張強弓一齊動作，弓拉滿月，箭搭弦上，那手執兵刃的大漢，探手入懷，摸出一個火摺子，迎風晃燃，只要湯平一聲令下，八支特製的火箭立時將射向大船。

商八一皺眉頭，道：「看情形，只有冒險衝過去了……」

蕭翎暗中提起真氣，道：「我先衝。」

但聞湯平一、二、三、四的數了下去，已然數到七字。

商八道：「大哥要先發動嗎？」

這時，水蛇湯平數到九字，十字將要出口之際，突聞蕭翎大喝一聲，道：「住口！」

湯平怔了一怔，道：「什麼事？」

蕭翎長嘯一聲，縱躍而起，直飛上兩丈多高，半空中又打了一個轉身，連人帶劍地直向湯平撲了過去。

湯平大喝一聲，舉起手中長矛，直刺過來。

緊接著，弓弦聲動，八支長箭，脫弦而出，火光閃閃，齊齊向大船射來。

蕭翎動作奇快，眨眼間，已然飛近小船，長劍下探，一撥長矛，人已站落船頭，劍勢貼著長矛，直劈下去。

這是上乘劍術的黏字訣，有如隨行之影，揮之不去。

湯平身側，還有一個手執長矛的大漢，揮矛當做鐵棍，攔腰掃來。

蕭翎腳下用力，馬步如樁，內勁外吐，長劍彈動，逼得水蛇湯平身子一側，蕭翎也借勢橫裏移動腳步，左手快速絕倫地劈出一掌，擊向另一個執矛大漢的前胸。

一股強烈的暗勁，挾帶著一片嘯風之聲，直撞過去。

這艘小舟，長不過一丈有餘，寬不過數尺左右，船頭上站了四個人，空間有限，那大漢眼看蕭翎掌勢擊來，閃避不開，只好一側身，讓開了前胸要害。

只覺一股暗勁擊在肩頭之上，悶哼一聲，身不由己的直向江中栽去。

蕭翎劈出一掌之後，左手一探，五指若鉤，直向那長矛抓去。

那大漢身先中掌，橫掃長矛，力道大減，被蕭翎抓過矛身，一把奪了過去。

這不過是一剎那的時光，蕭翎奪得長矛的同時，耳際響起了一聲慘叫，水蛇湯平，大喝一聲，棄矛躍入江中。

原來蕭翎長劍，貼著長矛斬下，有如隨身之影，湯平握矛的右手，生生被齊腕斬斷，一陣劇疼，棄矛躍入水中。

蕭翎瞬息之間，傷腕奪矛，把兩個手執兵刃的大漢，逼入江中，長劍一轉，「孔雀開屏」，劍勢化作一道銀虹，橫裏向兩個弓箭手斬了過去。

兩個弓箭手聽得同伴悶哼、慘叫，吃了一驚，顧不得再向那大船射箭，回身迎敵。

蕭翎劍勢快速絕倫，兩人還未來得及應變，劍勢已到，倉促之間，兩個大漢已顧不得拔出

腰刀拒敵，把兩張強弓，當做兵刃，橫裏推出，去擋蕭翎長劍。

但聞砰砰兩聲，兩個強弓上的筋弦，盡爲蕭翎長劍劈斷。

兩個大漢齊齊棄弓，伸手拔刀。

蕭翎身子一側，欺上一步，飛起一腳，把一個大漢踢入江中，右腕劍勢一振，化作「穿雲取月」，寒光一閃，透心而過。

這不過是眨眼的工夫，蕭翎已把船頭上四敵，三個逼落水中，一個刺死劍下。

轉眼望去，另外二艘快舟上，正展開激烈絕倫的惡鬥。

原來，在蕭翎發動之後，金算盤商八也跟著發動，右手執著金算盤，飛躍而起，直向右首第二艘小舟之上搶去。

這憑空往小船上的一躍，用盡了他全身功夫，去勢如箭，奇猛異常。

蕭翎縱落小舟之事，已使另外三艘快舟上的人，有了警覺，眼看商八飛躍而來，兩個手執長矛的大漢，突然各舉長矛疾向商八刺去。

商八身懸半空，揮動手中金算盤，左右搖擊，撥開兩支長矛，施出千斤墜的身法，搶登上小舟，金算盤一招「浪捲流沙」，直擊過去，左手疾發一掌，去向另一個執矛大漢。

這兩招都是他平生功力所聚，猛惡異常。

左手執矛大漢，吃他一算盤擊中了左臂，連人帶矛，倒入江中，右手一人，揚手接他一掌，身不由己向後退了兩步。

商八跟隨著欺身而上，一腳踢出。

那執矛大漢因強敵近身，手中兵刃過長，反而無法施展，接得商八一掌，被震得血翻氣湧，喘息未定，馬步未穩，商八又是一腳踢到，倉促間向後一閃，一腳踏空，跌入江中。

兩個執矛人，雖被商八連環快攻，逼入江心，但兩個手執強弓的大漢，已經有了足夠的時間，棄弓拔刀，聯手拒敵。

商八揮動金算盤，和兩人打在一起。

蕭翎眼看商八已經控制大局，兩個大漢在他金算盤之下，已無反手之力，勝局已定，處境比較險惡的還是冷面鐵筆杜九。

原來，商八躍飛搶登小舟的當兒，船艙中的毒手藥王和杜九，也同時奔出艙門，分向另外兩艘快舟上飛躍而去。

毒手藥王人還未近小舟，雙掌已齊齊劈向了兩個執矛人，兩股潛力洶湧而出！

他功力深厚，這兩掌又是全力施爲，兩個執矛人，長矛還未舉起，已被那急襲而至的掌力，迫得向後退了兩步。

毒手藥王借勢登上小舟，左手反向一個手執強弓大漢攻去，右手一掌，拍在左腕之上。

這是他生平最得意的絕技之一，名叫「重浪疊波」，右手一掌，拍在了那人左腕之上，雙手力道，合一發出，重疊而去，襲向敵人。

那當先執弓大漢，來不及棄弓拔刀，只好左手一揮，硬接一掌。

毒手藥王功力深厚，此人自然非敵，接得一掌，被震得連退兩步。

哪知身子剛剛穩下，又是一股暗勁湧到，正擊前胸之上。

這一擊的力道，更是凶猛，張嘴噴出一口血來，連人帶弓，栽入了江中！

毒手藥王登上小舟，拍出一招「重浪疊波」之後，心中似已料定那執矛大漢必傷掌下，轉身欺步，攻向另一個執矛大漢。

那大漢也不過剛剛穩住身子，眼看毒手藥王攻來，長矛當做鐵棍，一招「泰山壓頂」，兜頭劈下。

毒手藥王冷笑一聲，左手拂出內力，一緩長矛下落之勢，右手快速探出，一把抓住矛身，默運內力，猛然一帶一撥。

那大漢只覺一股強力，向前拉去，本能地向後一奪。

卻不料另一股旁來力道，橫裹而至，身不由己地向右移動，正好同伴一矛擊落，打在左肩之上。

那大漢原已不支，再被同伴一矛擊中肩頭，只打得他肩塌骨折，悶哼一聲，栽下小舟。

毒手藥王默運內力，揮動手中奪得的長矛，橫裹掃去。

一個弓箭手和一個執矛大漢，如何能擋得毒手藥王全力，硬生生被擊落江中。

毒手藥王縱聲長笑，暗運內力，猛然一踏，小舟翻覆，人卻借勢躍起，飛向大船。

就在毒手藥王踏翻小舟的同時，蕭翎也一劍洞穿小舟，離舟而起，飛向杜九撲襲的小舟。

這時，杜九手中鐵筆，已然點倒了一條大漢，仍在和餘下三人纏鬥。

蕭翎人還未踏上小舟，長劍已到，生生把一個弓箭手劈做兩段。

杜九大振神威，大喝一聲，手中鐵筆點傷了一人。

餘下兩人正待躍入江中逃命，被蕭翎一記劈空掌，擊中後背心，鮮血噴出，倒入江中死去。

還餘下的一位弓箭手，又傷在杜九筆下，杜九收了鐵筆，撿起兩根長矛，雙矛並出，洞穿了小舟之後，同蕭翎雙雙躍回大船。

和商八纏鬥的兩個大漢，眼看同伴大部傷亡，哪裏還敢戀戰，雙雙躍入江中，泅水逃走。

商八收起金算盤，自行搖櫓，行近大船，把梭形快舟繫在大船之上，笑道：「留著這艘快舟，也許有用。」

大船上的那些舟子們，見蕭翎等人搏殺敵人的武功，心中又是佩服，又是害怕。

那時青見四艘快舟上的搖櫓舟子和兩個弓箭手，泅水逃走，必將回報君主，此事已難善罷干休，當下歎息一聲，道：「諸位相救之恩，在下是感激不盡，不過，諸位爲了相救在下，和那四海君主，結下了不解之仇，倒叫在下心中難安……」

只聽毒手藥王說道：「張帆起碇。」

周順奔入艙中，道：「行往何處？」

蕭翎道：「靠近江岸行駛，咱們都不會水中功夫，萬一有強敵追到，咱們也好在岸上和他

決戰。」

周順應了一聲，出艙而去，招呼夥計開船。

毒手藥王望了蕭翎一眼，欲言又止。

商八雙目凝注時青的臉上，道：「閣下出價太高，高得兄弟連想也未想，就接下了這筆生意，如今仔細盤算一下，只怕虧多於賺了。」

杜九道：「那畫聖時天道，留在人間只有一幅玉仙子的畫像，和一幅殘缺的『眾星捧月』圖，不知閣下出價是哪一幅？」

時青搖搖頭，道：「玉仙子的畫像和眾星捧月圖，流傳江湖，不知何去，在下出價的既非玉仙子的畫像，亦不是『眾星捧月』圖。」

杜九冷冷說道：「世人皆知，那時天道只留下這一幅半圖，你既無二圖，那是誠心開我中州二賈的玩笑了……」

商八搖手攔住杜九，接道：「閣下叫時青嗎？」

時青道：「不錯。」

商八道：「那是和時天道同宗了。」

時青輕輕歎息一聲，道：「不敢欺瞞諸位，時天道乃在下的祖父……」

杜九冷冷地說道：「你這小子滿口胡說八道，武林之中，有誰不知那時天道，一生未娶，和咱們中州二賈一般的打光棍，既無妻子，哪來的兒女。」

時青道：「諸位知其然，不知所以然，那時天道雖然終身未娶……」他說到此處，突然住口不言。

商八道：「未娶妻妾，哪來兒女，朋友可是說不下去了。」

時青長長歎息一聲，道：「這是江湖上一大隱秘，已然保存了近百年，目下除了在下，只怕舉世間再也無人知曉了。」

商八一皺眉頭，道：「究竟是怎麼回事啊，你這般吞吞吐吐，可是存心要賣關子。」

時青道：「唉！要時家的子孫，評說上代往事，諸位縱然對我有救命之恩，在下也實難出口。」

杜九道：「你就是說了，咱們還未必肯信。」

商八接道：「百年前的事情，說了又有何妨？」

時青歎道：「我說、我說。」

長長吁一口氣，接道：「不錯，時天道名未娶妻，但諸位想都已聽過他那頻傳的艷事了，除了玉仙子那一段纏綿哀怨的情史之外，還有一位為人所不知的女子，卻成了有實無名的妻子……」

他一閉雙目，流下來兩行淚水，接道：「那只是一個平凡無才，又無姿色的村女，但她卻堅毅的為一代畫聖，保留了一脈香煙……」

這短短的十幾句話，已聽得群豪悠然神往，連那素來只知有己，不知有人的毒手藥王，也聽得悚然動容。

商八起身倒了一杯香茗，送到時青面前，說道：「時兄，這一段秘辛的價值，也許更在那玉仙子畫像之上，你喝口茶，慢慢的說吧，這筆生意，不論賠賺，咱們都做定了。」

時青睜開淚眼，掃掠了蕭翎一眼，緩緩說道：「像我一樣，是這般平庸無能，又有誰會相信，我是那才氣縱橫，藝事、武功雙絕人寰的一代畫聖時天道的後人。」

毒手藥王輕輕咳了一聲，道：「將相本無種，子不如父者，比比皆是，那也算不得什麼，區區這等形貌，卻有著一個容色絕代的女兒，閣下也不用爲此傷感。」

時青仔細望了毒手藥王一眼，只見他乾枯瘦小，肌肉僵硬，果是難看得很，不禁心頭一暢，道：「多承指點。」

伸手取過茶盅喝了一口香茗，接道：「也許是那時天道生前，鋒芒太露，艷事太多，時家的子孫，竟然都承繼了母系的平庸低能……」

商八聽他之言，離題越來越遠，急急接道：「那位村女保了時老前輩的香煙之後呢？」

時青道：「她出生在山村，一位樵夫之家，時天道遊至其地，爲了要繪製一幅『曉日冷泉』圖，就在那農家留住了下來，一住半年，那村女慕才生情，以身相許，半年後時天道留下了完成之畫，飄然而去，從此音訊全無……」

他頓了一頓，接道：「那村女卻有了身孕，但卻不能見容於父母，被毒打一頓，逐出家門，她爲了骨血，忍辱偷生，奔行到百里外，爲人幫傭度日，矢志守身育子成人，她卻因操勞

過度，一病而逝，臨死之前，對他兒子說出了這一段隱情，並把她珍藏的一幅『曉日冷泉』圖交給了兒子，要他憑圖尋父……」

只聽一聲黯然長歎傳了過來，道：「好可憐啊，那時天道可算天下第一薄情人了。」柔柔清香，婉轉動人。

毒手藥王吃了一驚，回頭說道：「孩子，你幾時醒過來了？」

只聽一個柔細的聲音應道：「我醒來很久了，時天道負情之事，我都聽得清清楚楚。」

啇八歎息一聲，道：「一幅『曉日冷泉』圖，已夠他們母子，享盡一生榮華富貴，只可惜他們不知那時天道手繪這圖名貴罷了。」

那女子聲音接道：「商人重利輕別離，你們中州二賈，只知珠寶、名畫之價，萬金難求，卻不知那可憐的村女，含辛茹苦，不肯出賣那『曉日冷泉』圖的情操，是何等高深，情愛是何等深重，時天道去如黃鶴，那手繪名畫，就是她唯一的安慰了，思人睹物，也可聊慰相思之苦。」

啇八呆了一呆，道：「姑娘說得是。」

時青歎了一聲，接道：「那村女病逝之後，她那唯一愛子，依照了母親遺言，攜圖尋父，匆匆十年，探不出一點訊息，十年風霜，使他體能大衰，只好在一座城鎮中住了下來，自知今生恐已難完成母親遺志，只好安居下來，經營一座小店，居然營業興盛，漸有積聚，便娶妻成家生下了一子……」

語聲微微一頓，接道：「就是在下了。」

商八取來瓦壺，替時青加了開水，笑道：「不要慌，你慢慢的說吧，在下等都很耐心的聽下去。」

時青道：「在下一十五歲那年，家父舊病復發，把在下召到床前，講述了以上的一段往事，又把那一幅『曉日冷泉』圖，交給了在下，三天後，就撒手塵寰……」

他頓了一頓，又道：「鑒於家父尋父經過，在下就改了主意，先請一些教師，學習了一些武功，兩年後，混入江湖之中，在下離家時年未過弱冠，如今已是將近花甲之年了。」

商八道：「閣下這番苦心孝思，足可媲美前賢……」

時青搖搖頭，道：「為人子者，自當如是，那也說不上什麼孝恩動人……」

輕輕歎息一聲，接道：「在下耗費了數十年的光陰，並未尋得祖父，但卻聽到了甚多先祖的逸事……」

商八心中暗道：近百年的往事，只怕那畫聖時天道，在你爹爹尋父之日，已經棄世，就算你踏遍寸寸河山，也是無法尋得他了。

但聞那時青接道：「在下心中亦知，先祖可能早已羽化登仙，但又存著萬一的僥倖想法，希望他一身超絕的武功，和那寄情山水的性情，能使他的壽命超異常人，就算見不到人，也該尋訪他的屍首埋葬之地……」

商八接道：「就兄弟所知，時老前輩羽化之地，在武夷山中。」

時青接道：「不錯，在武夷山仙子峰，在下探得其事之後，立時就趕往武夷山仙子峰上，但見到的只是一片光禿禿的山峰，連那傳說的天道畫室，也未曾留一點痕跡，在下在那仙子峰頂，露宿三宵，苦尋三日，仔細的查遍每一塊山石，仍是未找出一點可資追索的痕跡。」

商八道：「畫聖時天道的事蹟，雖然流傳甚多，但卻止於傳說。他一生甚少和人往來，真正內情，只怕是鮮為人知了。」

時青道：「三日之後，在下離開了那仙子峰，重又混跡江湖，繼續追查，終於又被我探得一件秘密。」

商八道：「對時老前輩的傳說，在下倒是聽聞甚多，時兄可否說出來，在下或可提供一些所得的資料，作為印證。」

時青道：「自然要說了……」說時仰起臉來黯然一歎，接道：「在下探得的隱秘，是我先祖死後，除了留下一幅玉仙子的畫像，和半幅眾星捧月圖外，還有一本手錄的《天道武錄》，那武錄不知為何人取去，但卻落入洞庭水寇方總瓢把子手中，先祖生不見人，死未見骨，連一個埋身的墳墓也是沒有，在下除了收藏的一幅『曉日冷泉』圖外，再無所有，聞得此訊，自然是希望能探得個水落石出，因此又混跡於洞庭水寇君山總寨，去當一名小小頭目。」

蕭翎突然接口說道：「你可找到令祖留下的《天道武錄》了嗎？」

時青搖搖頭，道：「到目前為止，在下仍未探出一點頭緒，但有一點，卻讓在下心中懷疑甚重！」

商八道：「什麼事？」

時青道：「洞庭水寨方寨主，武功逐年高強，尤其子強於父，而且是相差懸殊，想那少寨主武出家學，縱然青出於藍，也不能說相差很遠，因此在下懷疑其中必有原因……」

商八道：「洞庭水寇方總瓢把子，已經死去十年之久了。」

時青道：「不錯，方總瓢把子十三年前突然死去，江湖上傳說他得了急症，一夜而逝，那不過是方家故意傳出的煙幕，其實那方老寨主之死，是夜半被人殺死，連人頭也失蹤不見！」

商八道：「那兇手是誰？」

時青道：「到現在爲止，還未找出那兇手是誰，看來此事，只怕難再找出結果了。」

商八歎道：「人死勢落，自那方總瓢把子死後，連洞庭湖的基業，也同時失於江湖之上。」

時青搖頭說道：「老寨主死去之後，本該由少寨主繼承那總瓢把子之位，但他宣佈解散洞庭水寨，實則，卻剛好相反，那方少寨主雄才大略，武功豪氣，都在其父之上，明裏解散洞庭水寨，實則暗自擴充實力，只是他做的巧妙異常，江湖上知道之人不多罷了。」

商八道：「有這等事，不知方少寨主，現在何處？」

時青道：「方少寨主，就是目下自稱『四海君主』之人。」

商八道：「果然出人意外。」

時青道：「不知是身分洩露，或是爲人暗算所傷，在下被君主召去，迫我服下一種慢性毒

藥，如非諸位相救，在下此刻恐已被棄入江心中了……」

商八道：「原來如此，你只管好好調息，我等將竭盡所能，保護時兄。」

時青道：「不成了，那君主迫我服下毒物的同時，又在我身上做了手腳，所以，他們不肯殺了我，也許是因爲我還有一些可利用的價值……」

毒手藥王突然接道：「不要緊，老朽有能替你解除身中之毒。」

時青肅容道：「在下這裏先行拜領了。」起身對毒手藥王一禮。

毒手藥王還了一禮，道：「不用客氣，你如能告訴老朽，他逼你服下的何種毒藥，那是最好不過，但如說不出，亦不過多費一番手腳。」

蕭翎望了毒手藥王一眼，暗道：此人似是變了不少。

只聽時青歎口氣，說道：「我不但被迫服毒，而且還受了很重的內傷……」

毒手藥王淡淡一笑，道：「只要你此刻還未死去，老朽自信能救你性命。」

但聞舟外傳來周順的聲音，道：「幾位大爺，不得了啦……」

商八身子一晃，當先躍出艙去，接道：「什麼事？」

周順道：「八艘快舟，緊追咱們。」

商八抬頭看去，果見八艘快舟，風馳電掣而來，當下說道：「不要慌，告訴夥計們，沉著一些，來敵自有我們對付。」

說話之間，蕭翎、杜九和毒手藥王，已經魚貫行出艙外。
那八艘快舟來勢奇快，片刻工夫，已然衝近幾人乘坐的大舟附近。
只見幾艘快舟分水而行，團團把大船圍住。
這時，江面魚舟甚多，但見到了八艘快舟之後，紛紛游避開去。
蕭翎一皺眉頭，暗暗忖道：這八艘快舟，分佈八個方位，如若是一齊動手，射來特製火箭，只怕是不易對付！
凝目望去，只見八艘快舟的舢板之上，各站著四個藍色勁裝的武士，每人手中，執著一根長矛。
八艘快舟，圍住了蕭翎等人的大船之後，並未立刻動手，似是在等待著什麼。
只聽艙中傳出來時青的聲音，道：「這幾艘快舟上的武士，乃是四海君主手下最親近的藍衣衛隊中人，看起來，那四海君主，似是要親身臨敵了。」
商八道：「那很好，擒賊擒王，如是那四海君主，親身臨敵，那倒是給咱們一舉征服強敵的好機會了。」
八艘快舟上，合計站著三十二個藍衣武士，六十四隻眼睛，一齊投注在蕭翎乘坐的大船之上，一個個臉色嚴肅，但卻聽不到一點聲息。
一望之下，即可知道，這些人是經過一種嚴格的訓練。
毒手藥王看了蕭翎一眼，道：「咱們此刻停船之處，距江岸甚遠，在水面之上，和他們動手，心理之上，咱們已經先輸了三分，老夫之意，趁那四海君主尚未到達，咱們先一舉衝出這快舟包圍，棄船登岸，再和他們決戰如何？」

蕭翎還未及回答，冷面鐵筆杜九冷冷地接道：「這一片江岸，都是那百花山莊的地盤，咱們登岸之後，首先要遇到百花山莊武士的攻擊……」

商八拍拍大肚皮，自言自語地說道：「奇怪呀！奇怪！這片江面上，乃是百花山莊的勢力範圍，這四海君主，不同於一般江洋大盜，聲勢如此浩大，那沈木風豈有不知之理，以那沈木風的爲人，豈肯放過這四海君主，在臥榻之側，如此大張旗鼓，縱橫自如。」

毒手藥王道：「不錯，商兄這一提，老夫也感覺有些奇怪了，以那沈木風的爲人，決不容許四海君主在歸州江面上，如此的猖狂。」

但聞一聲淒厲的號角聲，傳了過來，劃破了寂靜的江面。

蕭翎等人，只道那八艘快舟，要展開攻勢，準備迎敵。

但見八艘快舟，仍然靜靜地停在原處，毫無動靜。

船艙中，傳出來時青的聲音，道：「四海君主來了！」

蕭翎抬頭望去，果然見正南江面上，緩緩駛過來一艘五彩巨舟。

四九　四海君主

那五彩巨舟因為體積過大，看上去行動甚慢，其實速度甚快，片刻工夫，已到了四、五丈外，只見兩艘快舟，迅速地向兩側分讓開去，空出位置。

啇八打量了那五彩巨舟一眼，暗道：好大的船啊！

只聽船艙中又傳出時青的聲音，道：「那巨船上，共有五根桅桿，分掛五色風帆，此刻有幾桅上，掛了風帆？」

啇八見只有一根白色桅桿，上掛著白色的風帆，當下說道：「只掛著一張白色風帆。」

時青道：「那還好。」

只聽那五彩巨舟上，又傳出兩聲號角，緊接著，鐘鼓齊鳴。

杜九冷冷地罵道：「好小子，裝模作樣的，好像當真的做了君主一般。」

蕭翎道：「這人用四海君主做他之名號，氣魄倒是很大。」

只見那五彩巨舟，艙門開啓，四個黃衣佩劍的童子，緩步而出。

在四個黃衣童子之後，緊隨著一位身著八卦道袍，手執拂塵的道人。

蕭翎心中暗道：看這人的裝束，恐怕不是四海君主本人。

忖思之間，那道人已然走向了船頭，四個黃衣佩劍童子，分列兩側。

蕭翎仔細打量了那道人一眼，只見他臉長如馬，留著三綹長鬚，身著道袍，繡著彩色八卦，那形貌和他的穿著，看上去大不相同。

只見他一揮手中拂塵，目注蕭翎等人說道：「諸位中，哪一個能夠作主的，請出來和貧道答話。」

商八望了蕭翎一眼，蕭翎卻回目瞧了毒手藥王一眼。

毒手藥王低聲說道：「這道人一臉奸猾之像，蕭大俠爲人君子，只怕口舌之上，不是他的敵手，不如請商兄，先去對付一陣再說。」

蕭翎道：「好，那就有勞商兄弟了。」

商八微微一笑，緩步而出，拱手說道：「道長有何見教？」

那道長雙目中神光閃動，打量了商八一眼，道：「閣下如何稱呼？」

商八道：「兄弟姓商，經商之商也。」

那道人道：「台甫呢？」

商八道：「一二三四五六七八的八。」

那道長道：「原來是中州二賈中的老大，貧道失敬了。」

商八道：「不要緊，咱們兄弟，一向講究的買賣賠賺，對禮數倒是不太在乎。」

語聲微微一頓，接道：「道長問完了我商某人的名號，在下也該領教一下道長的法號才是。」

那道長道：「貧道深居大山，從未進入江湖，說出來，只怕商大俠也不知道，不說也罷。」

商八道：「道長既是跳出三界外，不在五行中，方外之人，不知何以竟會入江湖中來？」

那道長道：「君主相邀，盛情難卻，說不得，只好下山助他一臂了。」

商八雙手一抱，道：「原來如此。」

那道長左手立掌當胸，還了一禮，說道：「貧道入得江湖之後，就聞得中州二賈的大名，一向焦不離孟，秤不離錘，商八在此，想那杜兄亦在了？」

杜九冷冷說道：「杜某在此，道長有何見教？」

那道長目光移注到杜九臉上，道：「貧道久仰大名。」

杜九冷冰冰地說道：「客氣，客氣。」

那道人淡然一笑，目光移轉到蕭翎臉上，道：「這位施主，如何稱呼？」

毒手藥王低聲說道：「這人奸滑得很，想先把咱們底細摸清楚，自己不通名報號，對咱們卻一個個的追問，不要理他。」

蕭翎心中暗道：這話倒也有理。

當下說道：「區區無名小卒。」

那道長一皺眉頭，目光又轉到毒手藥王身上，道：「閣下形貌，貧道似是聽人說過，定然

是大大有名的人物。」

毒手藥王冷笑一聲，道：「道長言重了。」頓時住口不言。

那道人輕輕咳了一聲，又道：「施主如何稱呼？」

毒手藥王道：「道長的法號怎麼叫？」

那道長雙目中神光暴射，冷電一般直逼毒手藥王的臉上，道：「貧道逍遙子，施主上姓大名？」

毒手藥王道：「老夫乃是專醫疑難病症的郎中。」

逍遙子道：「是一位大夫了。」

毒手藥王道：「只是運氣不佳，一向是藥到命除。」

商八哈哈一笑，道：「道長有什麼話，還是和我商某人談談吧！咱們做生意的，爲人總是比較和氣一些。」

逍遙子倒是一位城府極深沉的人，雖然受盡了毒手藥王的冷嘲熱諷，但竟是忍了下去，未見發作，淡然一笑，道：「貧道奉君主之命，和商兄商量一件事情。」

商八道：「做買賣嗎？兄弟是此道老手，一向只賺不賠，你開價過來吧！」

逍遙子道：「敝君主此次出道江湖，很想有一番作爲，因此，不惜四顧道觀，請貧道出山。」

商八打個哈哈，道：「昔年劉玄德，也不過三顧茅廬，道長卻要四次相請，才肯出山……」

逍遙子接道：「貧道雖不以諸葛孔明自居，但也不願讓古人專美於前。」

商八道：「道長才高八斗，學富五車，但卻未必能做只賺不賠的買賣，還是開價過來吧！」

逍遙子對商八的譏諷，竟是若無其事，微微一笑，道：「英雄傲骨，貧道對生具傲氣的英雄人物，一向是敬重得很。」

商八心中暗道：這人氣量如此之大，實非好與人物。

只聽逍遙子朗朗接道：「三日之前，敝君主行經此地，想不到竟引起了百花山莊沈大莊主的不悅，快舟載來了高手，限令敝君主兩個時辰之內，登岸拜莊……」

此事乃蕭翎等人心中欲知之事，一個個凝神傾聽。

逍遙子目光緩緩由商八、蕭翎等人臉上掠過，接道：「貧道雖然好言奉勸，彼此都是武林同道、江湖朋友，何苦爲一些小節小禮，鬧出不歡之局，但沈木風盛氣凌人，不但不肯聽貧道相勸，反而把貧道教訓了一頓，因而激怒了敝君主，引起了一場惡戰。」

商八心中暗道：無怪那些魚舟看到這些快舟之後，急急閃避開去，原來，三日前這裏已打過一場水戰。

心中念轉，口裏卻問道：「定然因道長指揮有方，打了一次大大的勝仗。」

逍遙子道：「那沈大莊主不善水戰，半日惡鬥，船沉人傷，百花山莊中近百高手，盡沉江

心，逐波而去，沈大莊主在幾個隨護高手捨命保衛之下，孤舟一葉，破圍而去……」

毒手藥王和沈木風，交情深厚，聽得心中駭然，忍不住插口問道：「他受傷了嗎？」

逍遙子淡淡一笑，道：「那沈大莊主的武功，貧道十分佩服，雖然受傷，但仍連續擊沉了我們四艘飛魚快舟，傷我十二名高手後，登岸回莊。」

毒手藥王道：「哪一個傷了他？」

逍遙子先是一怔，繼而淡然一笑，道：「混戰之中，彼此各使手段，何人傷了那沈大莊主，貧道也無法說出，不過，那沈大莊主看得起貧道，曾和貧道交手三十回合……」

毒手藥王道：「我不信你能憑藉武功，勝過那沈木風。」

逍遙子道：「不錯，貧道沒有勝他，但三十回合交手之中，貧道也未輸他一招。」

商八吃了一驚，暗道：如是他講的實言，此人武功，倒是驚人得很，當今之世中武林高手，能夠接得沈木風三十招者，只怕是寥寥無幾。

但見逍遙子目注毒手藥王說道：「閣下如此關心那沈大莊主，想是非親即故了。」

毒手藥王道：「你如真能接得那沈木風三十招，而未輸一招，那是足可當得武林高手之稱……」

逍遙子淡淡一笑，道：「如是那沈木風未曾慘敗，敝君主和貧道早已被他逐離此地了。」

蕭翎心中暗道：這話倒是不錯。

毒手藥王輕輕咳了一聲，道：「這麼說來，你們是大獲全勝了？」

逍遙子笑道：「至低限度前日一場水戰，那沈木風沒有佔得便宜，如果是那沈木風勝了，也不會讓我等再停留在這歸州江面上……」

語聲微微一頓，接道：「沈木風復出江湖的事已然轟動了整個武林，你們中州二賈，想是早已知道了。」

此人講話，曲轉盤折，以那啇八在江湖上的見聞閱歷，竟也無法猜出他心中之意，啇八忙問道：「不錯，咱們兄弟早知道了。」

逍遙子道：「因此，敝君主也決心放棄那清閒的隱居生活，出道江湖。」

啇八道：「貴君主爲那沈木風出道江湖震動所激，毅然出道，這第一戰，自然是要和那百花山莊別別苗頭了。」

逍遙子笑道：「正是如此，因此，敝君主決定出道江湖時，就下令所屬駛來歸州江面。」

啇八心中忖道：這牛鼻子老道講話轉來轉去，不知是用心何在，目光轉動，只見正南方又有八艘梭形快舟，破浪而來，不禁心頭一動，暗道：是啦，這牛鼻子老道藉著說話機會，故意拖延時間，好使他們從容佈置。」

心念轉動，突然縱聲大笑起來。

這逍遙子果然是陰沉無比，啇八縱聲而笑，他竟似恍如不聞，神情平靜地站在那五色巨舟之上。

金算盤啇八心中忖道：這牛鼻子果然是沉得住氣，竟是連問也不問我一聲。

當下冷哼一聲，道：「道長好惡毒的陰謀啊……」

逍遙子微微一笑，道：「商兄言重了，貧道哪裏不對，還望多多指教。」

商八道：「道長後援已到，部署已成，難道還要裝糊塗嗎？」

逍遙子回顧了那八艘急駛而來的快舟一眼，笑道：「敝君主十分好客，對你們中州二賈，更是大生敬慕，如若你們中州二賈肯賞貧道一個薄面，請登彩舟一敘。」

商八回頭看了蕭翎一眼，低聲說道：「咱們已被重重包圍，如其在咱們乘坐之舟上，和他們決戰，還不如登上他們五彩巨舟之上，和他們一分勝負的好。」

毒手藥王一皺眉頭，道：「小女大病初癒，只怕是不宜登上彩舟……」

杜九冷冷接道：「如若當真打了起來，此番只怕是和適才不同，在下看法，咱們都得落入江中，逐波餵魚，留在此船之上，還不如登上彩舟，生機大些。」

他言語之間雖然有譏諷毒手藥王之意，但說的確也是實言。

毒手藥王輕輕咳了一聲，低聲說道：「只要老夫能行近那道人一丈之內，就可對他施毒。」

只聽那逍遙子高聲說道：「三日之前，那沈木風親率快舟、巨帆，不下十餘艘，但一戰之後，盡遭沉沒，沈木風僅以身免，諸位如是不信，貧道只好讓它重演一次三日前的舊事，讓諸位見識一下了？」

蕭翎想到千辛萬苦，迭經險阻，才救了那南宮玉的性命，目下敵勢強大，船陷重圍，如是

真的動起手來，此舟必將為敵毀去，南宮玉亦必沉江而亡，想到她幾番相救的情義，和那顆善良之心，不禁激起了豪俠之性。

轉臉對商八說道：「兄弟，只要他們先放南宮父女，和那姓時之人，不論什麼條件，咱們都答應下來。」

商八一皺眉，道：「大哥……」

蕭翎一揮手，道：「不要說了，照我的話做吧！」

商八回顧了毒手藥王一眼，道：「咱們家大哥對你毒手藥王，可算得仁至義盡了。」

毒手藥王突然一閉雙目，道：「老夫當牢記不忘，日後必有一報。」

杜九冷冷接道：「你這老兒一生中不知做了多少壞事，卻偏巧會遇上我家大哥慈悲仁德，當真是便宜你了。」

以毒手藥王的性格，連受中州二賈的指斥，定然是怒不可遏，但他竟忍了下去。

原來他心中明白，此刻一和那四海君主船隊衝突，不論武功如何高強之人，只要不會水中功夫，也是難免沉江淹死，想到蕭翎的豪俠之氣，捨命相救的仁德，心中火氣頓消，任那中州二賈出言責罵，竟自忍了下去。

商八轉過臉去，望著逍遙子一揮手，道：「道長也不用轉彎抹角了，究竟是何用心，還望早些明白說出，也好讓我們兄弟商量決定。」

逍遙子淡淡一笑，道：「敝君主愛才如渴，以你們中州二賈這等人才，正是敝君主夢寐以求的英雄人物……」

商八哈哈一笑，道：「道長是想把咱們收歸於四海君主之旗下了。」

逍遙子道：「正是此意。」

商八道：「中州二賈桀驁不馴，不知道長聽過沒有？」

逍遙子道：「英雄人才，大都如此，貧道早已想到了。」

商八心中暗道：他早已想到了，那是說，他早已想好了制服我們的法子了……

抬頭望望那五彩巨舟，笑道：「咱們兄弟，雖然生性高傲一些，但對強過咱們兄弟的人，卻是一向敬重，道長如是自信有著讓咱們敬佩的辦法，我們兄弟倒也希望會會高人，登上你們的五彩巨舟見識一番。」

逍遙子道：「貧道歡迎至極，敝君主亦將降階相迎二位。」

商八道：「咱們兄弟答應登舟，但卻有一個條件。」

逍遙子道：「什麼條件？只要貧道能夠答應，無不從命。」

商八道：「說起來簡單得很，咱們兄弟答應登舟，去見那四海君主，但道長必得先行放過此船中所有之人。」

逍遙子略一沉吟，道：「好，就依兩位之意。」

蕭翎一挺胸，道：「還有在下也想登舟見識一下。」

杜九低聲說道：「大哥，這又何苦呢？」

只聽逍遙子道：「閣下何人？敝君主這五色巨舟，只歡迎英雄人物，但那些名不見經傳的小卒，想上此舟，也是癡人說夢了。」

蕭翎冷冷說道：「區區在江湖之上，也算得薄有虛名之人。」

逍遙子道：「閣下怎麼稱呼？」

蕭翎道：「在下蕭翎……」

逍遙子道：「你叫蕭翎？」

蕭翎道：「不錯，正是在下。」

逍遙子道：「貧道自出山之後，就聞得江湖上傳誦蕭翎之名，白馬快劍，武林震動，可就是閣下你嗎？」

蕭翎道：「道長可是有些不信嗎？」

逍遙子道：「武林中傳說，那蕭翎年少英俊，風度翩翩，倒是不錯，不過閣下是有些太年輕了。」

蕭翎神色肅然地說道：「道長可要見識一下嗎？」

只聽毒手藥王的聲音，傳入耳中，道：「蕭兄，不可過露鋒芒。」

蕭翎目光一轉，投注到毒手藥王臉上，冷冷說道：「閣下可以回艙去了。」

毒手藥王呆了一呆，轉身入艙。

但聞逍遙子高聲說道：「貧道聞名已久，可惜無緣早會，蕭大俠如能露得一手，讓貧道一開眼界，那是最好不過。」

中州二賈眼看蕭翎已和那逍遙子答上了話，心中雖想勸阻，已是勢所不能，只好站在旁側觀看。

蕭翎右腕握住劍把，道：「道長想要見識些什麼？」

逍遙子笑道：「那蕭翎以快劍馳名江湖，貧道自是想見識一下蕭兄的劍法。」

蕭翎暗中運氣，莊肅地說道：「好！我讓你大開一次眼界，看一記絕妙武林的迴旋劍招。」

逍遙子道：「只聽這劍招之名，已叫貧道悠然神往。」

蕭翎道：「看清楚了。」

右腕一揮，長劍出鞘，脫手飛去。

只見那長劍懸空橫飛，勢道極是緩慢，劍身搖動，似是隨時可以落下。

逍遙子讚道：「好一招迴旋劍……」

餘音未絕，懸空長劍突然打個旋，疾飛而行，白光閃轉，響起了一聲慘叫，一艘快舟甲板上，突然有一個藍衣大漢倒了下去，栽入江中。

那飛出長劍劈死了一個藍衣大漢之後，竟然繞了一個大圈子，重又飛向蕭翎身側，蕭翎右手一探，抓住了劍把。

這一招驚世駭俗的迴旋劍招，不但瞧得逍遙子目瞪口呆，就是商八、杜九，也是看得驚奇不止。

蕭翎接得長劍，回劍入鞘，淡然一笑，道：「怎麼樣？不知在下的劍招，是否合登上五彩大船的條件！」

逍遙子哈哈一笑，道：「無怪江湖上提起你蕭大俠的名頭，人人敬畏了。」

蕭翎道：「過獎，過獎。」

逍遙子沉吟了一陣，旋即一笑，道：「蕭大俠只憑這一招迴旋劍法，已足可讓敝君主降階相迎了，不過……」

蕭翎道：「不過什麼？」

逍遙子道：「貧道曾經為敝君主立下了一個很壞的規矩……」

蕭翎道：「什麼規矩？」

逍遙子道：「凡是第一次晉見敝君主的，都需戴上一種刑具。」

蕭翎冷冷說道：「貴君主如是愛才如渴，這等愛法，也未免有些太過……」

逍遙子輕輕咳了一聲，接道：「此事不能責怪到敝君主的頭上，只能怪貧道立下這不情之戒規，唉！但戒規已成，貧道只好在三位面前謝罪了。」

杜九冷冷說道：「咱們難道一定要登那五彩大船嗎？一定要見那四海君主嗎……」

逍遙子接道：「這個自然了。」

杜九道：「杜二爺偏偏不去，怎麼樣？」

逍遙子仰天打個哈哈，道：「貧道聽人說過，中州二賈，在武林之中，素守信譽，答允之言，難道還會變卦嗎？」

杜九冷冷說道：「咱們答允登舟不錯，可是未答允要戴刑具……」

逍遙子道：「所謂身戴刑具，對三位而言，只不過是一個樣子罷了……」

語聲微微一頓，接道：「三位戴上刑具登舟，那是表示對敝君主的敬慕，敝君主降階相迎，那又是愛慕諸位才能之意，如此算來，自然是兩不吃虧了。」

蕭翎想到那南宮玉必須早作歇息，拖延下去，於事無補，當下說道：「要戴何種刑具，道長可否先行說明？」

逍遙子笑道：「一條小小的金鎖。」

蕭翎道：「好吧……」

逍遙子接道：「蕭大俠快人快語，實叫貧道敬佩。」

蕭翎道：「不過，在下也有一個條件。」

逍遙子道：「蕭大俠請說吧！」

蕭翎道：「我等必得先行看著這艘大船離開此地，才可戴上刑具，登上道長的五彩大船。」

逍遙子一皺眉頭，道：「那船上之人，這等重要嗎？」

杜九冷冷說道：「怎麼樣？你已經答應過了，難道又想變卦不成？」

逍遙子道：「貧道只不過隨便問問罷了。」

蕭翎道：「一個大病初癒的女子。」

逍遙子微微一笑，道：「古來英雄最多情，蕭大俠人若臨風玉樹，自是多情人物，貧道豈有不允之理。」

蕭翎道：「在下一向言出必踐，只要在下眼看大船離此，自當戴上刑具登上彩舟。」

逍遙子道：「好！貧道放下一艘小舟，三位登上小舟，也好讓大船離此。」

說完話，舉手一揮，立時有一艘梭形快舟，直向蕭翎等的大船之旁衝去。

那小舟裂波而來，迅快至極，直待將要接近大船時，才突然停了下來。

小舟上，除了一個身體健壯的搖櫓大漢之外，再無其他之人。

蕭翎抬頭望了那逍遙子一眼，道：「就是這艘小舟嗎？」

逍遙子道：「不錯，三位請上船吧！」

蕭翎當先一躍而起，落在小舟之上。

中州二賈緊隨在蕭翎身後，飛落在小舟之上。

三人不過剛剛站穩腳步，陡聞船艙之中，傳出來一個尖銳的聲音，道：「蕭相公，蕭大俠……」

蕭翎輕輕歎息一聲，道：「是南宮姑娘，杜兄弟快叫他們開船。」

杜九回頭望著大船，冷冷喝道：「你們還不開船，停在這裏等死嗎？」

不論如何和氣的話，只要從杜九口中說出，都變得十分難聽，他那冷峻的面孔，似是隨時都可以出手殺人，再加冷冰冰的聲音，凡是看到他的人，聽到他的聲音，都不自覺地生出三分畏懼。

船主周順站在船頭上，打躬作揖地說道：「杜老爺，小的叫他們立刻開船。」

只聞櫓聲頻頻，大船緩緩向前行去。

正東方布守的兩艘梭形舟，突然向旁側劃開，讓出去路。

但見那大船愈行愈快，片刻工夫，只餘下一點帆影。

逍遙子輕輕咳了一聲，道：「那大船已經近岸，此刻，貧道就是遣派快舟追趕，亦是來不及了，三位總該放心了吧？」

蕭翎抬起頭來，望了逍遙子一眼，道：「道長倒是一位很守信用的人。」

逍遙子道：「君子無信不立，貧道相信諸位，亦都是言而有信的君子。」

杜九冷冷說道：「咱們彼此爲敵，那就不一定了……」

蕭翎舉手一揮，阻止杜九再說下去，接道：「道長拿刑具來吧！」

逍遙子回過頭去，舉手一招，立時有一個青衣童子，和綠衣少女行到船頭之上。

那五彩巨舟，高逾水面五尺以上，蕭翎等停身的梭形快舟，甲板離水面不過一尺多些，是以五彩巨舟上的景物，蕭翎等無法看得清楚。

只聽那逍遙子道：「你們下去，替三位貴客加上金鎖刑具。」

那青衣童子、綠衣少女，齊齊應了一聲，飛落在蕭翎等小舟之上。

商八看兩人年紀只不過十四、五歲，但輕功造詣，卻是不凡，由那五彩巨舟上飛落到小舟之上，有如兩片落葉一般，船身連動也未動一下，心中暗道：兩個童子，武功尚且如此，那四海君主，武功定非小可。

只見那青衣童子，緩緩從懷中摸出一條金光閃閃的鎖鏈，道：「哪一位先戴？」

蕭翎仔細瞧那金鎖刑具，只不過三尺長短，環環銜扣，每隔半尺，就有一個核桃大小的金鎖，心中暗道：這刑具倒是奇怪，必有特殊的作用。

杜九一挺胸，道：「杜二爺先來試試看，不過二爺的脾氣可不大好，你們這一對娃兒，要小心一些就是。」

那青衣童子年紀雖然不大，但修養功夫，卻是很好，微微一笑，舉起手中的金色鎖鏈，向杜九頸上套去。

杜九個子甚高，那青衣童子高高舉起雙手，也無法把鎖鏈套在杜九的頸上，杜九又故意抬頭挺胸而立，那童子更是無能爲力。

只見綠衣少女，竟然向前行了兩步，伸出右手。

青衣童子一提真氣，躍落綠衣女的手臂之上，伸手把鎖鏈套在杜九的頸上，然後又把金鏈在杜九雙臂之間繞了兩周，熟練異常地扣上了各段金鎖。

那金鎖未扣之前，也還罷了，金鎖扣上之後，杜九立時一皺眉頭。

原來那數道金鎖未扣之前，還看不出這金鎖刑具的妙用，一扣之後，整個金鎖，突然收緊了很多，兩條手臂，被緊緊地鎖在頸上。

杜九望了那金鎖鏈一眼，冷然一笑，肅立未動。

心中卻暗暗忖道：這區區一條金鏈，難道還真能鎖住杜九不成？

那青衣童子又從懷中摸出一條金鏈，道：「輪到哪一位了？」

商八哈哈一笑，道：「鎖我吧！」

那青衣童子行了過去，如法炮製，鎖上了商八。

蕭翎一直冷眼旁觀，未發一言。

那青衣童子又摸出一條金鎖鏈來，行到蕭翎面前，道：「輪到閣下了。」

蕭翎道：「儘管出手。」

那青衣童子舉起鎖鏈，又鎖了蕭翎。

逍遙子眼看三人全都戴好了金鎖刑具，微微一笑，道：「貧道還有一個不情之求。」

杜九冷冷說道：「如果是不情之求，最好不要說了，在下等只答應戴上金鎖刑具，並未再作別的承諾。」

逍遙子道：「那是敝君主立下的法戒，天下武林同道，人人都得遵照，三位自是不能例外。」

蕭翎道：「如是不情之求，我等可以答允，但也可以拒絕，道長請先說出來吧！」

逍遙子道：「在見我家君主之時，三位最好能把兵刃取下。」

蕭翎一皺眉頭，還未決定是否答允下來，杜九已忍耐不住，冷厲地喝道：「道長的算盤未免是打得太如意了。」

說話之時，暗運真氣，猛然一掙。

只聽一陣劈劈啪啪之聲，數道金鎖，突然一緊，不但未能把金鏈掙斷，原有些鬆緩的金鎖，反而突然緊了起來。

杜九暗暗吃了一驚，忖道：一條小小金鏈，怎的如此堅牢？

只見逍遙子微微一笑，道：「三位武功高強，生性必傲，貧道不得不用特製的金鎖把三位鎖起來，諸位戴的金鎖鏈，乃天鏤編結之後，再配以百鍊精鋼製成，澆以金汁，而且諸位被鎖之處，又都是關節穴脈所在，縱有千斤神力，只怕也不易掙斷，所以三位還是不要多費心機，免得破壞了眼前的和諧氣氛，弄得不歡而散。」

商八哈哈一笑，道：「道長好深的城府，好厲害的心機。」

逍遙子淡然一笑，道：「取下他們的兵刃。」

那青衣男童和綠衣女童，聞聲出手，分向蕭翎長劍和杜九鐵筆之上抓去。

杜九身子一側，避開五指，飛起一腳，直向那青衣童子踢去。

那童子身手矯健，一閃避開，揮手一指，點向杜九右腿的懸鐘穴。

杜九看他出手就找穴道，心中暗自震駭，疾快地收回右腿，忖道：瞧不出這娃兒身手如此了得。

但聞蕭翎說道：「杜兄弟，讓他們取下兵刃吧！」

杜九對蕭翎之言，一向是百依百順，當下不再反抗。

那童子取下杜九肩上插的鐵筆，那綠衣女童也取下了蕭翎身上的長劍，緩步行到商八身前，道：「你的兵刃。」

商八笑道：「兵刃倒有，只是不便取出，姑娘先開了在下身上金鎖，俟我取出兵刃後，再戴上去如何？」

那綠衣女童顯然毫無江湖閱歷，被商八幾句話，說得啞口無言，半晌答不出話。

只見青衣童子身子一側，行了過來，道：「兵刃放在何處，在下願代效勞。」

商八一挺肚皮，笑道：「那就有勞小兄弟了。」

逍遙子站在那五彩巨舟的船頭之上，冷眼旁觀，未插一言。

那青衣童子伸手從商八的團花大馬褂下面，摸出了金算盤，回頭望著逍遙子道：「兵刃都已收下。」

逍遙子道：「好！你們上船來吧！」

兩人拿著蕭翎等的兵刃，應了一聲，同時飛身而起，躍上大船。

蕭翎目注逍遙子說道：「我等兵刃都被取去，道長還有什麼吩咐嗎？」

逍遙子淡然一笑，道：「三位身上戴著金鎖，行動不便，待貧道放下軟梯，便於三位登船。」也不待蕭翎答話，回頭說道：「放下軟梯。」

只聽刷的一聲，一道五彩軟梯，從巨舟之上放了下來，直落小舟。

蕭翎舉步，踏上軟梯，登上五彩巨舟。

中州二賈隨在蕭翎身後，魚貫而上。

抬頭看去，只見巨舟之上，甲板甚是寬大，長約三丈，寬有一丈二、三。甲板盡處，是一座雕刻著龍鳳的艙門。

十二個黑衣勁裝，身揹雁翎刀的大漢，一排橫立在逍遙子的身後。

只見逍遙子舉手一揮，十二個佩刀大漢迅快地散佈開去，讓開了去路。

商八仔細看那五彩巨舟，構造和一般帆船，大不相同，顯然是特殊設計建造而成。

逍遙子微微一笑，道：「三位且請在這甲板之上，稍候片刻，貧道這就進去稟報君主，以便迎接三位……」

蕭翎淡然說道：「這等非出本心的做作，我看用不著了。」

逍遙子道：「貧道既然答應了三位，豈可言而無信。」大步直向艙中行去。

只見那緊閉的龍鳳艙門忽然大開，但逍遙子進門之後，立時又關了起來。

商八低聲對蕭翎說道：「這金鎖鏈，緊韌異常，小弟已然暗中試過，無法掙斷……」

蕭翎道：「此刻咱們已中圈套，如非情勢急迫，還望兩位兄弟忍耐一、二。」

商八道：「咱們聽候大哥之命行事就是。」

杜九道：「這金鎖鏈雖然掙它不斷，但咱們還有兩足可以拒敵，小弟認為最困難的是咱們此刻還在船上，咱們兄弟都不會水底功夫，縱然能夠衝出他們圍攻，也是難飛渡這茫茫江流。」

蕭翎道：「杜兄弟所見甚是，因此，咱們才要多忍耐一些。」

但見那緊閉的龍鳳艙門，突然大開，兩個青衣童子當先行了出來。緊隨在兩個青衣童子之後的，是四個全身綠衣的少女。

二男四女，青一色背插長劍。

突然絃管齊鳴，悠揚樂聲中，緩步走出一個身著胸繡金龍黃袍的人來。

蕭翎仔細看去，發覺那人的年齡並不大，大約在三十上下，白面無鬚，舉步落足之間，緩慢沉重，似是和著那絃管節奏。

逍遙子緊隨在那黃袍人的身後，出得艙門之後，突然加快腳步，搶在那黃袍人的前面，行近蕭翎等人身前，說道：「敝君主出艙，三位也該以禮拜見。」

杜九冷冷說道：「有什麼好拜的，他又不是真正的皇帝，就算是真正的皇帝，咱們兄弟也未必就要拜他。」

他說話聲音雖然不大，但那黃袍人卻聽得十分清楚，兩道炯炯的眼睛，掃了過來。

逍遙子似是還想勸說三人幾句，但卻突然欲言又止。

去。

原來，他怕蕭翎等說出更爲難聽之言，那就弄巧成拙了，是以話到口邊，又強自忍了回

只見那兩個青衣童子和綠衣少女，行近了三人四、五尺處，停下腳步，分列兩側，讓出一條路來。

黃袍人緩步而行，越過那青衣童子，直行到幾人身前，緩緩說道：「適才聽到國師談到三位大名，在下是思慕已久了。」

蕭翎暗自忖道：當真是想造反嗎？你自稱四海君主，那牛鼻老道，又號稱什麼國師，總共也不過幾艘快舟，和這五色大船。

心中暗罵，口中卻應道：「好說，好說，君主言重了。」

黃袍人道：「三位請入艙中小坐，也好讓在下略盡禮賢之意。」

杜九聽他口氣托大，竟然用上禮賢二字，不禁心頭火起，冷冷說道：「咱們兄弟是江湖中草莽人物，登不得皇舟雅堂，如是言語開罪了你，那就未免大煞風景了。」

逍遙子插口接道：「不要緊，敝君主一向是量大如海，愛才若渴，諸位都是成名武林的人物，正是敝君主渴慕之才，縱然是放蕩一些，也不要緊。」

黃袍人道：「國師說得不錯，三位請入艙中一敘吧！」

蕭翎心中暗道：既然登上了這五彩巨舟，也該到它艙中去見識一下才是。

心念一轉，當先向艙中行去。

商八、杜九，眼看蕭翎進入艙中，只好隨在身後行去。

黃袍人回顧了逍遙子一眼，隨在三人之後，行入艙中。

艙中地方，十分寬敞，佈置更是極盡豪華。

地上鋪著很厚的紅毯，四周都是淺綠色的壁綾，一張雕龍描鳳的金交椅，緊靠在後艙壁而放，一個檀木長案，擺在椅子前面，四個錦墩，分放兩側。

在那金交椅後的壁板上，掛著一幅六尺見方的巨畫，寫著「武林形勢圖」五個大字。單是五個大字，就足以引人心神。

蕭翎運足目力，只見那圖上詳列著天下各大門派的所在地，分別記述著他們的特殊武功，和弟子人數。

百花山莊和少林寺，都赫然在上面，但這兩處，一個是數百年來，一直被武林同道奉若泰山北斗的武學源起聖地，一個是神秘莫測的江湖屠場。

顯然那四海君主，對這兩個地方所知有限，並未列出人數，和他們特殊的武功。

蕭翎暗忖道：這四海君主，倒是一位有心人，單是畫這一幅「武林形勢圖」，就要耗去不少時間。

只見那黃袍人穿過錦墩，繞過檀木長案，端端正正地坐在金交椅上，說道：「三位請坐。」

商八暗暗忖道：你這叫禮賢下士嗎？自己先大模大樣的坐下，然後再請客人落座，豈是待

客之道。

但聞逍遙子放聲笑道：「三位請隨便坐吧！」

蕭翎心中忖道：既來之，則安之。當先舉步而行，在一個錦墩上坐了下去。

中州二賈一向跟著蕭翎行事，眼看蕭翎坐下，也跟著坐了下去。

逍遙子微微一笑，高聲說道：「敬茶。」

但見艙壁一角處，壁綾啓動，現出了一個暗門，五個身著彩衣的美婢，魚貫而出，每人手中捧了一個玉盤，盤上放著一杯香茗，行在蕭翎和中州二賈身前，欠身奉上香茗。

蕭翎和中州二賈雙臂雖然被金鏈鎖了起來，但雙手五指還可運用自如，只是伸縮之間，雙手得一齊動作，自覺十分不雅，當下冷冷地望了逍遙子一眼，道：「多謝姑娘，不用了。」

中州二賈更是各自冷笑一聲，一語不發。

那黃袍人和逍遙子，卻是各自伸手，從玉盤中取過香茗。

逍遙子左手一揮，道：「三位既是不肯飲用，你們還不退下。」

五名美婢，齊齊轉身而去，退回那壁角暗門中，隨手關上了暗門。

逍遙子緩緩把手中茶杯，放在木案之上，低聲對那黃袍人道：「君主有事，也可和三位佳賓談談了。」

黃袍人啜了一口香茗，放下茶杯，說道：「在下久聞三位大名，今日有幸一會。」

蕭翎冷冷說道：「君主不必客氣，有話可以明說了。」

黃袍人微微一笑，道：「現今武林之中，局勢紛亂，殺伐不息，恩怨糾結，無時或了，上天有好生之德，人豈無惻隱之心，在下有意出主武林，阻攔殺伐，爲武林開百世太平基業……」

語聲微微一頓，接道：「三位對此有何高見？」

蕭翎目光轉注到啇八臉上，以目示意，要他答話。

啇八輕輕咳了一聲，先來了一陣哈哈大笑。

黃袍人一皺眉頭，欲言又止，顯是要待發作，但卻強自忍了下去。

啇八笑了一陣，停下笑聲，說道：「君主想出主武林，天下有幸了。」

黃袍人眉頭一展，笑道：「請教大名。」

啇八道：「金算盤啇八。」

黃袍人目光轉注到杜九臉上，道：「閣下怎麼稱呼？」

杜九冷冷地說道：「冷面鐵筆杜九。」

黃袍人笑道：「兩位就是江湖尊稱的中州二賈了。」

杜九道：「正是不才兄弟。」

黃袍人目光轉投到蕭翎的身上，道：「這一位定是蕭翎兄了。」

蕭翎道：「不錯。」

黃袍人端起案上茶杯，又啜了一口茶，道：「在下有意爲武林排難解紛，需要人手相助，

不知三位可否助我一臂之力？」

商八接道：「君主雄才大略，又有逍遙道長相助，我等江湖草莽，不諳武略，只怕我等無能幫助君主。」

黃袍人道：「敝國師已然介紹過三位武功，在下亦是久聞大名，三位如肯相助，在下必將委以重任，日後取得武林君主之位，三位居功，在下必有一報。」

商八村道：他此刻已然自號君主之稱，心中也明白是自尊自妄了。

心中暗罵，口裏卻應道：「茲事體大，在下等一時難作決定。」

黃袍人目光轉注到逍遙子的臉上，道：「國師之意呢？」

逍遙子淡淡一笑，道：「貧道看來，此事簡單得很，願與不願，一言而決，用不著多作思慮了。」

這幾句話，單刀直入，商八倒是真的無法作主了，低聲對蕭翎說道：「大哥作主吧！」

蕭翎略一沉吟，道：「如是在下等不願爲君主效勞呢？」

黃袍人想不到，他身上戴著刑具，竟然還說出如此硬朗之言，不禁臉色一變，道：「三位如是不肯答應，那是不給在下面子了。」

逍遙子接道：「識時務者爲俊傑，貧道的看法，三位還是答應的好。」

蕭翎道：「道長可是想威迫我等。」

逍遙子陰森一笑，道：「不是威迫，貧道言出肺腑，完全是一片金玉良言。」

蕭翎心知此刻一言，立決敵友，面臨到生死關頭，自己也不便擅作主張，回顧了中州二賈一眼，道：「兩位兄弟之意呢？」

商八道：「咱們追隨大哥，生死不渝。」

蕭翎目光轉投到那黃袍人的身上，道：「如是君主威迫在下，蕭某決不答允。」

黃袍人冷冷說道：「三位可知道此刻在下一言，可定三位生死。」

逍遙子急忙接道：「君主息怒，讓貧道再勸他們幾句如何？」

黃袍人道：「好！如是勸他們不醒，那也不用留作後患了。」

言下之意，十分明顯，如是逍遙子仍勸不醒，三人立刻有性命之憂。

只聽逍遙子輕輕咳了一聲，道：「貧道有幾句話，尚望諸位三思。」

蕭翎道：「你說吧！」

一面暗中運氣，提聚功力。

他已聽得中州二賈說過，這刑具看上去，雖然細小，但卻堅牢異常，可是心中又有些不信，暗中運氣，準備一試。

逍遙子舉起茶杯，喝了一口茶，接道：「三位都正當有爲之年，如若是這般無聲無息的死了，那實在可惜得很……」

森冷的目光，緩緩由三人臉上掃過，接道：「三位以爲貧道之見如何？」

杜九冷冷說道：「你怎麼知道咱們一定要死。」

逍遙子道：「三位身上戴著刑具，就算武功再高一些，也難是貧道之敵。」

杜九道：「那倒不一定了。」

逍遙子道：「杜兄不信貧道之言，貧道就拿人做個試驗，給三位見識一下如何？」

杜九道：「那要看什麼人了。」

逍遙子道：「如論那人的聲望，和他在武林中的地位，只怕還在三位之上。」

突然舉起雙掌一拍，高聲說道：「帶那老叫化來！」

蕭翎心中暗道：老叫化子，那一定是丐幫中人物了，丐幫素多忠義之士，視死如歸，自然不會歸附這四海君主了……

心念轉動之間，突然一陣呀然輕響，壁間那暗門重又大開。

兩個青衣童子，手執長劍，押著一個身著破衫的枯瘦老者行了進來。

那人身上未戴金鎖，但雙肩的琵琶骨處，卻爲牛筋穿過，兩個青衣童子，右手執劍，左手各自握著牛筋一端。

蕭翎一見那枯瘦老丐，不禁大吃一驚，駭然而起，正待出言呼叫，卻爲商八伸手阻止。

那枯瘦老丐，目光掃掠了蕭翎等三人一眼，臉上亦現出驚異之色。

但一瞬間後，重又歸復平靜。

原來，這枯瘦老丐，竟是丐幫中僅存的長老，那幫助蕭翎等人闖出百花山莊的孫不邪。

但聞逍遙子道：「諸位可識得這位老丐嗎？」

商八急急接口說道：「不認識。」

逍遙子的目光投注到蕭翎身上，道：「閣下定然認識了。」

蕭翎心中暗道：商八阻攔於我，讓我裝出不識此人的模樣，定然別有用心，他江湖經驗豐富，定然有所作用。

當下搖搖頭，道：「看他形貌，似是聽人說過。」

逍遙子哈哈一笑，道：「原來如此，怪不得你看到他時，心中大爲震動……」

話聲微微一頓，又道：「丐幫之名，三位想早就聽人說過了，此人乃是丐幫中碩果僅存的一位長老孫不邪。」

杜九心中暗道：這孫不邪武功高強，非同小可，不知何以會被四海君主所擒……

但見逍遙子兩道森寒的目光，逼視了過來，道：「杜九，可聽過那孫不邪的大名嗎？」

杜九道：「自然是聽過了。」

逍遙子哈哈一笑，道：「好，杜兄不信那金鎖刑具的威力，貧道就試給你見識一番……」

語聲微微一頓，接道：「我要解開你身上的金鎖刑具，戴在孫不邪的身上，然後把他殺死，讓你瞧瞧金鎖刑具的威力。」

杜九心中暗道：他要解我身上金鎖刑具，倒是一個難得的機會，只可惜這機會未發生在大哥的身上。

只聽逍遙子接道：「不過，貧道在解你刑具之前，先要用牛筋穿過你兩處琵琶骨。」

杜九怔了一怔，忖道：此事倒是幸未發生在大哥身上了。

只見逍遙子站起身子，直對杜九行來。

杜九兩道眼神轉注在蕭翎身上，目光中，滿是詢問之色。

顯然，他不願束手讓別人用牛筋穿過琵琶骨，準備出手抗拒，但又不知蕭翎的心意如何？望著蕭翎，聽他示意。

只見蕭翎霍然站起身子，道：「住手！」

逍遙子目光轉注到蕭翎身上，陰森一笑，道：「閣下還有什麼指教？」

蕭翎道：「你可知我們三人之中，哪一個能夠作主？」

逍遙子道：「中州二賈生死不渝的追隨蕭兄，足見蕭兄之能了。」

蕭翎冷冷說道：「你既然知道我爲三人之首，何以不找我說話？」

逍遙子微微一笑，道：「貧道自有主張，用不著蕭兄代爲擔心。」

蕭翎道：「道長可是想用強迫的手段，收拾在下杜兄弟嗎？」

逍遙子道：「在未穿過他琵琶骨前，貧道要先點了他的穴道。」

蕭翎突然橫跨一步，道：「蕭某未死之前，決不容道長出手傷人。」

逍遙子對蕭翎，似是特別容忍，當下淡然一笑，道：「蕭大俠以快劍馳名武林，如今你手中無劍，只怕未必是貧道之敵了。」

蕭翎冷冷道：「蕭某雖然手中無劍，但也不願眼看道長傷我兄弟。」

杜九突然一挺身子，道：「大哥退開，這牛鼻子既然指定要對付兄弟，還是由我來試試吧！」

只聽孫不邪說道：「三位身上戴著金鎖刑具，都不是他的敵手。」

這孫不邪的武功，蕭翎和中州二賈都是親眼所見，知他說的決不是假話，不禁為之一呆。

逍遙子目光轉注到孫不邪身上，微微一笑，道：「孫兄終於想通了。」

孫不邪雙目中神芒一閃，似想發作，但卻又強自忍了下去，長歎一聲，說道：「如若有老叫化、蕭大俠及中州二賈相助你們，四海君主之名，立時將揚起四海，天下皆知了。」

逍遙子道：「正因如此，貧道才百般容忍，希望四位能相助敝君主一臂之力。」

孫不邪道：「只怕道長無能說服他們。」

逍遙子道：「如若形勢逼迫貧道過甚，說不得只好先殺了幾位，至少也可減去一些阻力。」

孫不邪道：「如若道長能夠信得過老叫化子……」

逍遙子接道：「貧道一向是用人不疑，孫兄有何高見，儘管請說。」

孫不邪道：「老叫化願代道長勸說他們，投效四海君主麾下。」

逍遙子沉吟一陣，突然縱聲而笑。

孫不邪冷冷說道：「你笑什麼？」

逍遙子道：「孫兄自被貧道擒住之後，一直神情冷傲，雖然經貧道百般勸說，仍是不肯就

範，此刻突然有此轉變，竟然要爲貧道代做說客，豈能不叫貧道懷疑。」

孫不邪道：「道長如是不肯信任老叫化子，那就不用談了。」

逍遙子凝目思索了一陣，道：「貧道並非不肯信任孫兄，只是先得請示一下敝君主才行。」轉過臉去，和那黃袍人低言數語。

孫不邪冷笑一聲，側過臉去，暗施傳音之術，道：「蕭兄弟，閣下正值有爲之年，今後二十年江湖大局，寄望於蕭大俠身上正重，還望多多珍重，不可因逞一時豪強，意氣用事……」

但聞逍遙子說道：「敝君主覺得孫兄乃成名多年的人物，對孫兄十分信任。」

孫不邪頭也不轉，裝出氣憤之狀，仍然暗施傳音之術，接道：「蕭兄不比老叫化子，老叫化老朽了，你如何能和老叫化子相比……」

逍遙子高聲說道：「敝君主已然答允孫兄之求，孫兄意下如何？還望早做決定。」

孫不邪緩緩回過頭來，說道：「道長怎的忽然又相信老叫化子了？」

逍遙子道：「這是敝君主的意思，如以貧道的看法，就算孫兄當真肯盡心而爲，只怕也難收得成效。」

孫不邪冷冷說道：「老叫化和蕭翎師長，交情甚深，道長不行，老叫化倒是有得幾分把握。」

逍遙子笑道：「如若孫兄能夠解說出貧道心中之疑，那就連貧道也心悅誠服了。」

孫不邪道：「你可是懷疑老叫化子使詐嗎？」

逍遙子道：「諸位身上都有刑具，貧道自是不用憂慮合力出手，至於使詐一說，如能在貧道面前施展，那是未免太過低估貧道了。」

孫不邪冷冷道：「你一定要知道，老叫化爲何會突然改變了心意嗎？」

逍遙子道：「如是孫兄肯說，貧道是洗耳恭聽。」

孫不邪道：「老叫化和那蕭翎師長交情甚深，不忍眼看他年輕輕死去。」

逍遙子淡淡一笑，道：「你既是那蕭翎師長之友，定然見過蕭翎了。」

孫不邪道：「自然見過了，不過，老夫見他之時，那蕭翎年紀還小，只怕他已無法記得老叫化了，是故，適才看見老叫化，雖有驚愕之狀，卻是認不出來。」

逍遙子道：「這蕭翎的師長是誰？」

孫不邪凜然說道：「這個，請恕老叫化不能說出。」

逍遙子奇道：「爲什麼？」

孫不邪道：「我那故友，仇家甚多，但江湖中人，大都已認爲他早已死去，如若知他未死，只怕會給他帶去無數的煩惱。」

五十　計脫重圍

逍遙子道：「天涯何等遼闊，只要你不說出他居住之地，縱然有人知道他還活在世上，也是無法找得到他。」

孫不邪道：「道長一定要問嗎？」

逍遙子道：「如是孫兄實不願說，貧道也是無法勉強。」

孫不邪道：「如果老叫化說了出來，道長不要害怕。」

逍遙子道：「如是當今武林之世，有人能夠使貧道害怕，你孫兄也是其中之一。」

孫不邪道：「莊山貝，道長可曾聽到過嗎？」

逍遙子呆了一呆，半晌之後才緩緩說道：「除了莊山貝外，也無人能夠教出這等徒弟。」

蕭翎暗中查看，發覺那逍遙子聽得師父之名，心中若有畏懼，不禁心中一動，暗道：難道這牛鼻子老道，當真的認識我師父不成……

只聽孫不邪冷冷說道：「道長可是相信了嗎？」

逍遙子道：「相信了，那就有勞孫兄代貧道勸勸這位蕭施主了。」

孫不邪道：「老叫化效勞不難，但有幾件事，先得道長答應。」

逍遙子道：「什麼事？」

孫不邪道：「老叫化勸說蕭翎之時，是動以私情，陳以厲害，道長最好不要派人暗中偷聽。」

逍遙子道：「以諸位的耳目而言，就算是貧道派人偷聽，只怕也是無法瞞得過諸位。」

孫不邪道：「我雖是他師長之友，但他記憶模糊，早已不認識老叫化了，因此，必須有個較長的時間才行。」

逍遙子道：「不知孫兄要多長時間？」

孫不邪道：「一日的時光，不能算長吧？」

逍遙子道：「就依孫兄之見，不知是否還有什麼條件？」

孫不邪道：「待之以禮，就你們五彩巨舟中最美麗的女婢，選上兩個，替我們送上一桌酒菜。」

逍遙子笑道：「此事容易。」

孫不邪道：「最後一件，替我選擇一個幽靜的艙位，我們要飲酒談心。」

逍遙子道：「此乃理所當然之事。」

回頭對兩個押送孫不邪的仗劍童子說道：「帶四位貴客，到迎賓艙中去。」

兩個仗劍童子應了一聲，望著孫不邪和蕭翎等說道：「走吧！」

逍遙子道：「四位佳賓，很可能和我同在君主座下效勞，你們要小心伺候了。」

兩個童子果然不敢再對四人無禮，欠身說道：「我等爲四位帶路。」當先向前行去。

孫不邪等緊隨在兩個童子之後，行入了一座佈置幽雅的艙室之中。

兩個青衣童子還劍入鞘，抱拳對四人一禮，道：「四位請坐，小的等告辭了。」

孫不邪淡然一笑，道：「兩位不怕老叫化逃走嗎？」

兩個青衣童子不敢答話，卻把手中牛筋帶出艙外。

孫不邪哈哈一笑，道：「怎麼，你們兩個這等對待老叫化，如果老叫化歸依了，四海君主必要好好的懲治你們一番。」

兩個青衣童子已然行出艙外，高聲說道：「小的們職責攸關，還望你老不要見怪才好。」

孫不邪道：「你們兩個可要牽著牛筋，守在艙外嗎？」

只聽一個青衣童子說道：「我等把牛筋拴在艙外的鐵柱之上，你老儘管放心，道爺交代了下來，小的等決然不敢偷聽。」

但聞腳步聲逐漸遠去，兩個青衣童子，似已聯袂而去。

孫不邪附在艙壁間，仔細聽了一陣，回過頭來，肅然說道：「蕭大俠，老叫化勸你幾句話。」

蕭翎道：「晚輩洗耳恭聽。」

孫不邪道：「老叫化年登古稀，目睹耳聞，見過了不少英雄人才，但卻無一人能有你這一身成就，絕代奇才，再加上曠世奇遇，培養出你老弟這一株武林奇葩，更難得的是，你那俠心

鐵膽的英雄性格，今後三十年武林大局，道長魔消，全繫在你的身上，老叫化為天下武林同道請命，無論如何你不能死。」

蕭翎吁了一口氣，道：「老前輩過獎晚輩了。」

孫不邪哈哈一笑，道：「老叫化一生之中，從未說過一句違心之言……」

蕭翎輕輕歎息一聲，道：「這金鎖刑具，雖然不易掙斷，但尚非重大之事，被困舟上，四面洪流滾滾，咱們全不會水中功夫，縱然能夠闖出他們攔截，也是難逃死亡之運。」

孫不邪道：「正因如此，老叫化才毛遂自薦，托詞為令師之友，希望能勸得老弟為武林珍重。」

蕭翎道：「老前輩有何良策，但請吩咐，晚輩是無不遵從。」

孫不邪道：「如問良策，老叫化此刻也是一籌莫展，我要勸老弟的是，留得青山在，不怕沒柴燒。」

商八道：「眼下唯一的救急之策，就是設法詐降，才能徐圖脫身。」

孫不邪道：「那四海君主為人看似暴急，實則深藏不露，使人難測高深，逍遙子老謀深算，險詐無比，咱們詐降之計，只怕早已在他預料之中，也許他早已想好了對付之策。」

杜九冷冷說道：「照老前輩這麼說來，咱們是死路一條了？」

孫不邪道：「老叫化倒有一策，只不知蕭大俠肯是不肯？」

蕭翎道：「老前輩有何良策，只管說。」

孫不邪笑道：「老叫化這辦法就叫做拖死狗，咱們也不用答應他，但也不用拒絕他，給他慢慢的拖下去……」

商八道：「要拖到幾時爲止呢？」

孫不邪道：「這個老叫化就不敢說了，就目下情勢而論，那四海君主，確有著爭雄江湖的野心，一心一意想把咱們幾個網羅旗下，爲他所用，因此，才百般對咱們容忍，一時之間，他們還不會當真把咱們給殺死。」

兩個美婢托著酒菜進入艙中，含笑擺好，躬身往艙外退去。

孫不邪道：「二位來照顧我等，怎可就此退去？」

那左側一個女婢，嬌媚一笑，應道：「你老可是要小婢們陪飲幾杯？」

孫不邪道：「那倒不用了，老叫化只想一面飲酒，一面瞧著兩位。」

二婢相互望了一眼，齊齊對孫不邪行了過去，分站兩側。

左面一婢伸出纖纖玉指，替四人斟滿酒杯，笑道：「酒助豪興，四位爺，先請吃一杯如何？」

孫不邪伸手取過面前的酒杯，笑道：「老叫化年紀最大，理該先乾，他們最好慢一點，那也算敬老尊賢了。」一仰臉，喝了一個杯底朝天。

左側那妖嬈女婢，很快的又替他斟滿了一杯酒。

孫不邪一面阻攔蕭翎和中州二賈，不讓他們食用酒餚，自己卻是連連乾杯，大吃大喝起

來。

他一連吃下了七、八杯酒，每盤佳餚也都吃了三筷以上，才放下筷子，笑道：「兩位可以去了，老叫化吃上幾杯酒後，最是見不得人家大姑娘和小媳婦，兩位姑娘，還是迴避一下的好。」

二婢倒是聽話得很，欠身一禮，齊齊退出艙去，隨手帶上了艙門。

孫不邪眼看二婢遠去，才微微一笑，道：「三位可以放心食用了，這酒菜之中，確未下毒。」

原來他裝瘋作傻地留下二婢，只是想試酒菜之中，是否有毒。

商八輕輕歎息一聲，道：「此等之事，理應由我等效勞才是，怎敢叫老前輩以身試毒。」

孫不邪哈哈一笑，道：「老叫化老朽了，兩位適當壯年，還望兩位善助蕭翎，爲我武林同道盡上一分心力。」

商八道：「老前輩儘管放心，咱們這次如若能夠脫險，只要江湖大義所在，就算是賠錢買賣，也不計較就是。」

孫不邪收起嬉笑之容，肅然說道：「老叫化被他們用牛筋穿過琵琶骨，逃出的機會，是萬萬沒有了……」

蕭翎道：「如是能夠弄斷穿在老前輩胯間和雙肩上的牛筋，老前輩就可以恢復自由，盡復神功了。」

孫不邪道：「習武之人，這四處如被牛筋穿過，武功雖然未失，也是形同廢人了。」
蕭翎突然站起身子，道：「老前輩估計一下，他們在一個時辰之內，是否會有人來？」
孫不邪道：「一個時辰之內，也許無人會來，不過他們定會在暗中監視咱們。」
蕭翎道：「除了這艙門之外，不知四周艙壁，是否還設有機關？」
孫不邪道：「自然有了，但咱們不解內情，只怕找不出來。」
蕭翎敲破一只酒杯，道：「先替老前輩斷去雙肩、雙胯的牛筋，再想拒敵之策。」
孫不邪搖搖頭，道：「不論成敗，咱們都無法逃出，何苦冒險？」
蕭翎道：「晚輩已經想過了，咱們只要在五彩巨舟上，和他們對抗，諒那四海君主，不忍把這艘巨舟沉入江中。」
孫不邪道：「辦法雖然不錯，只是有些冒險……」
蕭翎道：「老前輩不用猶豫了，晚輩相信老前輩神功盡復之後，晚輩等身上雖有刑具，也可和他們抗拒幾日。」
不容孫不邪再答話，用敲破瓷杯的尖刃，在牛筋上劃割了起來。
他內功深厚，腕力千斤，瓷杯邊刃，又極鋒利，不過半個時辰左右，已把穿在孫不邪雙肩、雙胯的四條牛筋，盡行割斷。
這時，商八防守艙門處，杜九兩道銳利的目光，不停在四面艙壁間搜望！
在幾人預料之中，這一番過程中，必有驚險，哪知竟是出人意外的順利。

孫不邪穿在身上的牛筋斷去之後，不禁黯然一歎，長吁一口氣，恍有隔世之感。

蕭翎低聲說道：「老前輩請運氣試試，武功是否已失？」

孫不邪道：「老叫化已經運氣試過了。」

蕭翎道：「老前輩的武功……」

孫不邪道：「他們原準備用我，故未傷我穴脈，唉！老叫化原想救你，想不到你倒先救了我老叫化子。」

商八微微一笑，道：「那逍遙子百密一疏，收了咱們身上兵刃，卻料不到大哥腕力強勁，已到了飛花傷人、摘葉取敵之境。」

蕭翎搖搖頭道：「如若沒有這瓷杯的鋒刃相助，我也是無能爲力……」談話之間，突然一陣步履聲傳了過來。

孫不邪低聲說道：「老叫化身上牛筋已除，那已是無法放得過他們了。」

這時，來人已到艙門口處輕輕叩響艙門。

孫不邪冷冷喝道：「什麼人？」

室外有人應道：「小的奉命而來，有事面告。」

孫不邪用腳踏著牛筋，室外人尚未覺著有異。

孫不邪低聲說道：「搶兵刃！」

接著提高聲音道：「什麼事，進來說吧！」

但聞艙門呀然，兩個青衣童子，大步走了進來。

目光到處，只見孫不邪身上牛筋已脫，不禁一呆。

待兩人想起拔劍攻敵時，商八、杜九已由隱身的門後，分向兩側襲到。

這兩人本是武林高手，出手何等迅快，兩個青衣童子長劍還未出鞘，人已被點中了穴道。

孫不邪伏身撿起兩柄長劍，關上艙門，低聲說道：「咱們有此雙劍，便增強不少威力，眼下最爲重要的事，是如何取得金鎖刑具之鑰，替三位打開刑具。」

商八道：「何不問問這兩個青衣童子？」

孫不邪道：「好！碰碰運氣吧！」伏身拍活了一個青衣童子的穴道。

那青衣童子睜開眼睛，望了孫不邪一眼，挺身躍起，卻不料雙腿穴道，仍被點著，一挺之勢，竟未坐起。

孫不邪長劍一送，冷森的劍鋒抵在那青衣童子咽喉之上，說道：「情非得已，你如一叫，老叫化就宰了你。」

那青衣童子冷冷說道：「彩舟停在江心，四面有二十四艘小艇相護，你們如想逃走，勢比登天還難。」

孫不邪冷冷說道：「這個不用你來費心，老叫化問你什麼，你就回答什麼！」

青衣童子一皺眉頭，未再言語。

孫不邪道：「開這金鎖的鑰匙，由何人保管？」

那青衣童子道：「由逍遙道爺保管。」

孫不邪冷冷說道：「老叫化不信。」

青衣童子道：「我說的字字實言，你如不信，那也是沒有法子的事。」

杜九道：「老前輩不用和他們多費唇舌，先把這兩個小兔崽子給宰了，咱們撈回一點本錢再說。」

孫不邪劍鋒在那青衣童子臉上輕輕移動了兩下，道：「老叫化子如若狠起心腸，就先把你這張俊臉劃上幾道，叫你變成醜怪之容。」

那青衣童子對這張俊俏的面孔，似甚愛惜，聽得臉色一變，道：「為什麼不把我殺了？」

孫不邪笑道：「殺了豈不太便宜你了嗎？」

只聽步履之聲傳了過來，又有人直對艙中行來。

孫不邪望了商八、杜九一眼，疾快一指，又點了那青衣童子的啞穴。

但聞一陣剝啄的敲門聲，耳際間響起了一個嬌若銀鈴的女子聲音，道：「諸位可要添加酒菜。」

杜九拉開艙門，道：「姑娘請進。」

只見人影一閃，一個綠衣少女，進入了艙中。

商八疾出一指，點了她後背穴道。

但見寒光閃動，一柄寶劍，橫裏削了過來。

原來這些童子、侍婢，一個個都經過特殊訓練，機警無比，那第一個綠衣女婢，被點中了穴道，第二個立時拔劍擊出。

商八一縮手臂，道：「好機警的丫頭。」

杜九冷冷說道：「不能讓她走開。」身子一側，衝向艙外。

但那孫不邪比他的動作更快，一提真氣，比杜九早一步衝出了艙門。

但綠衣少女早已疾快地退了出去。

商八哈哈一笑，抽出那綠衣女婢身上的寶劍，道：「咱們行藏已洩，那也不用隱隱藏藏了。」

孫不邪緩緩退回艙中，道：「這五彩巨舟之上，布有不少機關埋伏，如其衝出艙去，倒不如暫守此處。」

蕭翎點點頭，說道：「也好，擒賊擒王，咱們如若能夠生擒住那逍遙子，必可迫使四海君主就範，交出金鎖刑具之鑰……」

語聲未落，卻被一陣急促的步履之聲打斷，逍遙子滿臉怒氣，帶著四個青衣童子，和四個綠衣女婢，急奔而到。

孫不邪道：「果然是逍遙子親身臨敵，此人武功高強，只怕老朽無能生擒於他。」

蕭翎道：「咱們各盡心力，是成是敗，那也不用計較它了。」

只聽逍遙子怒聲說道：「諸位都是武林中具有身分之人，竟然言而無信。」

孫不邪道：「兵不厭詐，老叫化活了這一把年紀，還未見過敵對之中，有信義可言。」

逍遙子道：「強詞奪理……」

語聲微微一頓，突然哈哈大笑起來。

杜九冷冷說道：「你替咱們兄弟戴上刑具，還不是一樣用的詐語。」

逍遙子收住大笑，道：「貧道一向主張人性本惡，必於懾服而後用，敝君主卻是主張人性本善，以德服之而後用……」

孫不邪冷冷說道：「陳腔濫調，老叫化已聽得膩了。」

杜九接道：「眼下形勢已很明顯，道長想和想戰，但憑一言而決。」

逍遙子冷冷說道：「你們能夠弄斷那老叫化子身上的牛筋，卻無法弄斷那金鎖刑具，身戴刑具，還敢妄言和戰。」

杜九道：「這區區刑具，就算戴在身上，也無多大影響。」

逍遙子緩步向前行來，直逼到艙門口處，臉色一片嚴肅，緩緩說道：「需知貧道為人謹慎，早已有預防，你們此刻如肯放下兵刃，束手聽命，還有一線生機。」

蕭翎淡然一笑，道：「如是我等肯於束手就擒，那也不會有此一變了。」

孫不邪一挺長劍，笑道：「牛鼻子，你可敢和老叫化決一死戰？」

逍遙子兩道目光轉注在孫不邪的臉上，道：「難道貧道怕你不成？」

孫不邪道：「好！咱們不分生死，不許罷手。」

他生怕逍遙子改變主意，一挺長劍，刺了過去。

逍遙子手中拂塵一抖，帶起一股勁風，疾向劍上掃去，口中冷冷說道：「倘若不給你們見識一下貧道的武功，諒你們也不肯瞑目了。」

孫不邪一挫腕，收回長劍，左手一揚，呼的一聲，劈出一掌。他內力雄渾，掌勢強猛無匹，勁風山湧，直逼過來。

逍遙子手中拂塵刷刷連劈兩招，一股陰柔之勁，從那條條塵絲中湧了出來，竟然把孫不邪劈來那勇猛絕倫的一掌，輕輕地化解於無形之中。

孫不邪心中暗自震駭道：這牛鼻子老道，的確是不可輕視。心中念轉，手中長劍突然抖起了三朵劍花，分襲向逍遙子前胸三處大穴。

逍遙子冷笑一聲，拂塵橫掃過來，直向劍身搭去。

孫不邪心中暗道：倒要試試這牛鼻子的內功如何，劍勢不再相讓，反向拂塵之上迎去。百鍊精鋼的長劍，和那蓬飛塵絲，觸在一起，響起一陣輕微的沙沙之聲。

孫不邪暗運內勁，力道貫注在劍身之上，凝立不動。

逍遙子冷笑一聲，突然一抖拂塵，隔物傳力，一股暗勁，順著孫不邪手中長劍，直攻過來。

孫不邪冷笑一聲，凝注劍身上的內力，突然發了出去，劍尖顫動，點向逍遙子的前胸。

逍遙子疾退一步，暗道：這老叫化功力果然非凡。

心念未完，孫不邪突然疾退兩步，橫劍而立。

原來，他覺出逍遙子循劍而來的內力，直擊過來，卻是不肯讓避，憑藉數十年的精純內功，準備硬受一擊，發動凝聚在劍身的內勁，反向逍遙子刺出一劍。

如若那逍遙子不肯讓避，這一擊，兩人勢將打個兩敗俱傷。

哪知逍遙子竟是不願硬拚，縱身讓避開去。

這一來，孫不邪就吃了大虧，那循臂而上的暗勁，正擊中肩頭之上。

總算他應變得快，急急後退兩步，藉機卸了那撞在肩頭上的力道，雖然硬受一擊，但卻傷得不重。

逍遙子雖然佔了先機，但卻毫無驕敵之態，反而向後退去。

商八道：「大哥，不能讓他走……」

正待出言喝止，蕭翎已先他而出，大喝道：「道長留步。」

逍遙子人已退出了六、七尺遠，聽得蕭翎喝叫之言，只好停下腳步，道：「施主有何見教？」

蕭翎道：「在下亦想領教道長幾招絕學。」

逍遙子望望蕭翎身上的金鎖刑具，道：「貧道已久聞你蕭翎快劍之名，乃後起之秀中，第一人才，只是你身有刑具，手中無劍，如何會是貧道之敵。」

蕭翎道：「在下赤手領教幾招，也是一樣……」

杜九冷冷接道：「你牛鼻子老道，如若是英雄人物，就解開他身上的刑具……」

逍遙子搖頭道：「貧道乃是涵養極好之人，豈肯爲人激怒。」

啇八冷冷說道：「你如想要我等投效在四海君主手下，爲他效力，只有一個法子。」

逍遙子道：「這個貧道倒得領教了，是何良策？」

啇八道：「解開我家大哥刑具，給他一支長劍，道長和他打個勝敗出來，如道長勝了我家大哥，我等都甘爲效命，聽候驅使。」

逍遙子道：「如是貧道不幸敗在你家大哥手中呢？」

杜九冷冷說道：「那你還有何顏面見人，不如死了算啦！」

啇八接道：「死倒不用，道長自行訂下罰約就是。」

逍遙子手持拂塵，道：「如是三十年前，貧道連想也不想，就會答應了幾位。」

杜九冷冷說道：「現在呢？」

逍遙子道：「現在嗎？貧道決然不會輕率答應了。」

啇八道：「爲什麼？」

逍遙子道：「貧道覺得此舉太過冒險。」

杜九道：「你不敢，就是不敢，也不用吊死鬼擦粉，死要臉了。」

逍遙子道：「不論兩位如何譏笑貧道，貧道也不爲所動！」

蕭翎沉聲道：「如若在下身戴刑具，赤手空拳和道長走上兩招，不知道長肯否賜教？」

這時，孫不邪已經調息復元，睜開雙目，冷冷說道：「那逍遙子也是極爲自負之人，蕭兄這等羞辱於他，他自然不會答應了。」

逍遙子道：「貧道一生做事，就是要出人意外，這次貧道答應了。」

蕭翎道：「過道狹窄，道長請入艙中賜教。」

逍遙子緩步又回到艙門口處，道：「貧道就在此地見識蕭大俠的驚人武功。」

蕭翎挺胸前行兩步，道：「道長請出手吧！」

逍遙子打量了蕭翎一眼，發覺他停身之處，已在自己拂塵可及範圍之內，心中暗暗忖道：此人年紀不大，但這種膽量和豪勇之氣，卻是人所難及。

心中不由對蕭翎生出了幾分敬意，當下說道：「你赤手空拳，如何能讓貧道搶去先機，還是蕭大俠先出手吧！」

商八道：「你如心中過意不去，最好先除去我家大哥刑具。」

逍遙子淡淡一笑，道：「貧道已經再三說明了，不論諸位用什麼手段，都無法激出貧道怒火。」

蕭翎暗中一提真氣，道：「道長可以出手了。」

逍遙子道：「好，蕭大俠如此英雄，貧道恭敬不如從命了。」拂塵一揮，當頭劈下。

蕭翎看那蓬張的塵絲，足足籠罩有尺許方圓，心中暗暗忖道：看來拂塵較劍勢尤難閃避了。

舉步一跨，陡然間橫移兩尺，避開一擊。

逍遙子一收拂塵，笑道：「這艙中也不過丈餘方圓，我瞧咱們是不用打了。」

蕭翎冷笑一聲，道：「道長逼迫在下出手，小心了。」右手一揚，一縷指風，擊了過去。

原來蕭翎早已運氣準備，揚手間發出了修羅指力。

指風疾猛，劃起了一陣輕微的嘯風之聲。

逍遙子萬沒料到蕭翎這等年紀，竟有著如此驚人的成就，驚覺到那指力非同尋常時，那疾射而來的暗勁，已然近身，匆忙間向旁一閃，指風掠身而過，洞穿了逍遙子寬大的袍袖，擊向艙外。

只聽一聲慘叫，一個青衣童子，應聲倒臥地上。

原來，蕭翎的指力射出艙外，正擊中隨同逍遙子來的一個青衣童子身上。

逍遙子臉色一變，道：「金剛指力，蕭大俠果然非凡，此技乃少林派七十二種絕技中第七種絕藝，不知蕭大俠在何處學得？」

蕭翎道：「道長看清了，區區所用，並非是金剛指力。」

逍遙子道：「除了少林的金剛指力，在下倒還想不出武林之中，何等指功，有此威勢！」

杜九冷冷接道：「那只怪你孤陋寡聞了。」

逍遙子修養雖好，但也無法忍受這等激辱，不禁大怒道：「敝君主不過一番惜才之心，諸位不要認爲，敝君主非得借重大力不行，激起貧道怒火，就有得諸位的苦頭吃了。」

孫不邪冷冷說道：「逍遙子，你是否已感覺到，殺害我等的機會，已經過去了。」

逍遙子道：「可是因爲孫兄解除了身上的牛筋，才敢作此豪語？」

孫不邪道：「老叫化自信能應付你逍遙子道長，蕭大俠和中州二賈，雖然戴有刑具，只怕都還有自保之力。」

逍遙子冷笑一聲，道：「貧道如若真想把諸位置於死地，那也用不著和諸位以武功相搏。」

杜九冷冷地說道：「如若道長要沉掉這艘五彩巨舟，咱們兄弟也認命了，不過，仍將找幾個陪葬之人。」

孫不邪笑道：「老叫化找逍遙道長。」

商八道：「咱們中州二賈找幾個童男童女。」

蕭翎道：「有勞道長轉告那四海君主一聲，就說蕭某人希望能見識一下君主的武功。」

逍遙子臉色一片鐵青，眉宇間殺機閃動，顯然，這位修養過人的道長，亦被幾人言語激起了殺機。

只聽他冷笑一聲，說道：「諸位既然想一試貧道殺人的方法，那也是沒有辦法的事，貧道就恭敬不如從命了。」

孫不邪突然一揮手中長劍，道：「老叫化今天和道長泡上了，道長如想平安離此，那就先得把老叫化制服……」

話還未說完，瞥見一個青衣童子，急急奔來，低聲對逍遙子說了幾句話，又匆匆離去。

逍遙子雖然仍能保持著冷靜，但江湖閱歷豐富異常的孫不邪，已隱隱瞧出，那童子傳遞而來的不是什麼好消息，心中暗道：此刻趁他心神不定之際，衝出艙門，把他逼入艙中，合蕭翎和中州二賈之力，制服於他，尚非什麼難事，如若那金鎖刑具的鑰匙，果然是在他的身上，能為蕭翎和中州二賈解開金鎖刑具，那就不怕他們了，那時或戰或走，就都操在我們手中了。

心念動轉，暗提真氣，一語不發，陡然飛躍而起，直向艙外衝去，手中長劍揮舞，幻生出一片劍氣。

逍遙子霍然警覺，拂塵一揮，直向孫不邪擊了過去。

那拂塵力道柔中蓄剛，孫不邪揮劍一接，竟然被堵在艙內。

逍遙子一擊擋住了孫不邪向外衝奔之勢，立即揮動拂塵，攻了過來。

孫不邪揮劍還擊，兩人立時展開了一場凶猛絕倫的搏鬥。

但見劍光閃閃，幻起一片銀光，排山倒海般，直向逍遙子捲衝過去，身際間響起拂塵劃起的嘯風之聲，蓬張的塵絲，有如一片烏雲，擋住了那爛銀劍光，難越雷池一步。

片刻工夫，兩人已打了二十餘個照面。

雙方仍然打了個不勝不敗之局，孫不邪無法向前衝進一步，逍遙子也無法把孫不邪迫退一步。

蕭翎默查兩人動手的情形，發覺逍遙子手中拂塵招術，詭奇異常，非孫不邪這等高手，只

怕早已傷在逍遙子的手中了。

兩人又鬥了十餘回合，突聞逍遙子大喝一聲，拂塵招數，突然一變，奇招連出。

孫不邪被他一陣連綿奇攻，迫得向後疾退兩步。

逍遙子突然探手入懷，取出一物，砰的一聲，扔在地板上，只見一陣白煙升起，瀰漫住艙門。

孫不邪高聲叫道：「諸位快請閉住呼吸，不要吸入毒煙。」逍遙子卻藉機關上艙門，轉身而去。

孫不邪見逍遙子施放毒煙，不由心急，揚手揮掌，力推而出。

只聽砰的大震，逍遙子帶上的艙門，被孫不邪一掌震開。

孫不邪雙掌連揮，勁風山湧而出，瀰漫在室中的濃煙，竟被他掌力推出艙門。

商八眼看艙中白煙，盡被孫不邪掌風推出艙外，才長長吁了一口氣，道：「想不到這牛鼻子老道，竟然使用武林中下五門的迷魂藥物手段，當真是可惡得很。」

孫不邪凝目沉思了一陣，道：「老叫化吸入少許，有點不似迷魂藥物之氣……」

商八道：「不似迷魂藥物？」

孫不邪道：「不錯，有一股淡雅的清香之氣，據老叫化的經驗，凡是迷魂之藥，香味都很濃厚。」

商八道：「不是迷魂藥物，這就有些奇怪了。」

孫不邪道：「也許是一種更爲惡毒的東西，但決非一般的迷魂藥物。」

杜九道：「不論是何物，反正不會是好東西就是，那牛鼻子老道，匆匆而去，不是畏懼老前輩和我家大哥的武功，定然是發生了什麼重大事情，咱們何不借此機會，闖出此地？」

孫不邪道：「只怕他們早已有了準備。」

杜九道：「在下開道，試它一試。」大步向艙外行去。

商八道：「多一刻時光，他們就多一重佈置，此刻闖出，也許還可以打他們一個措手不及。」

孫不邪道：「只怕事情不如兩位所料的那般容易，不過試試也好。」緊隨杜九身後，躍出了船艙。

杜九當先而行，剛剛出得艙門，突聞夾道盡處，傳來一個清脆的女子聲音，道：「站住！」

轉角處，緩步走出一個綠衣少女，手中執著一個尺許長短、似棍非棍的黑色之物，說道：「這鐵筒之中，裝滿了毒液，如若諸位要強行奪路，小婢就不得不施用了……」

但見人影閃動，那轉角處又轉出兩個綠衣少女，每人手中，都高舉著相同之物。

這時，杜九和那綠衣少女，相距不過六、七尺，正待以快速的舉動衝過去，冒險一試，突見孫不邪疾踏一步，超越到杜九之前，擋住了杜九的去路，低聲說道：「不可造次。」

抬起頭來，望著三人，說道：「老叫化有些不信。」

那當先現身的綠衣少女道：「逍遙道長就是怕幾位不信，因此，特地讓小婢等當面試驗給幾位瞧瞧。」

孫不邪道：「好！老叫化拭目以待。」

那綠衣少女回頭說道：「帶上死囚。」

但見兩個青衣童子，由那轉角處緩步而出，兩人架著一個身著勁裝的大漢。

只聽那綠衣少女說道：「這人因爲擅自抗拒君主之命，已處死刑，就拿他試給諸位瞧瞧吧！」

兩個青衣童子，把那勁裝大漢，推至綠衣女身前四、五尺遠，伸手拍活那勁裝大漢穴道，疾快地退了回來。

那綠衣少女以快速無比的動作，舉起手中鐵筒，對準那勁裝大漢一推。

數十道白色的水箭，疾射而出，正中那勁裝大漢。

那勁裝大漢，剛剛舒動一下手腳，已被數十道白色水箭射中。

只聽他猛喊一聲，向前奔行了兩步，一跤摔倒在地上。

孫不邪暗暗忖道：好厲害的劇毒。

凝目望去，就這一陣工夫，那大漢臉上已變成了紫青之色。

那綠衣少女望了孫不邪等一眼，說道：「諸位都是親目所見，小婢說的並非虛言、如是諸位自恃武功高強，能夠擋得住如雨珠的毒水，小婢也不便再勸了。」

言罷，和另外兩個綠衣少女，兩個青衣童子，齊齊轉了回去。

蕭翎搖搖頭，道：「三支鐵筒，毒水齊噴，有如滿天密雨噴霧，咱們武功再高，也難一滴不沾。」

孫不邪道：「此路不通，咱們先返回艙中，另想辦法。」

杜九道：「哼！那牛鼻子為人如此惡毒，日後如犯在杜老二的手中，決不饒他。」

商八自言自語地說道：「如若咱們施展暗器，能一舉把三女擊倒，就可以闖過去了。」

孫不邪道：「她們倒是已經有準備，是以藏在轉角之處，縱有一等暗器手法，也無法擊中三女。」

商八道：「如若她們防守只有這一道，在下倒是有一個卻敵之法。」

蕭翎道：「是何良策？」

商八道：「兄弟涉險，引誘她們現身，大哥趁機發出暗器，把她們一舉擊倒。」

蕭翎搖搖頭，道：「兄弟之意，可是以身相殉，護著和三女落得一個同歸於盡，是嗎？」

商八哈哈一笑，道：「如若此計能夠行得通，自然強過咱們四人一齊被困於此了。」

孫不邪搖搖頭，道：「如若老叫化判斷不錯，逍遙子決不會放心咱們，只設這一道防守。」

杜九雙手在艙壁上拍了一掌，道：「這艙壁，都是木頭造成，咱們何不破壁而過。」

孫不邪道：「好啊！這辦法倒是不錯，此刻，他們已經有了嚴密的防守之心，我等長困於此，亦非良策，此舉就算……」

突聞一聲轟然大震傳來，艙身起了一陣劇烈的顫動。

商八道：「是啦，那牛鼻子老道匆匆而去，必是有強敵找來。」

孫不邪突然一揮手中長劍，左手取過一張桌面，道：「如若是當真有強敵壓境，咱們倒可試闖它一下。」

蕭翎道：「老前輩可是想以桌面做盾，抵拒那噴出的毒水嗎？」

孫不邪道：「正是此意。」

蕭翎道：「好！有這桌面擋拒那噴出的毒水，成功之望，可以增加了許多，在下和老前輩同時出手如何？」

孫不邪搖搖頭，道：「不用了，你身上戴著金鎖刑具，何況那幾個童男童女，也未必就是老叫化之敵，咱們怕的不過是那噴出的毒水而已，只要能把毒水擋過，老叫化一人之力，就可以對付她們了。」

蕭翎道：「如何能要老前輩一人涉險！」

孫不邪哈哈一笑，道：「如若幾位不來，老叫化也許早已沒有命了……」

語聲微微一頓，接道：「三位請守在此地，聽候老叫化子招呼。」左手舉著桌面，右手執劍，大步向前行去。

又是一聲轟然大震，船身又起了一陣劇烈的顫動。

蕭翎一皺眉頭，道：「看起來，強敵已然逼近了五彩巨舟，不知是何物撞擊在木舟之上。」

孫不邪道：「好，咱們殺他個裏應外合。」

左手執著桌面擋在身前，高聲喝道：「幾筒區區毒水，也能擋得住老叫化嗎？爾等小心，老叫化衝過去了。」

蕭翎一伸雙手，取過兩支筷子，執在手中，道：「形勢所迫，小兄不得不下辣手了。」

商八道：「彼此敵對，不是敵死，就是我亡，大哥自是不用再存什麼慈悲心腸了。」

蕭翎手中執著兩支筷子，站在艙門口處，瞧著那孫不邪的舉動。

只見孫不邪藉著左手桌面護身，一直行到那轉角所在，長劍一轉，刺了過去。

蕭翎雙目凝神，勁貫右腕，望著那轉彎所在，只要一見動靜，立時將以柳仙子傳授的奇絕暗器手法，出手施襲。

但見兩支長劍，伸了過來，封開了孫不邪長劍。

三支長劍，就在轉角之處，交相劈擊，卻不見那兩個青衣童子現身出來，也不見那三個綠衣少女出現，施用毒水。

孫不邪左手執著桌面，準備三女現身噴射毒水時，以迅雷不及掩耳的行動，藉著桌面護身，直衝過去，故而不肯全力出手。

哪知事情竟然是大出了孫不邪的意料之外，纏鬥了良久，對方仍是不肯現身，也不見施用

毒水，心中大感奇怪，當下潛運內力貫注於劍身，用力一絞，噹的一聲，震落了一柄長劍。

左手一收桌面，護住身子，右手長劍，突然一緊，又把另一支長劍擊落。

探頭望去，只見兩個青衣童子，正在伏身撿劍，那三個綠衣少女，早已走得不知去向。

孫不邪舉起手中長劍一招，高聲說道：「三位快來，咱們上當了。」

口中在招呼蕭翎，左手卻棄去桌面，砰的一聲，拍出一掌。

蕭翎和中州二賈應聲奔了過來。

孫不邪掌力威猛，兩個青衣童子，還未撿起長劍，孫不邪掌力已然湧到，兩個青衣童子覺出潛力湧到，合力接了一掌。

這兩個青衣童子，如何能擋得孫不邪的掌力，接得一掌，被震得向後連退三步。

這時，蕭翎和商八、杜九，已然趕到，齊聲問道：「怎麼回事？」

孫不邪哈哈一笑，道：「大概逍遙子只有那三支毒筒，已用以對付強敵去了。」

兩個青衣童子未能撿起長劍，又見蕭翎等三人趕到，心中自知非敵，轉身跑去。

蕭翎大聲喝道：「站住！」

兩個青衣童子哪裏肯聽，頭也不回地向前奔去。

蕭翎怒道：「爾等不聽喝叫，別怪我手下毒辣了。」雙手一揚，兩支竹筷，脫手飛出。

但聽兩聲尖叫傳來，兩個青衣童子，齊齊摔倒在地上。

五一　雙雄爭霸

孫不邪左手又順手取過桌面，高舉護身，當先行了過去，低頭一看，只見兩支竹筷分別插在兩個青衣童子左腿膝彎之處，深入了一寸多深。

這地方乃人身關節要害，受此重傷，自然是難以再奔行了。

蕭翎拔下兩支竹筷，輕輕歎息一聲，默默不語。

杜九右腳一抬，把左側的青衣童子翻轉過來，冷冷說道：「你這娃兒，不過十四、五歲，死了實在可惜得很。」

那青衣童子雙目中泛起畏怯之情，但卻咬緊牙關，一語不發。

杜九張著人見人怕的一張怪臉，冷冷說道：「你若是不想死，只有一個法子。」

那青衣童子口齒啓動，但卻未發出一點聲音。

杜九冷冷接道：「那三個女娃兒哪裏去了？」

那青衣童子望望身側的同伴，一語未發。

蕭翎輕歎一聲，道：「別問了，咱們闖出去吧！」

孫不邪道：「老叫化開道。」桌面護身，向前行去。

這段廊道，不過丈餘長短，轉過彎子，一道木梯直向甲板通去。

只聽一陣金鐵交鳴之聲，傳了過來，顯然甲板上，正有著劇烈的搏鬥。

孫不邪看通往甲板梯口，無法容得一張桌面通過，立刻揮動長劍，削去桌面邊緣，估計那梯口可以通過，當先向梯上行去。

那三個綠衣少女，去得似是十分倉促，竟然連梯口的木蓋也未蓋上。

孫不邪登上樓梯，長劍護面，向外一瞧，不禁微微一呆。

商八瞧出了孫不邪神色有異，低聲問道：「什麼事？」

孫不邪道：「沈木風……」

蕭翎點點頭，接道：「有一件事，在下忘記告訴老前輩了，那沈木風前日吃了大虧，被四海君主一舉間，擊沉了數十艘快舟，高手傷亡甚多，那沈木風吃了如此大的苦頭，自然是不肯罷休了。」

孫不邪微微一笑，道：「這叫以毒攻毒，甲板上鏖戰激烈異常，咱們索性等他們打個勝負出來，再上去如何？」

商八道：「如是我們兄弟，身上未戴金鎖刑具，此策當然是大為佳妙，但此刻不如登上甲板，默查情勢，見機而作。」

孫不邪道：「好！這叫混水摸魚，老叫化替三位開道。」一長身躍上梯口。

蕭翎緊隨登上，抬眼望去，只見甲板上血跡狼藉，數十具屍體橫陳眼下。

孫不邪手執長劍，藏身在一根大桅之後，舉手相招。

蕭翎輕步而行，急急走了過去。

中州二賈，緊隨在蕭翎身後而行，一齊藏身大桅後面。

這時，五彩巨舟上的衛隊，似是已經傷亡殆盡，除了艙前甲板的惡鬥之外，四下不見活人蹤跡。

孫不邪低聲說道：「四海君主吃了大虧，看樣子巨舟上的人手，已經死亡的差不多了。」

蕭翎凝目望去，只見沈木風高大微駝的背影，正站在船頭，手中一柄長劍，仍不停地滴著血水。

逍遙子拂塵揮舞，正和兩個老者惡鬥。

那兩個老人衣服鮮明，一人全身如雪，一個墨暗如漆，正是關外長白山的黑、白二老。昔日百花山莊英雄大會之日，蕭翎雖然見過了黑、白二老，但那時他們一直未曾出手，此刻留心看去，只見二人武功詭奇，自成一派，竟和中原武林道上的武功大不相同。

黑、白二老雖是合力對付逍遙子，但他們卻是赤手空拳，未用兵刃。

四隻鐵掌翻飛，和逍遙子那蓬張飛舞的拂塵，打在一起，彼此間互相搶攻，招術、手法，各極其毒辣詭異。

除了逍遙子和黑、白二老的惡鬥之外，卻不見那身著黃袍的四海君主何在。

蕭翎心中暗道：四海君主的架子，倒是真大，眼看全軍盡覆，竟還不肯親身臨敵。

孫不邪低聲說道：「奇怪呀，沈木風就算是盡出高手而來，也不能說全無傷亡，怎的滿船死傷，盡是四海君主的屬下。」

蕭翎道：「也許沈木風早把傷亡運走。」

語聲未落，瞥見逍遙子手中拂塵疾攻兩招，迫退了黑、白二老，轉身一躍，直奔回艙中。

只見那雕刻著龍鳳的艙門，突然啓動，放過逍遙子後，重又閉了起來。

蕭翎細看那雕有龍鳳的艙門，完好無損，顯然，這一場激烈的惡鬥，只限於甲板之上，並未波及艙中，不禁心中大奇，低聲對孫不邪道：「老前輩，甲板上傷亡狼藉，但那艙中，卻是平靜無波。」

孫不邪道：「老叫化亦覺著有些奇怪，大陣小戰，老叫化不知看了多少，亦未見過今日這等奇怪之戰，目下甲板上，除了沈木風和黑、白二老之外，再無百花山莊中人，這豈不是和船艙中平靜無波一事，相映爲奇嗎？」

蕭翎仔細一看，果是不錯，整個甲板上，只餘下沈木風和黑、白二老，不禁心中暗道：難道沈木風只帶黑、白二者趕來此地嗎？如若只是以三人之力，便把這五彩巨舟上數十高手，殺得屍體狼藉，那黑、白二老的武功，倒是足可與沈木風媲美了……

只聽沈木風那微帶沙啞的聲音朗朗說道：「四海君主，你四十八個護船衛士，已然傷亡殆盡，想來艙中已無可戰之將，此時此情，也該親身臨敵了。」

船艙中傳出來四海君主威重的聲音，道：「你雖殺盡我四十八個護駕衛士，但你帶來

一十八名高手，又有幾個活的，目下除了你們三人之外，只怕再也不會有援手趕來了！」

蕭翎心中忖道：原來沈木風帶來的一十八人，也都傷亡殆盡了。

但聞逍遙子的聲音傳了出來，道：「沈木風，貧道要告訴你一件事……」

沈木風冷笑一聲，道：「你可是認為我沈某人，不敢打入艙中去嗎？」

只見艙門啓動，逍遙子緩步行了出來，道：「這五彩巨舟之上，除了四十八名黑衣衛隊之外，還有三十六童，和二十四婢，他們都雲集艙中，只待敝君主一聲令下，立時可以出艙圍攻三位。」

沈木風冷冷說道：「就算是再多一些人，那也不過是多幾個屈死的冤魂，在下想會會貴君主，不知他是否敢出來應戰？」

只見艙門啓動，四海君主身著黃袍，大步走了出來，淡淡一笑，道：「沈大莊主，當真要向在下挑戰嗎？」

沈木風凝目望去，只見那四海君主，不過三十多歲，身上穿著一件滾龍黃袍，赤手空拳，未帶兵刃，當下冷笑一聲，道：「閣下金冠黃袍，衣著倒是鮮亮，但不知武功如何？」

四海君主道：「沈大莊主可想要試上一試？」

沈木風道：「兩次鏖戰，皆是彼此屬下，算來傷亡甚重，倒不如由在下和君主一決生死，勝敗亦可決於一戰之中。」

四海君主淡淡一笑，道：「本座久聞你沈大莊主之名，如若沒有信心可和沈大莊主一決雌雄，自然是不敢出道江湖了！」

沈木風突然舉步而行，直到甲板正中，冷冷說道：「君主既有此意，沈某人是歡迎至極。」

蕭翎暗中窺看，只見沈木風行經之處，那些橫臥地上的屍體，紛紛飛入江中，有如被人抓起投入江中一般，不禁暗中讚道：此人武功實有過人之處……

只聽四海君主哈哈大笑，道：「沈大莊主的威名，早已傳播江湖，那也用不著再這等做作給在下看了。」

孫不邪施展傳音之術，對蕭翎和中州二賈說道：「這一新一舊，兩大梟雄，決鬥於五彩巨舟之上，事關武林今後命運，咱們如若在兩人精疲力竭之時，一舉盡殲二梟，倒是一件大功大德的事，此刻要隱好身子，別讓他們瞧出破綻來。」

只見沈木風高大微駝的背影，高舉右手，道：「強賓不壓主，君主請先出手。」

四海君主正待舉步而出，突聞逍遙子高聲說道：「君主且慢。」

四海君主停下腳步，道：「本座不能示弱於他，道長還有什麼話說？」

逍遙子微微一笑，道：「君主志在主盟武林，領導江湖，豈可因一點意氣，親身臨敵。」

沈木風冷冷接道：「只要你們打敗沈木風，主宰武林一事，雖未全功，亦不遠矣！」

四海君主說道：「本座早晚免不了與沈木風一決死戰，還有何猶豫之處？」

逍遙子道：「君主話雖不錯，但此刻尚非其時。」

四海君主道：「爲什麼？」

逍遙子道：「此時此情，咱們已然控制大局，君主自然是用不著親自臨敵了。」

四海君主一皺眉頭，道：「道長之意呢？」

逍遙子道：「貧道之意，不如迫那沈木風訂下城下之盟，爲我所用。」

四海君主點點頭，道：「道長如已胸有成竹，本座自當省卻一番氣力。」

逍遙子道：「君主請回艙中，由貧道對付他們就是。」

四海君主還未見答話，瞥見一個青衣童子，急急由艙中奔了出來，對著逍遙子低言數語。

蕭翎心中暗道：適才惡戰激烈，四海君主和逍遙子，都已顧及不到我等，這青衣童子，大約是稟報我等逃走之事了。

只見那逍遙子神色鎮靜，淡淡一笑，揮手讓青衣童子退下。

沈木風似是已經等得不耐，冷冷喝道：「君主可是怯戰了嗎？」

四海君主微微一笑，道：「逍遙子已然安排了降伏三位之策，本座自然是不用再和閣下交手了。」

沈木風目光一轉，暗中示意，黑、白二老突然以迅雷不及掩耳之勢，疾向艙中衝去。

四海君主雙手齊揮，兩道強猛絕倫的掌力，分向黑、白二老擊去。

逍遙子一揮手中拂塵，急急說道：「君主請先回入艙中。」

四海君主身子一側，躍入艙中，黑、白二老各出右掌，接下四海君主分擊而來的劈空掌力。

兩人雖把掌勢接下，但卻被震得各自向後退了一步。

逍遙子揮動拂塵，分向黑、白二老，各攻一招，迫得兩人退了一步。

但他卻不待兩人還手，身子一閃，也退入了艙中。

沈木風低聲說道：「攻入艙中。」

長劍護身，亦向艙中行去。

黑、白二老應了一聲，各舉左掌護身，右手待敵，疾向艙中衝去。

但見一陣急雨般的黑點，由艙中湧了出來。

一時之間，黑、白二老也無法瞧出是什麼暗器，揮掌一擋，倒躍而退。

只見手掌上一陣微疼，有如毒蜂螫了一下。

沈木風落後一步，又因閃避得快，雙肩一晃，直退到甲板盡處。

蕭翎心中暗道：毒水……

心念初動，船艙中已響起了逍遙子的大笑之聲，道：「兩位的傷勢如何？」

黑、白二老低頭望去，只見左手上一片漆黑，不禁心頭駭然，一面運氣閉住左臂穴道，一面失聲叫道：「毒針！」

只聽逍遙子哈哈大笑，道：「不錯，這叫百步斷魂黃蜂針，混在一筒毒水之中，只要沾上一點毒水，傷口就立刻開始潰爛，任你內功如何精純，也是無法抗拒這等百種毒蛇之液混集的

奇毒，何況兩位又中了那液中的毒針……」

黑、白二老雖是稱雄關外的英雄，也不禁聽得臉色大變。

但聞那逍遙子接著說道：「那毒針細如牛毛，隨著人身行血，深入內腑，兩位就算是鐵打金剛，銅鑄羅漢，今日也是難逃死亡之厄！」

黑、白二老對望了一眼，欲言又止。

逍遙子右手平舉拂塵，緩步走出艙門，淡然一笑，接道：「兩位只有一條出路。」

黑、白二老眉頭聳動，似想開口，但卻又強自忍了下去。

逍遙子輕輕咳了一聲，道：「除了敝君主身懷獨門解藥之外，天下再無可救兩位性命的藥物了。」

黑、白二老低頭看臂上傷勢，一片濃黑，已然延至肘間。

面臨生死之際，黑、白二老也不禁有點英雄氣短，回頭望了沈木風一眼，道：「沈大莊主。」

沈木風重重地咳了一聲，打斷了兩人之言，接道：「區區身上現有療毒聖藥，兩位請過來，給在下瞧瞧。」

黑、白二老齊齊舉步，行到沈木風的身側。

沈木風道：「兩位傷在何處？」

黑、白二老齊齊應道：「傷在左手之上。」

沈木風道：「其他之處，可被傷著？」

黑、白二老搖頭說道：「大約被我劈出的掌力，震落毒針，擋回毒水，除了左臂之外，別處尚未傷到。」

沈木風道：「兩位請捲起袖管，讓在下仔細瞧瞧傷勢情形。」

黑、白二老依言捲起袖管，只見數道黑線，已然衝過肘間。

沈木風道：「兩位怎不運氣閉住穴道，竟讓劇毒上延？」

黑、白二老道：「此毒強烈，雖然閉了穴道，亦是阻它不住。」

沈木風突然左手一揮，大聲喝道：「好！也讓他們見識一下我沈某人的毒刀。」

一股疾急的暗勁，直向逍遙子打了過去。

逍遙子拂塵一揮，道：「沈大莊主就算有翻天覆地之能，今日也別想生離此地了。」

內力貫注在拂塵之上，劈了出去，接下了沈木風一記遙遙的劈空掌力。

這一掌乃沈木風畢生功力所聚，威勢非同小可，逍遙子雖借手中拂塵發出內力，擋下一掌，竟然被震得向後退了一步，不禁心頭震動，暗道：這沈木風如此武功，確實不可輕視……

念頭轉動間，耳際間響起了兩聲慘叫，站在艙門口處的兩個青衣童子，突然倒斃地上，略一掙動，氣絕而逝。

凝目望去，只見兩個青衣童子的前胸之上，各自插著一柄形如柳葉，全身發藍的毒刀。

原來，沈木風全力發出一記劈空掌風之後，緊接著又打出兩柄毒刀。

他心知這兩刀未必能傷得那逍遙子，是以，打向了兩個青衣童子。果然刀不虛發，兩個青衣童子應手而倒。

就在逍遙子打量那青衣童子之時，又聽兩聲悶哼傳來。

抬頭望去，只見黑、白二老兩條左臂齊肘間，被生生斬斷。

原來沈木風傷了兩個青衣童子之後，以分黑、白二老的心神，手中長劍卻以迅雷不及掩耳之勢，一舉手間，斬落了黑、白二老的左臂。

蕭翎隱身旁觀，只看得心中大爲震動，忖道：這沈木風果然惡毒，如若他不一舉斬斷黑、白二老的傷臂，只怕兩人要屈服在逍遙子惡言恐嚇之下了。

但聞沈木風那沙啞的聲音說道：「兩位左臂傷勢甚重，雖有靈藥，只怕也難療治，情非得已，兄弟只好代兩位斬去這個累贅了，免被那逍遙子惡言離間了咱們深厚的感情。」

黑、白二老傷臂處，鮮血如注，疼得臉都變了顏色，口中還連連應道：「沈大莊主說得不錯。」

沈木風微微一笑，道：「兩位快請運氣止血，咱們還有一番惡戰。」

黑、白二老互望了一眼，齊齊撕下一片衣襟，把傷臂包了起來，低頭看兩截斬落的傷臂，已然變成了深紫顏色，連那血色，也變成了紫黑之色。

沈木風抬起頭來，望了逍遙子一眼，道：「道長以兩個隨身童子之命，換了敝友兩條斷臂，那也不算沾光了。」

逍遙子淡然一笑，道：「貧道佩服沈大莊主的手段夠辣，也佩服貴友這等壯士斷腕的豪氣……」

沈木風冷冷接道：「言重了，道長還有什麼詭計、陰謀，儘管施展出來，我沈木風倒是要見識一下哩！」

逍遙子突然仰天一陣哈哈大笑，道：「沈大莊主請回頭看看。」

沈木風道：「看什麼？」

逍遙子道：「看看到了什麼地方？」

沈木風回頭看去，只見江浪滾滾，已不知到了何處，不禁一皺眉頭。

逍遙子微微一笑，道：「這艘五彩巨舟，離百花山莊越來越遠了，沈大莊主若有興趣，咱們到南海遠遊一番，再回中原不遲。」

沈木風冷笑一聲，道：「道長之意，可是笑我沈木風不識水性嗎？」

逍遙子哈哈一笑，道：「你縱然稍識水性，也難和敝君主在水中抗衡。」

孫不邪低聲對蕭翎說道：「這五彩巨舟，越行越遠，對咱們亦是不利，老叫化是旱鴨子，不知諸位的水性如何？」

蕭翎道：「在下亦是不識水性。」

孫不邪道：「眼下情勢，雙方僵持不下，咱們幾人實有著舉足輕重的份量，形勢所迫，咱們也不得不用點手段了。」

蕭翎道：「什麼手段？」
孫不邪微微一笑，道：「你們聽老叫化的。」
大步行了出去，說道：「沈大莊主久違了。」
沈木風陰沉的臉上，閃掠過一抹驚異之色，但不過剎那之間，立時恢復了平靜，淡淡一笑，道：「原來孫兄也在此地。」
逍遙子回顧了孫不邪一眼，道：「另外三位呢？」
孫不邪冷冷說道：「他們已經等得不耐煩了。」
逍遙子道：「等什麼人？」
孫不邪道：「道長心中有數，那也不用老叫化子挑明了。」
逍遙子略一沉吟，道：「這個貧道實是想不出來。」
孫不邪道：「好！道長一定要老叫化說，老叫化就只好說明白了，他們在等待道長的刑具之鑰。」
沈木風口齒啓動，欲言又止。
逍遙子淡然一笑，道：「是啦！四位可是想乘人之危？」
孫不邪哈哈一笑，道：「道長有何危難，怎的老叫化一點也瞧不出來？」
沈木風突然接口道：「孫兄，這牛鼻子猖狂得很，竟然也不把孫兄放在眼中。」
孫不邪心中罵道：如論大奸巨惡，你沈木風確實較這四海君主尤爲可殺。口裏卻哈哈大

笑，不置可否。

逍遙子回頭向艙中望了一下，笑道：「如是孫兄開過價錢，此事未嘗不可談談。」

孫不邪道：「就目下情勢而論，老叫化乃奇貨可居，道長要和老叫化講斤論兩，未免有些不自量力了。」

逍遙子道：「就算你孫大俠肯爲人用，但形勢上，我等仍是佔足優勢……」

孫不邪冷冷接道：「道長逼我爲人所用，那也是沒法子的事了。」

沈木風突然接道：「孫兄如肯助我沈某一臂，沈木風自信可勝今日之局。」

孫不邪道：「幫你們哪一個，老叫化也是難作主意，得和他們商量、商量了。」

沈木風道：「怎麼？丐幫中還有人在此嗎？」

孫不邪道：「如是丐幫中人，老叫化也用不著和他們商量了。」

目光轉處，只見蕭翎和中州二賈，魚貫行入甲板。

蕭翎陡然間在此出現，沈木風不由一震，比見到孫不邪時，尤過許多，以沈木風爲人的陰沉，也不禁爲之一呆。

中州二賈手中各自捧了一塊木板，望了逍遙子一眼，齊聲說道：「咱們拚受重傷，借這兩塊木板之力，或可擋住那毒水、毒針。」

孫不邪道：「時光無多，道長仍是不能決定，只怕要後悔無及了。」

逍遙子突然從懷中摸出一串鑰匙，高舉在手中，道：「這就是金鎖刑具上的鑰匙，天下巧

手的工匠雖多，只怕也很難自行配製出這等複雜萬端的鑰匙，如是諸位想迫使貧道就範，我就先把這串鑰匙投入到江中。」

孫不邪微微一怔，暗暗忖道：蕭翎借一片瓷碗，能斷去我手中牛筋，兩臂之力，自甚驚人，但是他仍然無法掙斷手腕上的金鎖刑具，如若那逍遙子，當真把這刑具之鑰，投入江中，那可真是一大麻煩的事！

只聽沈木風沙啞的聲音傳了過來，道：「不是我沈某人故作驚人之言，逍遙子手中那串鑰匙，決不是開你們刑具的鑰匙……」

語聲微微一頓，接道：「孫兄如是肯和沈某人合作，一頓飯工夫之內，可以掃平這五彩巨舟上殘餘之敵，擒服逍遙子和那四海君主，那時迫他們交出刑具的鑰匙，自是易如反掌。」

逍遙子冷冷接道：「如是孫不邪和中州雙賈，這等容易受騙，只怕也難爲江湖同道推崇備至了。」

沈木風淡然一笑，道：「沈某人話到此處爲止，對與不對，要請孫兄酌量了。」

孫不邪回顧了蕭翎和中州二賈一眼，道：「三位有何意見？」

商八道：「咱們兄弟，既是孫老前輩相救，不論生死，都由孫老前輩作主。」

孫不邪道：「你們這等相信老叫化子，老叫化子倒是要好好的思量一下了。」

逍遙子道：「孫大俠不用思量了，只要你肯出手，生擒沈木風，貧道就開了他們三位刑具。」

孫不邪搖搖頭，道：「老叫化一個人不是那沈木風的敵手。」

逍遙子道：「我開了中州二賈手上的刑具助你。」

商八接道：「開了我們中州二賈刑具，也將是白費道長一番心血。」

逍遙子道：「爲什麼？」

商八道：「咱們三人之力，一樣不是那沈木風的敵手。」

逍遙子先是一怔，繼而哈哈大笑，道：「是了，諸位之意，可是要我解開了那蕭翎身上的金鎖刑具嗎？」

杜九冷冰冰地接道：「不錯，當今之世，除了咱們這位蕭大哥外，只怕很少有人能是那沈木風的敵手。」

沈木風突然縱聲而笑，道：「杜兄這幾句話，未免太過小看逍遙道長和四海君主了。」這幾人都是老於世故，飽經江湖險詐風波的人物，雖是互視爲敵，誓不兩立，但其間詭詐多變的挑撥手段，卻是層出不窮，各極其奸。

逍遙子突然橫行兩步，走到蕭翎身前，開了蕭翎手上的刑具，道：「貧道相信孫大俠和蕭大俠，都是一諾千金的信義人物，既然答應了，決不會變卦，貧道就擅自作主，先開了蕭大俠的刑具。」

蕭翎伸展一下雙臂，長長吐一口氣，身心中有著一股舒暢之感

沈木風心怯於蕭翎的武功，不自主地向後退了一步。

逍遙子望了蕭翎一眼，頓生後悔之感，心知解了他身上刑具容易，如再想套回他的身上，勢比登天還難，這一下無疑開籠飛鳳，啓鎖走龍，萬一這幾人和沈木風等利害相關，聯手合作，豈不是要自作自受……

心中念頭轉動，口中卻冷冷問道：「閣下笑什麼？」

商八停下大笑之聲，道：「不錯，咱們那蕭大哥，一向是有言必踐，一諾不變，可是他一直未承諾過道長一事，未答過道長一言。」

逍遙子道：「胡……」忽然想到那蕭翎確然是未作過一言承諾，不禁住口。

商八微微一笑，道：「道長仔細想想，我商某的話不錯吧！」

逍遙子道：「貧道仍然相信孫大俠和你們中州二賈，都是武林中大有盛譽之人，決不會言而無信。」

商八道：「孫老前輩還在思量是否該助道長，未作決定之前，自是不能算作承諾，至於咱們中州二賈，一向是講究賠賺，生意虧本，決計不幹，朋友交情，先放在一邊……」

逍遙子接道：「縱然是做生意，也要有一個行規，應該一言爲定……」

商八笑道：「道長說說看，咱們中州二賈又答應了道長什麼？」

逍遙子吃了啞巴虧，又無法說出他們的承諾，不覺怒道：「兩位別忘了你們還有刑具。」

商八笑道：「道長只管放心，中州二賈決不會求你解除身上刑具。」

孫不邪接口道：「如是道長度量夠大，就該連中州二賈身上刑具，一齊解了才是。」
逍遙子略一沉吟，哈哈一笑，道：「這有何難。」
大步行近中州二賈，開了兩人身上刑具。
杜九活動了一下雙腿，冷冷說道：「道長這等客氣。」
商八卻順手把一個金鎖刑具，收了起來，笑道：「道長把咱們鎖了這麼長的時間，這條金鎖刑具，算做報償，不能算貴吧！」
逍遙子一皺眉頭，似想發作，但卻又忽然忍住了，淡淡一笑，緩步向艙門處行去。
杜九冷冰冰地說道：「道長還忘了一件事。」
逍遙子回過頭來，道：「什麼事？」
杜九道：「咱們兵刃，道長也該發還了吧！」
逍遙子淡然一笑，道：「貧道連人都放了，難道還扣留諸位兵刃不成，諸位稍候，貧道立刻讓他們送還諸位。」大步行入艙中不見。
孫不邪低聲對蕭翎說道：「這牛鼻子老道，突然間這樣大方起來，倒使老叫化大感爲難。」
蕭翎道：「今日之局，確有著一種微妙的均衡作用，咱們不能憑藉一時豪氣出手。」
孫不邪道：「不錯，沈木風和逍遙子都是老謀深算，狡詐無比的人物，逍遙子開了你的刑具，旨在逐狼鬥虎，想坐收漁人之利，咱們可不能上當。」

抬頭看去，只見那沈木風盤膝坐在船頭之上，黑、白二老分站在他的兩側。

日光照耀之下，只見他頂門之上，隱隱間泛升起一片白氣。

孫不邪輕輕咳了一聲，道：「沈木風已準備背水一戰，盤坐運功，顯然是在準備全力出手了，咱們不能先擋鋒銳。」

只聽逍遙子的聲音，傳了過來，道：「諸位的兵刃來了。」

商八轉臉望去，只見兩個青衣女婢，手中捧著中州二賈的兵刃，走了過來，說道：「請收回兩位的兵刃。」

杜九伸手取過了鐵筆、銀圈，放在身上，商八也取過金算盤，目注兩個女婢，道：「兩位可以退回去了。」

他自受過那逍遙子的暗算之後，心中對這些女婢，已然生出了極深的戒心。

兩個女婢欠身一禮，轉身而去，直入艙中。

這時，逍遙子和五彩巨舟上的人，都已進入艙中，艙門緊緊的關了起來。

甲板上，只餘下蕭翎、孫不邪和沈木風等人。

蕭翎一直留心著沈木風的舉動，見他頭上浮動的白氣，愈來愈濃，大約有一頓飯工夫之久，沈木風頭上那浮動的白氣，突然消失不見。

蕭翎伸手摸著劍把，低聲說道：「留心了，沈木風只怕要有所舉動。」

商八緩步走到蕭翎身側，低聲說道：「大哥，咱們要怎樣辦？」

蕭翎道：「看看那沈木風的舉動再說，如若他有所舉動，今日就藉機把他除去。」

只見沈木風張開了雙目，四顧一眼，緩緩站起了身子，低聲對黑、白二老說了兩句話，舉步直行過來。

蕭翎拔出長劍，沉聲對中州二賈道：「你們守在這裏別動。」緩緩舉步迎了上去。

此刻蕭翎心中充滿著矛盾，既然想借此機會除了沈木風，又覺得今日不宜和沈木風在此決戰，這一戰不論勝敗，都讓逍遙子坐收漁人之利。

心中念頭轉動，已和沈木風相遇在甲板之上。

兩人相距有四、五尺時，一齊停了下來。

沈木風輕輕歎息一聲，道：「三弟。」

蕭翎怔了一怔，道：「什麼事？」

沈木風道：「咱們很久不見了。」

蕭翎沉吟了一陣，道：「沈大莊主有什麼話，儘管請說吧！」

沈木風微微一笑，道：「三弟這般稱叫爲兄，不覺得生分了嗎？」

蕭翎道：「道不同難相爲謀，咱們兄弟之義，應該斷去了。」

沈木風接道：「這麼說來，三弟是存心要和小兄爲敵了。」

蕭翎道：「沈大莊主武功高強，蕭某人是早已心慕，如肯賜教幾招，蕭翎是當得拜領。」

沈木風臉色嚴肅，緩緩說道：「爲兄心中有幾句重要之言，如鯁在喉，不吐不快。」

蕭翎道：「蕭翎洗耳恭聽。」

沈木風道：「蕭伯父又被爲兄接回百花山莊去了。」

這兩句話，字字如鐵錘一般，擊打在蕭翎心上，不覺打了一個寒顫，道：「我不信！」

沈木風道：「上一次他們舉動粗野，對伯父有甚多不禮之處，這次，小兄已經責誡他們，不得有絲毫怠慢之處，爲兄撥了四名美婢，兩個書僮，侍候兩位老人家，金蘭、玉蘭仍在伯母身旁聽差。」

蕭翎厲聲喝道：「你胡說！」

沈木風始終不動怒火，淡然一笑，道：「爲兄言出肺腑，蕭兄弟一定不肯相信，那也是沒有法子的事了。」

蕭翎強自鎮靜一下心神，道：「我仍然有些不信。」

沈木風目光一轉，投注到黑、白二老臉上，道：「你問問他們，當知在下所言不虛了……」他仰起臉來，朗朗一笑，道：「那神偷向飛，聰明一世，糊塗一時，他如把兩位老人家送得再遠一些，也許爲兄當真查不出來了，可惜的是，他只在百里之內打轉，不是爲兄的誇口，百里內的風吹草動，爲兄都瞭如指掌。」

蕭翎心中暗道：這話倒是不錯，百花山莊中的暗樁明卡，遍佈百里方圓，如若向飛一個失神，勢必被他們瞧出破綻不可。

沈木風看蕭翎凝目思索，知他已有些相信，心中暗喜，但外形之上，仍是一片肅然，說

道：「周二弟小事聰明，大事糊塗，爲兄的實不該讓他策劃邀請兩位老人家的事，再加上爲兄當時太過忙碌，無暇問事，致被一誤再誤，造成僵局，唉！此刻想起，爲兄的仍有些不安。」

蕭翎被他說得心志動搖，不知不覺間，心中已相信了一半，一時間，不知如何接口答話。

沈木風輕輕歎息一聲，道：「三弟如願和爲兄攜手合作，爲兄仍然是歡迎萬分……」

蕭翎冷冷接道：「縱然家父母確實落入你手中，也別想再威脅我蕭翎就範。」

沈木風道：「如是三弟堅決不要和爲兄的攜手合作，爲兄的自也是不便相強了。」

蕭翎道：「咱們這一生一世，再也別想攜手合作的事了。」

沈木風道：「唉！人事變化，很難斷言，小兄決未想到竟和三弟在這五彩巨舟之上會面……」微微一頓，聲色突轉嚴厲，道：「爲兄的話已說完，三弟有什麼話可以對爲兄說了。」

蕭翎心中原本有些不信，但聽沈木風突然變得十分剛強起來，不禁一呆，緩緩說道：「我沒有什麼話可說了。」

沈木風道：「那很好，你爲人所用，一定要和爲兄較量幾招，現在可以出手了。」

蕭翎搖搖頭，緩步向後退去。

商八急急迎了上來，道：「蕭大哥，你和那沈木風談些什麼？」

蕭翎輕輕歎息一聲，道：「完了，咱們這一番心血，算白費了。」

孫不邪道：「什麼事，不知可否告訴老叫化一聲？」

蕭翎道：「我費了九牛二虎之力，又得老前輩從中相助，才把父母救出百花山莊，如今又

被那沈木風，擒回百花山莊去了。」

孫不邪、中州二賈一齊聽得面面相覷，不知如何開口才好。

沉默了一陣，商八低聲接口說道：「大哥做何打算？」

蕭翎道：「唉！實叫小兄爲難得很。」

孫不邪道：「那沈木風可是對你許下了什麼心願，要你離開此地後，同去見令尊大人？」

蕭翎道：「沒有。」

孫不邪道：「這事照老叫化的看法，那沈木風是在用詐，但茲事體大，老叫化也不敢擅作主意，還是蕭大俠自作主意的好。」

商八道：「好！我去和他講講斤兩。」大步行了過去。

蕭翎道：「那沈木風武功高強，商兄弟多多小心。」

商八回頭笑道：「不勞大哥擔心，他此刻決然不敢對我下手。」

大搖大擺，一直行到沈木風身前三尺左右，才停了下來，一拱手，道：「沈木風大莊主，在下金算盤商八。」

沈木風道：「我早看到你了。」

商八哈哈一笑，道：「沈大莊主，可是久聞在下之名了嗎？」

沈木風道：「聽人說過而已。」

商八道：「在下也聞得沈大莊主之名不久。」

沈木風似要發作，但卻重重咳了一聲，忍了下去。

商八臉色一整，道：「我那蕭大哥的父母雙親，當真在你百花山莊嗎？」

沈木風道：「我已告訴蕭翎了。」

商八道：「可是他不肯相信你沈木風之言，要在下來和你談談！」

沈木風道：「你說吧！」

商八道：「我家蕭大哥之意，希望由你沈木風拿出一件物證。」

沈木風怒道：「他如不信，也就罷了，哪來這些麻煩。」

商八淡淡一笑，道：「咱們如若能先殺了你沈大莊主，再去救我那蕭大哥的雙親大人，也許還容易些。」

沈木風微微一怔，道：「我既未料想遇到蕭兄弟，如何能帶著物證出來？」

商八道：「和氣生財，這是咱們做生意的不二法門……」

語聲微微一頓，接道：「我那蕭大哥想得沈大莊主答允，許他們父子相見一次。」

沈木風道：「現下生死未卜，這話未免言之過早了。」

商八道：「生死之事，自由我們安排，不勞你沈大莊主費心。」

沈木風淡然一笑，道：「如果今日在五彩巨舟上的人，都得死亡，我沈某人也該是最後的一個。」

商八哈哈一笑，道：「這看情勢怎麼變了，說不定變出意外，沈大莊主反成了最先死的人

呢？」

沈木風森冷的目光，逼視在商八的臉上，久久不發一言。

商八只覺他目光之中，似是有著一種強勁的力道，使人不寒而慄，當下轉過頭去，說道：「沈大莊主做何決定，還望盡早告訴在下，商某人還要覆命。」

沈木風沉聲說道：「告訴蕭翎，就說我答應了他。」

商八道：「空口無憑……」

沈木風怒道：「難道你還要沈某人立誓不成！」

商八道：「縱然立誓，咱們也未必肯信。」

沈木風道：「沈某人生離此船之後，必殺你中州二賈。」

商八道：「那是以後的事了，現在你沈大莊主暫處矮簷下，不能不低頭了。」

沈木風緩緩說道：「如依你之意，事後如何？」

商八道：「這很難說了……」

話未說完，突然兩隻健鴿，疾飛而至，在空中打了一個盤旋，落在沈木風肩上。

沈木風仰天一陣大笑，突然從懷中摸出兩個細小之物，塞入鴿翼之下。

兩隻健鴿，疾展雙翼，破空而去。

但見那緊閉的艙門，忽然大開，兩點寒星破空飛出，直向兩隻健鴿擊去。

沈木風右腕一揚，怒聲喝道：「鼠輩敢爾！」

兩道白芒，閃電飛出。

只聽波的一聲，金鐵交鳴，稍後一點寒星，被沈木風飛刀擊落，先前一點寒星，卻擊中一隻健鴿，齊齊落下江中。

這些健鴿似是受過特殊訓練一般，眼看同伴死了一隻，立時一斂雙翼，疾沉而下，掠著江面，向前飛去，眨眼不見。

只見艙門開動，逍遙子手執長劍，當先而出，身後緊隨著一十二個青衣童子，十個手執長劍，兩個手執暗藏飛針毒水的鐵筒。

啇八低聲說道：「逍遙子身後兩個青衣童子手執鐵筒中，藏有毒針、毒水，霸道無比，時機已然不多，沈大莊主如再猶豫不決，只怕是來不及了。」

豪氣吞河嶽、惡名動江湖的沈木風，竟然被形勢逼得無可奈何，仰臉長長吁一口氣，緩緩從懷中摸出一面金牌，道：「此乃百花山莊中最高令牌，不論何人，執此金牌，即同我沈木風親臨一般，如你們執此金牌趕往百花山莊中去，不但無人敢於攔阻你們，且將恭迎候命……」

啇八知他武功高強，不敢存絲毫大意之心，說道：「你拋過來吧！」

沈木風拋過金牌，冷冷說道：「你很膽小。」

啇八道：「非是在下膽小，實因你沈大莊主惡名太著。」

沈木風道：「還有一事奉告，一面金牌，只能使用一次，要求一事，蕭翎交出金牌之日，就是你們中州二賈死亡之期，我沈木風從不惡言恐嚇，言出法隨，劍及履及。」

商八不再理會沈木風，轉身向蕭翎行去。

這時，逍遙子已經長劍出鞘，十個青衣童子，已布成一座劍陣待敵。

商八手執金牌而回，低聲對蕭翎說明經過。

孫不邪低聲說道：「就目下情勢而論，咱們這幾人，實有著舉足輕重之勢，幫助沈木風，這四海君主也自知沒有取勝把握，如是倒向逍遙子，沈木風亦白知甚危，不過，不論咱們幫助哪個，都是以仇結仇，殺了沈木風，四海君主也不會放過咱們，而就用謀制衡而言，今日之局，最好能保持它一個微妙的平衡。」

杜九道：「如能讓他們拚個兩敗俱傷，倒可一舉為江湖除兩大害。」

孫不邪道：「逍遙子一時失算，開了蕭兄弟的金鎖，已是後悔不已，開你們中州二賈刑具，更是情非得已，以他的老謀深算，沈木風的陰沉險惡，決不會讓咱們坐收漁人之利。」

只聽逍遙子的聲音傳了過來，道：「孫不邪，你乃丐幫中碩果僅存的長老，聲譽重江湖，貧道相信你出口之言，決不會賴。」

孫不邪緩步而出，道：「不錯，老叫化如是答應了什麼，自然是火裏火中去，水裏水中行。」

逍遙子道：「你答應了貧道開了蕭翎和中州二賈的金鎖刑具之後，合他們之力，生擒那沈木風，言猶在耳，忘懷了嗎？」

孫不邪哈哈一笑，道：「這個嗎？老叫化想是想答應的，只怪道長動作太快，一下就開了蕭翎身上刑具，老叫化還未及答應呢，你雜毛老道仔細想想，是也不是。」

逍遙子見孫不邪不承認答應相助之事，不由氣得臉色鐵青，道：「你當時是怎麼說的？」

孫不邪道：「老叫化子說一人之力，不是那沈木風的敵手，對是不對？」

逍遙子道：「不錯，以後呢？」

孫不邪道：「以後道長要開中州二賈的刑具，不知何故，又開了蕭翎身上的刑具。」

逍遙子道：「貧道爲什麼要開那蕭翎身上刑具呢？」

孫不邪道：「道長可是想要我們助你對付沈木風？」

逍遙子道：「正是此意，那沈木風爲害江湖，作惡多端，兩位就是不願履行答應貧道的諾言，也該出手殺了他，爲武林除一大害。」

孫不邪道：「話雖是說得不錯，但可惜貴君主亦非什麼好人。如是除一害留一害，那倒還不如不除。」

逍遙子道：「這麼說來，孫兄是不肯履行那承諾之言了。」

孫不邪道：「老叫化並未承諾，你老雜毛，再激我也無用。」

逍遙子輕輕歎息一聲，道：「貧道應該逼你開口之後，再開他們身上刑具，就沒有此刻之失了。」

孫不邪道：「智者千慮，必有一失，這也算不了什麼大事啊！」

逍遙子道：「就算你沒有答應……」

孫不邪冷冷接道：「不能算，老叫化沒有答應，就是沒有答應。」

逍遙子道：「此事已過，爭論無益，貧道此刻卻有一句緊要之言，問明孫兄。」

孫不邪道：「你且說出來聽聽。」

逍遙子道：「如是貧道爲世除害，和那沈木風動手相拚，孫兄該將如何？相助哪個？」

孫不邪道：「這個，老叫化倒是難以決定，必得仔細想想才行。」

逍遙子心中雖是激怒異常，卻不敢隨便出手，蕭翎的武功他已見過，那是高強得很，孫不邪和中州二賈，又是久負盛名的人物，這四人如若反助那沈木風，優劣之勢立時將倒置過來。

沈木風一直冷冷地站在旁側，一語不發，一面運集功力，準備拒敵，一面默查情勢的變化，籌思應對之策。

沉默延續了一盞熱茶工夫之久，逍遙子終於忍耐不住，冷冷說道：「孫兄意欲何爲？還望快點說個明白。」

孫不邪目光轉動，望望沈木風，又望望逍遙子，笑道：「照老叫化的看法，今日這場架，不用打了。」

逍遙子道：「爲什麼？」

孫不邪道：「不是我老叫化輕藐你，如若單憑武功，你決非那沈木風的敵手，此刻你所以自認稍佔優勢，那是因爲你們人多勢眾，又在船上，沈木風不會水中功夫，才肯這般忍氣吞聲……」

逍遙子道：「機會不再，錯過了今日機會，只怕以後很難有殺死那沈木風的日子了。」

孫不邪搖搖頭，道：「還有一事，你牛鼻子老道，不可不知。」

逍遙子道：「什麼事？」

孫不邪道：「老叫化和蕭翎都不諳水性，如是一定要打，最好別在船上動手。」

逍遙子道：「可是諸位此刻，都已置身大江之中，這五彩巨舟上的男童女婢，個個都精通水性，幾位如是迫得無奈，只好拚著沉了這艘五彩巨舟，在水中生擒諸位了。」

蕭翎一則擔心父母，真又被沈木風拘禁百花山莊，二則怕把沈木風逼得太緊，促使四海君主和沈木風聯起手來，當下冷冷接道：「只怕道長沒有沉這巨舟的機會。」

孫不邪接道：「咱們為脫此危難，倒是得和那沈木風暫時合作一下了……」

目光轉向沈木風的臉上，冷冷說道：「你沈大莊主的意下如何？」

沈木風淡淡一笑，道：「來日方長，區區也不急在一時，孫兄怎麼說，沈某人悉依所言。」

孫不邪道：「哈哈，想不到你沈木風今日竟然對老叫化百依百順。」

蕭翎突然橫裏一躍，擋在艙門口處，說道：「道長最好能下令讓他們改帆靠岸。」暗中戴上千年蛟皮手套。

逍遙子默查敵我形勢，勝算甚少，略一沉吟，竟然下令巨舟靠岸。

行近岸邊之後，沈木風和黑、白二老，當先躍下巨舟，蕭翎、孫不邪以及中州二賈，也緊隨著躍下巨舟。

一著陸地，幾人都不覺仰臉長吁一口氣，有著恍如隔世之感。

沈木風回過頭來，望了那五色巨舟一眼，高聲說道：「逍遙道長，我沈木風已經登上五彩巨舟領教過了，如是道長有膽，請到我百花山莊一敘。」

逍遙子冷笑一聲，也不答話，揚帆而去。

這是一片荒涼的江岸，一眼不見人影。

沈木風冷冷說道：「不是我沈木風及時登上了那五彩巨舟，四位只怕亦難生離巨舟。」

孫不邪道：「此刻，咱們仍然是四對三的局面，沈大莊主兩位屬下，還都有斷腕之傷，是否還有再戰之能，目下仍是很難預料。」

沈木風目光轉動，四顧一眼，淡然一笑，道：「這地方仍是我沈某人的勢力之內，咱們如若動手，一個時辰之內，我沈某人即可有援手趕到。」

蕭翎突然舉步行到沈木風的身前，說道：「沈大莊主，此刻意欲何往？」

沈木風道：「趕回百花山莊。」

蕭翎道：「在下亦想同往百花山莊一行，去見父母一面。」

五二　毒王斷交

沈木風一沉吟，道：「商八手執有我敕令金牌，不論何時，你們都可以暢行無阻的去百花山莊，小兄要先走一步了。」

蕭翎橫身攔住去路，道：「大莊主如是不肯履行承諾之言，只怕沒有這麼容易離此。」

沈木風仰天大笑一陣，道：「三弟，你當真要迫為兄動手嗎？」

蕭翎道：「道不同難相為謀，咱們兄弟情意早已斷去，用不著再稱兄道弟了。」

沈木風毫不動氣，微微一笑，道：「三弟如和為兄動武，不論勝負，都無法救得令尊、令堂。」

蕭翎長長吸了一口氣，緩緩舉起右掌，道：「我記得沈大莊主曾經說過一句話，我蕭翎和沈大莊主，終是難免一場生死之鬥，既是難免，何不早作了斷，請出手吧！」

沈木風收斂起臉上笑容，代之而起的是一片冷肅之色，緩緩說道：「兄弟這樣迫我，那就請亮兵刃吧！」

孫不邪一振手腕，投過來手中長劍。

蕭翎接過長劍，道：「在下昔年受一番恩惠，今日讓你三招。」

沈木風緩緩說道：「兄弟可是有此信心，能夠勝得了我？」

蕭翎道：「那倒不是，沈大莊主武功高強，我蕭翎早已耳聞目睹，今日之戰的勝負之數，我蕭翎毫無把握。」

沈木風道：「既無勝我的把握，爲什麼一定要打？」

蕭翎正待答話，商八突然接口說道：「沈大莊主睏倦之身，大哥勝之不武，咱們既有敕令金牌可去百花山莊，今日之戰，不打也罷。」

蕭翎素知商八智謀多端，突說此話，必有原因，但情勢已成騎虎，實難自找台階，一皺眉頭，默默不語。

沈木風微微一笑，突然轉身，低聲對黑、白二老道：「咱們走啦。」急奔而去。

蕭翎目注沈木風背影消失不見，才轉望著商八說道：「那逍遙子說得不錯，今日放過沈木風，只怕日後難再有此機會了。」

商八哈哈一笑，道：「毒手藥王來了，他急於要見大哥，想必有要事奉告。」

蕭翎道：「現在何處？」

商八道：「就在左側一片草叢之中。」

蕭翎轉頭望去，果見毒手藥王帶著商八的黑毛虎獒，緩步走了過來。

他身材本就十分瘦小，再加一身黑衣，和那一臉僵硬的肌肉，緩步行來，直如一具行屍走肉。

孫不邪輕輕咳了一聲，道：「毒手藥王，你還沒有死啊！」

毒手藥王冷冷地瞧了孫不邪一眼，道：「你老叫化，總歸要死在老夫前面。」

目光轉到蕭翎身上，道：「令尊、令堂又被沈木風的屬下，擄囚於百花山莊！」

蕭翎道：「老前輩可知他們現被囚於何處嗎？」

毒手藥王仰起臉來，長長吁一口氣，道：「距離這四、五里的一座農舍之中……」

蕭翎訝然接道：「不在百花山莊？」

毒手藥王道：「他們都被老朽救了出來。」

蕭翎道：「家父母可都安好？」

毒手藥王道：「令尊、令堂和金蘭、玉蘭兩個丫頭，都是完好無傷。」

蕭翎抱拳一個長揖，道：「多謝老前輩了。」

毒手藥王臉上肌肉抽動，欲言又止。

商八道：「請問藥王，那神偷向飛何在？」

毒手藥王道：「身受重傷，不知何去。」

商八輕輕歎息一聲，未再言語。

毒手藥王接道：「據老夫聽到消息，那馬文飛為了保護令尊、令堂，也傷在百花山莊高手之下。」

蕭翎胸中熱血沸騰，俊目閃閃放光，咬牙說道：「我蕭翎必要為他們報此深仇。」

毒手藥王道：「那是以後的事了，眼下危機未除，老夫為了拯救令尊、令堂，迫得施下毒手，連傷百花山莊一十二名高手。」

蕭翎道：「在下感激不盡。」

毒手藥王道：「那農舍亦非安全之地，咱們得早些趕去。」當先轉身而去。

蕭翎等緊隨身後，放腿狂奔。

孫不邪重重咳了一聲，道：「你毒手藥王，一生來只做了這一件好事。」

毒手藥王道：「過獎、過獎。」

蕭翎心急如焚，奔行甚快，群豪也只好隨著他加快腳步。

數里行程，轉眼就到。

這是一棟荒蕪的農舍，矗立在一片雜草叢生的原野中。

一對破損的木門，緊緊關閉著。

蕭翎回顧了毒手藥王一眼，道：「可是這棟茅舍？」

毒手藥王道：「不錯。」

蕭翎心中焦急，未待毒手藥王話完，右手已然伸了出去，推開木門。

抬頭看去，只見金蘭、玉蘭，各自手持長劍，並肩擋住去路。

二婢一見蕭翎，齊齊欠身一禮，分讓兩側。

蕭翎抬頭看去，只見父母坐在一堆雜草之上，旁側躺著一個少女。

那少女正是毒手藥王的女兒。

蕭翎搶前兩步，拜伏地上，道：「不孝兒叩見雙親。」

蕭大人瞧了蕭翎一眼，道：「你起來。」

蕭翎站起身子，垂淚道：「孩兒數番連累父母受驚，心中……」

蕭大人搖搖頭，道：「經過之事，都由這位婉姑娘講給我們聽了，這事不能怪你……」

語聲微微一頓，又道：「只是那位向壯士，身受重傷，生死未卜，唉！那一戰太慘烈了……」

蕭翎接道：「孩兒當盡我之能，替他們報仇雪恨。」

蕭大人突然接口說道：「還有一位馬壯士，身受幾處劍傷，仍然浴血苦戰，終於不支倒下。」

蕭翎道：「這些恩情，孩兒自當點點滴滴，記在心中。」

商八道：「那東海神卜司馬乾呢？」

蕭大人道：「大概也受了傷，百花山莊的數十名武士，群上齊攻，十分雜亂，老夫只見向壯士和馬壯士，力戰重傷之後，就被帶往百花山莊，以後都不知道。」

蕭夫人指著毒手藥王，道：「這一位，也是救你爹爹和我的大恩人。」

毒手藥王道：「老朽父女亦受蕭大俠甚多恩德，此舉只不過略做補報罷了。」

語聲甫落，突聞一陣鴿羽劃空之聲，掠頂而過。

孫不邪一皺眉頭，道：「百花山莊的信鴿。」

毒手藥王道：「今日情勢已是難免一戰，也許百花山莊中人早已在茅舍外面列隊等候。」

蕭翎道：「那沈木風在五彩巨舟之上受盡奚落，回莊之後必然要傾盡全力來追殺我等。」

毒手藥王道：「不錯，因此咱們必得未雨綢繆，早做準備。」

蕭翎道：「老前輩有何良策？」

毒手藥王道：「咱們先行分配人手，哪些人保護蕭大人夫婦的安全，哪些拒擋強敵。」

蕭翎道：「不知老前輩是否已經胸有成竹？」

毒手藥王道：「這個老夫還未想過……」

目光轉到孫不邪的身上，道：「老叫化子，你可有拒敵良策？」

孫不邪哈哈一笑，道：「老叫化子一向是不用心機，還是由蕭兄弟作主分配吧……」

話未說完，突然翻手拍出一掌。

一股強猛的掌風，直撞出去。

蕭翎一伏身，躍出茅舍。

孫不邪微微一笑，道：「不用找了，只有一個小毛賊，行近了茅舍，已被老叫化這一掌送上西天去了。」

原來，孫不邪靠在門口而立，口中雖和毒手藥王等談話，雙目卻一直留心著四外的動靜。

毒手藥王道：「他們已經來了。」

蕭翎緩緩走回室中，道：「先鋒已到，大軍可能隨後就至。」目光轉到中州二賈和毒手藥王臉上，道：「有勞兩位兄弟和藥王，保護家父母和婉姑娘……」

孫不邪笑道：「老叫化幫你拒敵。」

蕭翎道：「正是此意。」

毒手藥王道：「你們兩人，實力太過單薄，不如讓中州二賈，相助二位，老夫有金蘭、玉蘭相助，足可保得令尊、令堂的安全了。」

蕭翎道：「藥王武功高強，如此說來，必已胸有成竹，在下恭敬不如從命了。」

只聽外面兩聲犬吠，傳了進來。

商八道：「強敵已到，只怕已經走不及了。」

蕭翎翻腕抽出長劍，道：「我和孫老前輩，先去迎殺他們一陣，兩位賢弟，暫助藥王保護住家父母……」

毒手藥王搖搖頭，道：「如若是強敵大隊趕到，必得先把他們殺退之後，咱們才可上道。」

蕭翎道：「爲什麼？」

毒手藥王道：「令尊、令堂，都是不會武功之人，如若他們施用暗器攻襲，保護不易，如若冒險破圍而出，還不如守在這破屋之中，待擊退強敵之後，再走不遲。」

孫不邪道：「百花山莊中，高手眾多，如是他們趕來之人過多，咱們殺之不盡，豈不是永遠要被困在此地了？」

商八道：「還有一個不妥之處，那就是如他們施用火攻時，咱們據守在這座茅舍中，豈不是要吃大虧？」

毒手藥王道：「諸位說得誠然不錯，但老朽之意，還是守在此地的好，今日之戰，不是勝敗之分，而是要如何保護蕭大人夫婦的安全爲主，只要咱們能夠守到天色入夜，老朽就可施毒退敵了。」

蕭翎心中暗道：你如施毒，白天和夜晚有何不同呢？心中疑竇叢生，但卻未說出口來。

只聽一個沉重的聲音傳入室中，道：「眼下這座茅舍，已被我等重重包圍住，二十張強弓，二十張匣弩，分佈在茅舍四周，別說人了，就是飛鳥也難飛過。」

金蘭突然接口道：「是單宏章的聲音。」

蕭翎道：「沈木風的大弟子？」

金蘭道：「不錯，正是那人。」

蕭翎道：「諸位請留心他們施用火攻。」緩步向外行去。

毒手藥王打量室中形勢一眼，低聲說道：「蕭大人請移向左側屋角，那地方牆壁較爲堅固，不畏強箭。」

蕭氏夫婦應聲而起，躲到屋角。

孫不邪道：「藥王想是不便和百花山莊中人面對面的爲敵，就請守在茅舍，老叫化去助蕭大俠一臂之力。」

中州二賈齊聲道：「一人留在屋中已足，我等都到屋外去。」

金蘭、玉蘭各仗長劍，道：「兩位只能監視兩個方向，我等願盡薄力，相助一臂。」

商八道：「不用了，兩位請守在室中，我們人手不足，只怕無法防守的十分森嚴，也許會有強敵，衝入室中，藥王拒敵之時，兩位也好保護老爺、夫人。」

金蘭、玉蘭互望了一眼，不再堅持。

商八、杜九，緊隨孫不邪的身後，出了茅舍。

抬頭看去，只見蕭翎手執長劍，站在室外丈餘一塊大石之上，正自流目四顧。

這時，已是夕陽無限近黃昏的時分，秋風蕭蕭，吹得四面枯草沙沙作響。

百花山莊中追蹤而來的武林高手，大概是都藏在四周草叢中，一眼望不見人蹤。

只聽蕭翎高聲喝道：「單宏章，你藏頭露尾，算得什麼英雄人物！」

語聲甫落，草叢中突然站起三個勁裝大漢。

居中一人，年約二十五、六，背插長劍，正是沈木風的大弟子單宏章。

單宏章左、右各站一人，穿著一色的淺灰勁裝，左面一人長軀黑髯，右面一人白面無鬚，正是那劍門雙英中，追風劍裴百里，和無影劍譚侗。

單宏章舉手一禮，道：「單宏章見過三莊主。」

蕭翎冷冷說道；「不用，我早已和沈木風斷義絕交，已非百花山莊中人，閣下不用對我多禮。」

單宏章道：「在下未得師父之命，這晚輩之禮，理不該廢。」

蕭翎道：「你如還認識我是百花山莊中的三莊主，那就立刻撤走四下埋伏的人手。」

單宏章道：「晚輩是奉命而來，如若空手而回，實難交代。」

蕭翎道：「那你意欲何爲？」

單宏章道：「迎接三莊主的雙親，返回百花山莊。」

蕭翎俊目中神光一閃，道：「你自忖有這一份能耐嗎？」

單宏章道：「百花山莊一向是令出如山，在下奉命而來，只有盡力而爲，至於是成是敗，那就非我所計了。」

蕭翎道：「我和百花山莊，早已情盡義絕，爾等如敢妄爲，可別怪我蕭翎劍下無情。」

單宏章乃是沈木風首座弟子，爲人陰沉多智，頗有乃師之風，當下淡淡一笑，道：「蕭大俠既然再三說明，早已和百花山莊情意斷絕，我單宏章也不便再厚顏攀親論交了……」

語聲微微一頓，接道：「蕭大俠的武功，單某已經耳聞面試，那確實高強得很，在下也自知不是敵手……」

蕭翎接道：「既有自知之明，那就立刻撤走，免得血流五步，悔恨已遲。」

單宏章仍然是毫不動氣地微微一笑，道：「在下有幾句話，必得先行說明才是。」

蕭翎擔心驚擾到父母，如非得已，亦是不願動手，冷笑一聲，道：「什麼事，你說吧！」

單宏章道：「我要提醒蕭大俠一件事，在下和劍門雙英除外，還有四十位隱伏在這茅舍四周，他們都帶有強弓匣弩，大都是淬有劇毒，中人必死，蕭大俠武功高強，自是無法傷到你，但是令尊、令堂，都非武林中人，一旦動起手來，演出流血慘劇，只怕要誤傷兩位老人家，那時，在下亦是無法攔阻的了。」

蕭翎冷冷說道：「在下也提醒你一句，在這茅舍之中，除了我蕭翎之外，還有幾位武林中聞名喪膽的高手，你們如想動手一試，那是自取死亡，蕭翎言盡於此，你如是不肯相信，那就不妨動手一試。」

單宏章回顧了劍門雙英一眼，拱手對蕭翎說道：「除了我等三人和四周潛伏的百花山莊武士之外，百花山莊中的後援，即刻就可趕到。」

只聽孫不邪高聲接道：「蕭兄弟，不用多費唇舌了，老叫化先把三人收拾了。」

喝聲中，疾躍而至，直向單宏章等衝去。

劍門雙英同時大喝一聲，雙劍一齊出鞘，交叉擊出，各攻一招。

兩柄長劍交錯出一片寒芒，擋住了孫不邪的衝擊之勢。

孫不邪一沉丹田之氣，向前衝奔的身子，突然停了下來，揚手劈出一掌。

這孫不邪昔年在武林中，素有鐵掌之譽，以掌力雄渾，名震大江南北，這數十年隱息未出，武功從未丟下，功力反而更見精進，這一掌雖非全力擊出，也是凌厲驚人。

單宏章和劍門雙英，大約都知道孫不邪的厲害，覺出暗勁直逼過來，立時縱身向旁讓避開去，不敢硬擋銳鋒。

孫不邪哈哈一笑，道：「想逃嗎？」縱身躍起，直向單宏章撲了過去。

單宏章身子橫移，陡然間避開三尺，右手一反，快速絕倫地拔出長劍，呼的一聲，掃出一劍。

他的武功，得自沈木風的親授，劍路詭奇辛辣，這一劍由底向上翻擊而出，指擊向孫不邪右脅的要穴。

孫不邪武功雖高，但對方劍勢直找穴道，也不敢大意，身子一側，避過劍勢，右手一揮，直向單宏章面門抓去。

單宏章長劍疾變，刷刷刷連攻三招，人卻閃開原位，避過了孫不邪的五指。

他攻出的劍勢，無一不是孫不邪的要害大穴，迫得孫不邪無法不讓避他的劍勢。

孫不邪連攻兩招，都爲單宏章巧妙地讓避開去，不肯硬接他的掌力，心中暗道：這小子武功不弱，今日如不把他制住，老叫化一生英名，豈不是陰溝裏翻船了？

心念一轉，掌勢突然一變，剎那間，漫天掌影，籠罩了丈餘方圓，把單宏章罩在掌力之中。

那單宏章竟是十分沉得住氣，人雖被孫不邪罩住，但卻毫無慌亂之感，左閃右避，始終不接孫不邪的掌力，長劍抽隙還擊，一面運氣護身，居然支撐了十餘回合，還未傷在孫不邪掌

下。

劍門雙英各橫長劍，四道目光，一直投注在場中，也不出手相助。

蕭翎雖然早想出手，但因孫不邪和單宏章在一對一的搏鬥，如是出手相助，只怕要引起孫不邪的不悅之心。

孫不邪的掌力，愈來愈強，丈餘之內，潛力激盪，震得單宏章衣袂亂飄。

奇怪的是，那單宏章雖然險象環生，但卻始終不招劍門雙英，和那些埋伏茅舍四周草叢中的武士，出手相助。

雙方又鬥了數回合，孫不邪突然大發神威，大喝一聲，一掌擊出。

這一掌勢道之強，有如巨浪排空而下，單宏章急急縱身，橫向左側躍出。

他動作雖快，仍是無法完全避開，吃掌風邊緣掃中左肩，身不由主，一連後退了兩步，跌入了草叢之中。

孫不邪哈哈一笑，道：「你能硬接老夫十餘招，雖敗猶榮了。」

目光一轉，望著劍門雙英，道：「你們兩位一齊來吧！」

劍門雙英，相互看了一眼，伸手拔出背上長劍。

這二人擅長長劍合搏之術，眼看孫不邪的武功高強，如是單獨出鬥，自知難以是那孫不邪手下五回合之將，也毫不客氣，雙雙仗劍而出。

孫不邪一提真氣，緩緩揚起右掌，道：「小心，你們兩人合力接我老叫化一掌。」

掌勢正待劈山，突聞一陣咯咯嬌笑傳來。

抬頭看去，只見一個身著綠衣，胸繡金花的美貌婦人，風馳電掣而來，眨眼之間，已到孫不邪的面前四、五尺處。

只見她舉起纖白玉手一揮，擋住了劍門雙英，嬌聲對孫不邪道：「你可是丐幫中碩果僅存的孫不邪嗎？」

孫不邪道：「正是老夫。」

那夫人笑道：「你可認識我嗎？」

孫不邪道：「如若老夫猜得不錯，你就是那苗疆的金花夫人。」

那婦人咯咯笑道：「不錯，你這人老眼不花，一猜就中……」

孫不邪冷冷說道：「老叫化久聞你的大名了，今日能有機會領教，也是一大樂事。」

金花夫人道：「不要慌，我得先和我那兄弟打個招呼，咱們再動手不遲。」

轉眼望著蕭翎，揮手說道：「蕭兄弟，看見姊姊，怎的連個招呼也不肯打？」

蕭翎淡然一笑，道：「你可是奉那沈木風之命而來嗎？」

金花夫人道：「不錯啊！」

蕭翎道：「來此作甚？」

金花夫人笑道：「幫他捉人而來。」

蕭翎道：「你可知道他們追的是什麼人嗎？」

金花夫人道：「百花山莊的逃犯。」

蕭翎怒道：「胡說，那是我蕭翎的父母雙親。」

金花夫人咯咯一笑，道：「不知者不罪，就算是你雙親，也不用發脾氣啊！」

蕭翎冷冷說道：「你在苗疆，也是一方之尊，犯不著聽那沈木風之命，爲他效力賣命，如肯聽我良言相勸，不如就此轉回苗疆去吧！」

金花夫人淒涼一笑，道：「兄弟，話是兩句好話，只是說得太晚了些。」

蕭翎道：「爲什麼？」

金花夫人避開話題，道：「既是你雙親，也該帶我見見才是。」

蕭翎道：「我看是不用見了。」

金花夫人道：「如果我一定要見呢？」

蕭翎略一沉吟，道：「只有一個辦法，那就是勝過我蕭翎手中長劍。」

金花夫人道：「難道除此之外，就別無良策了嗎？」

蕭翎道：「只此一策，爲敵爲友，全憑你一念而決了。」

金花夫人道：「我既不願與你爲敵，又不能不聽沈木風的嚴令，實叫人不知如何才好……」

只聽鈴兒叮噹，周兆龍華衣駿馬，急馳而至。

蕭翎一皺眉頭，暗道：金花夫人和那周兆龍，一齊趕來此地，看將起來，百花山莊高手，

只怕是趕到不少。

只見周兆龍勒住馬韁，一揮手，道：「三弟久違了。」

蕭翎道：「我已和那沈木風當面絕交斷義，不敢當得周二莊主這般招呼。」

周兆龍哈哈一笑，道：「適才在下遇上沈大哥，怎的未曾聽他說過。」

蕭翎冷冷說道：「在下說此事也就是了，聽與不聽，悉憑尊便。」

周兆龍流目四顧了一眼，伸手指著那座茅舍，說道：「如果施展火攻，只怕片刻工夫，那座茅舍就要化作灰燼了。」

孫不邪道：「臭小子少神氣，老叫化先給你點教訓。」突然縱身而起，直向周兆龍撲了過去。

只聽金花夫人喝道：「住手！」右手一揚，一物疾飛而出，直向孫不邪打了過去。

蕭翎急急說道：「當心她施展毒物。」

孫不邪早已久聞那金花夫人是一位用毒的能手，心中已暗生警覺，聽得蕭翎呼叫之言，立時一提真氣，撲向周兆龍的身子，突然又向上升起了五、六尺高，懸空一個大轉身，疾退了一丈多遠。

只見金花夫人打出之物，忽然在空中自動一閃，身軀盤成了一盤。

孫不邪心中暗忖：像這般靈巧的暗器，倒是罕聞罕見之事。

只見金花夫人一挫柳腰，疾飛而起，不容那盤成一盤的毒蛇落地，已一探右臂，接在手

中。

孫不邪心有不甘，揚手一記劈空掌，直向金花夫人打去。

一股暗勁，疾湧而至。

金花夫人右手收起接在手中的毒蛇，左手一揮，推出一掌。

雙方掌力接實，金花夫人身不由己地向後退了一步，不禁臉色一變，冷冷說道：「閣下內力不弱，但不知敢不敢和我獨鬥一陣？」

孫不邪道：「這個老叫化自然奉陪。」

蕭翎知那金花夫人身懷毒物甚多，叫人防不勝防，縱身一掠，搶在了孫不邪的前面，說道：「老前輩已勝了一陣，這一陣讓給我蕭翎吧！」

金花夫人目注蕭翎，輕輕歎息一聲，道：「兄弟呀！你當真要和我動手嗎？」

蕭翎道：「你不肯聽我好言相勸，早晚是免不了一場惡戰，多言無益，請亮出兵刃吧！」

金花夫人道：「爲姊姊的情非得已，難道你當真不肯體諒嗎？」

蕭翎道：「你要助紂爲虐，還談什麼情非得已。」

金花夫人道：「唉！糊塗的小兄弟，你這般逼迫於我，我是只有開罪一途了。」

蕭翎道：「你有什麼本領，儘管施展就是，彼此動手相搏，非死即傷，誰也不用手下留情了。」

金花夫人柳眉聳動，緩緩說道：「姊姊有幾句話，必得先作說明。」

蕭翎道：「什麼話？」

金花夫人道：「姊姊滿身毒物，兄弟你早已知道了。」

蕭翎道：「不錯。」

金花夫人道：「如是姊姊能夠勝你，那還罷了，如果打不過你，那是形勢迫我施用毒物了。」

蕭翎道：「多謝先行示警。」

金花夫人揮手從懷中取出兩朵金花，道：「好，兄弟出手吧！」

蕭翎道：「多承相讓，在下恭敬不如從命了！」長劍一揚，刺了過去。

他已瞧出今日形勢，百花山莊雖非傾盡全力而來，但趕到高手十分眾多，而且後援必將源源而來，早一刻動手，也好多一分制勝機會。

金花夫人左、右雙手各握一朵金花，眼看蕭翎長劍刺來，立時一揚右手金花，迎向劍勢。

蕭翎心中暗道：這兩朵金花，長不過五寸，用來當做兵刃，未免是有些古怪，只怕那金花之中，別有妙用。

心念轉動，劍勢突然一變，刺向金花夫人的長劍，突然中途易勢，化作金絲纏腕，橫向金花夫人右腕之上削去。

金花夫人右腕一挫，避開劍勢，左手金花突然探出，疾向蕭翎前胸點來。

蕭翎雙目盯注在金花之上，左手一抬，疾向金花之上抓了過去。

金花夫人疾挫左腕，收回金花，冷冷說道：「我這金花淬有劇毒，你可是不想活了？」

蕭翎淡然一笑，道：「在下倒是想見識見識。」

金花夫人怒道：「不論武功如何高強，內功如何深厚，但只要中了我金花上劇毒，也難挨過片刻時光。」

只聽周兆龍哈哈大笑，道：「兩位打的客氣得很啊！不像是動手相搏，看上去倒像故友重逢，久別敘舊。」

蕭翎嗖嗖嗖，連出三劍，閃起了一片劍花，攻向金花夫人，口中卻冷冷答道：「周兆龍，咱們情意已絕，惹得我動了怒火，先取你周兆龍的性命。」

周兆龍笑道：「三弟言重了，爲兄也不是輕易就能被人殺掉，當今江湖之上，欲殺爲兄之人，何止百數十人，可是爲兄的，不是仍然好好的活在世上嗎？」

孫不邪冷冷接道：「那蕭翎心地善良，戀念舊情，也許不會殺你，可是老叫化卻是言出必踐，今日決不放過你。」喝聲中，騰身而起，一躍兩丈多高。

身懸半空，打了一個轉身，頭下腳上，直對周兆龍撲了過來。

周兆龍一勒馬韁，健馬突然轉頭，向左奔去。

孫不邪冷笑一聲，道：「你還想逃去……」

餘音未完，瞥見劍花打閃，兩條人影，疾飛而起，直向孫不邪迎了過去。

閃轉寒芒中，響起兩聲慘叫。

兩個躍身而起，迎向孫不邪的黑衣大漢，生生被孫不邪掌力逼開兵刃，五指直插入前胸之中，當場氣絕而亡。

孫不邪腳落實地，大喝一聲，雙手齊振，兩具屍體直向周兆龍打了過去。

周兆龍雖然逃得性命，心中卻是大爲震駭，暗道：這老叫化的武功，果然驚人，如非兩人擋了他一擊，只怕自己已經傷在他的手中了。

眼看兩具屍體飛來，立時揚手劈出一掌，把兩具屍體震落一側。

孫不邪一擊之後，肅然而立，雙目中神光閃動，逼視著周兆龍，似是在準備二次出手。

只聽丈餘外一片草叢中，響起了一陣陰沉的笑聲，道：「那七煞穿雲手，是老叫化看家本領，二莊主恐怕不易對付。」

聲落人現，一個全身青衣的矮胖老者，擋在孫不邪的身前。

孫不邪一皺眉頭，道：「申三怪，你竟然還活在世上，倒是大出了老叫化的意外。」

申三怪陰森一笑，道：「你也是越活越長命啊！」

孫不邪冷冷說道：「你該死未死，也還罷了，想不到竟然投在百花山莊門下，依附那沈木風，實叫老叫化爲你齒冷。」

申三怪冷冷說道：「三十年前，咱們在黃山一戰，未分勝敗，今日這一戰，卻定要分個生死出來不可！」

孫不邪道：「難道老叫化還怕你不成！」

只聽蕭翎大喝道：「夫人如再不肯認輸，可不要怪我蕭翎手下無情了。」

轉眼望去，只見蕭翎手中長劍，有如神龍出雲，閃起朵朵劍花，把金花夫人圈在一片劍光之中。

金花夫人手中兩朵金花，已然被蕭翎手中長劍逼得施展不開，險象環生，隨時有傷在蕭翎劍勢下的危險。

激鬥中突聞蕭翎大喝一聲：「撒手！」

啪的一劍，拍在金花夫人的右腕之上，一朵金花，應手落地。

蕭翎這一劍，本可斬斷金花夫人的右腕，但他心地慈善，劍勢將要觸及金花夫人右腕之時，突然一轉長劍，平平地拍在金花夫人的手腕之上。

金花夫人疾躍而起，右手一探懷中，素腕揚動，一條小蛇，直飛過來。

蕭翎冷笑一聲，左手一揚，竟然生生把那條小蛇抓住。

金花夫人臉色一變，道：「你要找死！」

蕭翎冷然說道：「未必見得。」左腕一振，手中小蛇，突然向那申三怪打了過去。

申三怪眼看一條黑影飛來，也不知是何暗器，但他自恃武功高強，又眼看蕭翎敢出手接住，也不甘示弱，伸手接住。

入手光滑，已然覺出不對，急急揮手拋去，已自不及。

但感手腕一痛，被那毒蛇咬了一口。

這條小蛇奇毒無比，申三怪武功雖高，也是無法承受，頓覺右臂一麻。

金花夫人疾躍而至，伏身撿起被申三怪摔在地下的小蛇，左手已然從口袋中取出一粒丹丸，遞向申三怪，道：「快些服下。」

申三怪半生在江湖之中走動，經驗廣博，心知此刻乃是性命交關之時，哪裏還敢逞強，接過丹丸，一口吞下。

周兆龍急急問道：「申兄傷得如何？」

金花夫人接道：「此刻，他已無再戰之能，必得養息兩日。」

周兆龍一帶馬韁，勒轉馬頭，道：「走！」健馬疾向前面奔去。

孫不邪一躍而起，喝道：「周兆龍，你還想走。」帶起一陣疾風，急撲而下。

周兆龍一提氣，身子陡然離鞍而起，躍落在草叢之中。

孫不邪掌勢劈下，應手響起了一聲馬嘶，一匹健馬，生生被孫不邪掌勢擊斃。

就這一瞬工夫，金花夫人已扶著申三怪，隱入夜色之中不見。

孫不邪怒聲罵道：「周兆龍，早晚老叫化得生生劈了你。」

喝聲甫落，突聞弦聲破空，一排弩箭，直對孫不邪射了過來。

孫不邪順手抓起自己掌力劈死的健馬，揮手掄動，射來弩箭，大部射在馬屍之上。

蕭翎沉聲喝道：「夜色幽暗，破圍不易，老前輩快請回來，從長計議。」

孫不邪棄去馬屍，倒躍而退，落在蕭翎身側，低聲說道：「何不趁敵方幾個首腦人物受傷

之時，藉機破圍，衝出險地。」

蕭翎輕輕一歎，低聲說道：「家父母都未習過武功，夜暗之中，如若埋伏在這茅舍四周的百花山莊中高手，發出弩箭暗器，只怕家父母不易避過。」

孫不邪道：「如若等到天色大亮，咱們固然可以看清楚敵人暗器，但敵人亦可看清咱們，其間的利弊得失，還望兄弟忖量一番。」

蕭翎輕輕歎息一聲，道：「晚輩之意，先掃蕩四面埋伏之敵，然後再帶家父母破圍不遲。」

孫不邪道：「好，就依兄弟之見。」

蕭翎一揚長劍，道：「在下由左側繞出茅舍，老前輩由右側繞出茅屋，在茅舍後面會合，此舉雖然未必能夠盡行清除四面埋伏，但只要能夠把他們清除部分，亦可減去大部危險。」

孫不邪轉過身子，正待舉步而行，突然想起了一件事來，低聲問道：「蕭兄弟，老叫化有一事不明，還得請教兄弟。」

蕭翎道：「什麼事？」

孫不邪道：「金花夫人用毒蛇當做暗器，奇毒無比，兄弟何以不畏，竟敢用手去接？」

蕭翎道：「晚輩手上戴有千年蛟皮手套，不畏刀劍，區區毒蛇，自然不放在心上了。」

孫不邪道：「那申三怪武功，當年老叫化和他決戰黃山，苦鬥了一日夜，未分勝敗，以後聽說他傷在了少林高僧無我大師手中，就此銷聲匿跡，未再在江湖露面，想不到竟然潛隱於百

花山莊之中，這申三怪昔年名震江湖，論盛名，不在沈木風之下，不知何以竟然甘爲沈木風所用？」

蕭翎自是不知所以，道：「此事日後再議吧。」當先自左躍去。

孫不邪暗提真氣，呼的一聲，劈向前面一堆草叢之中。

只聽一聲悶哼，埋伏在草叢中的一個黑衣大漢，吃孫不邪的掌力擊中，滾出草叢外面。

蕭翎長劍閃動，也向一處荒草叢中掃去。

草叢中寒光一閃，一柄單刀迎了出來，接下了蕭翎的長劍。

蕭翎劍上蓄力極強，刀劍相觸，響起了一聲金鐵大震，伸出的單刀吃蕭翎一劍震飛。

孫不邪高聲說道：「那周兆龍和金花夫人，都已敗退，爾等留此，那是自尋死路了。」

喝聲中，雙掌連環劈出，呼呼勁風山湧而去。

兩人一出手，威不可當，片刻已傷了七、八名埋伏在草叢中的高手，但也激起了埋伏在草叢的百花山莊高手的反擊，弩箭暗器，如雨一般的打來。

蕭翎手中長劍成了一團翻滾的罡氣，向那暗器濃密之處衝去。

劍光到處，響起了幾聲慘叫，血雨斷肢，四下飛揚。

孫不邪運足內力，發出掌勢，像排山倒海一般，擊向草叢之中。

這兩大高手，全力施爲之下，威勢驚人無比，百花山莊隱伏在四周草叢中的高手，人數雖然多，也是經不起兩人全力搏殺，片刻之間傷亡逾半，餘下之人自知難敵，紛紛起身，四下奔逃。

不過頓飯工夫，兩人已然清除了四面草叢中埋伏的高手。

蕭翎仗劍一躍，飛落到孫不邪的身前，低聲說道：「老前輩無恙嗎？」

孫不邪哈哈一笑，道：「托福，托福，趁他們混亂之間，咱們得快些走了。」

蕭翎道：「老前輩說得不錯。」轉身兩個飛躍，奔回茅舍。

毒手藥王輕輕咳了一聲，道：「百花山莊中人全退了嗎？」

蕭翎道：「得孫老前輩相助，僥倖擊退強敵。」

毒手藥王道：「沈木風謀你之心甚切，咱們不宜在此多留。」

蕭翎道：「好，老前輩揹起令嫒，咱們立刻動身。」

大步行到蕭大人身前，蹲下身子，道：「爹爹請讓孩兒略盡孝心，揹著趕路。」

金算盤商八閃身入室，接口說道：「蕭大哥拒敵要緊，兄弟揹著老伯趕路如何？」

蕭大人一皺眉頭，道：「這如何敢當。」

商八急行過來，蹲下身子，道：「此刻形勢危急，老伯不用推辭了。」

金蘭揹起蕭夫人，商八揹起蕭大人，毒手藥王抱起女兒，蕭翎仗劍開路，杜九和玉蘭聯袂斷後，一齊衝出茅舍。

抬頭看去，夜色中只見正北方一片燈火，風馳電掣一般急奔而來。

孫不邪迎上蕭翎，低聲說道：「那片燈光，可能就是百花山莊的援手，他們明火執仗而

來，必然是精銳高手！」

蕭翎道：「此時此情，不宜和他們動手相搏，咱們避開他們吧！」轉身折向正南行去。

幾人心知未離險境，奔行甚快，片刻間已然走出了四、五里路。

忽然間，蹄聲得得，一匹快馬，從幾人身側丈餘左右處窄道上，疾馳而過。

毒手藥王道：「這人必是百花山莊中埋伏於此的暗樁。」

蕭翎一伏身，撿起地上一片石塊，暗運腕力，高聲喝道：「什麼人？快些停馬。」

那人恍如不聞，仍然縱馬急馳。

蕭翎飛身而起，一連兩個飛躍，人已追近快馬，右手一揚，山石破空飛出。

那人悶哼一聲，滾落馬下，摔倒路旁。

蕭翎正待行向前去，看個明白，忽見那人身側飛起一道火光，直升高空，砰的一聲，爆散出一片銀花。

杜九冷哼一聲道：「這小子還沒有死。」縱身跳了過去。

低頭查看，只見那大漢靜伏地上不動，伸手撥轉身子看去，口鼻盡是鮮血，已然氣絕而逝。

原來蕭翎出手甚重，那人又被擊中背心要害，但他仍然在絕氣之前，發出煙花信號。

杜九抬起一腳，踢得那大漢屍體直飛出六、七尺外。

毒手藥王抬頭望了那火花一眼，道：「咱們行蹤已洩，必得改變方向才行。」

蕭翎道：「咱們轉向東方走吧！」群豪立時折向正東行去。

又行四、五里，到了一叢雜林旁邊。

蕭夫人雖然是被金蘭揹著趕路，但是連夜奔走，已感不支，低聲說道：「翎兒，咱們休息一會兒再走如何？」

蕭翎道：「母親說得是，現在已離險境，也該休息一下了。」

語聲甫落，突見火光一閃，林木中突然亮起了兩支火把。

蕭翎吃了一驚，突聞一個聲音，傳了過來，道：「三弟一直未得養息，就算鐵打金剛，銅鑄羅漢，只怕也難撐得下去，百花山莊早已掃榻以待，三弟何不回莊中養息幾日？」

五三 絕處逢生

蕭翎目光轉動，只見每一支火把後，都跟著十個黑衣大漢，兩個人懷抱著連珠匣弩，八個人手執著兵刃。

這些人似是早就預排好了方位，雖是由四面八方地一擁而上，但快而不亂，只見火光閃閃，迅快地把蕭翎包圍起來。

只見那重重包圍，嚴密無比，每一張匣弩，配合了四個手執兵刃的黑衣武士。

蕭翎暗數那火把，計有二十四把，沈木風和未現身的高手，還不算在內，單是這黑衣武士已經有二百四十人之眾，加上手執火把的黑衣大漢，多達二百六十四個。

在百花山莊之中，蕭翎已經領教了這些黑衣武士的厲害，他們武功雖然不能列入武林中第一流的高手，但卻一個個悍不畏死，動起手來，有如中了瘋魔一般，前仆後繼，勇往直前。

中州雙賈、金蘭、玉蘭，迅快地放下了蕭大人夫婦，毒手藥王也放下了愛女，環護在三人四周。

耀如白晝的火把下，毒手藥王縱然想隱起身子，亦是有所不能，索性挺胸而立。

那些黑衣武士，在距離幾人丈餘左右時，停下了身子。

只聽沈木風那沙啞的聲音傳了過來，道：「蕭兄弟，區區百餘名黑衣武士，為兄的亦知是困你不住，但在四十八張連珠匣弩之下，兄弟如想保護令尊、令堂，只怕不是容易的事。」

蕭翎臉色鐵青，默然不語。

孫不邪低聲說道：「藥王，那沈木風隱在暗處，分明早已瞧到了你，不知何以竟然裝作不見。」

毒手藥王冷冷說道：「江湖同道，大都說那沈木風寡情薄義，但老夫和他情義深重，相交甚久，今日之局，只要我出面一言，即可解決……」

語音微微一頓，高聲說道：「沈兄，瞧到兄弟了嗎？」

暗影中飄來沈木風的聲音，道：「早瞧到了……」

毒手藥王不讓沈木風再接下去，搶先說道：「沈兄對兄弟瞭然甚深，小女婉兒，乃兄弟性命所繫，那蕭翎三番兩次，相救小女，兄弟是不得不報答他了。」

沈木風冷笑一聲，道：「只怕我那賢侄女病情已入膏肓，蕭翎也有心無力。」

毒手藥王道：「事情剛好和沈兄猜的相反，那蕭翎冒險替小女尋得靈藥，已然療好了她的痼疾，再有十天半月的休息，就可和常人一般的健康了。」

沈木風道：「這麼說來，為兄的得向你致賀了。」

毒手藥王道：「咱們義結金蘭，交非泛泛，這些年來，兄弟也為你耗了不少心力，百花山莊能有今日的盛況，擁有數百名悍不畏死的武士，睥睨武林，使人人畏懼，兄弟雖不敢自居首

功，也算數一數二的出力之人了……」

沈不風道：「不錯，你幫我建立百花山莊的基業，難道你要再幫別人把它毀去不成？」

毒手藥王道：「這個兄弟不敢，不過，有一件事相求沈兄。」

沈木風道：「你說吧！」

毒手藥王道：「蕭翎救了兄弟小女之命，兄弟救出了蕭翎的父母，如若沈兄肯予高抬貴手，撤走四周的黑衣武士，放走蕭翎，兄弟就算還清了蕭翎的情債，此後，咱們仍是好兄弟，但等小女弱軀復元，兄弟要盡我之能，在三、五年內，把小女培育成出類拔萃的武林高手，那時兄弟父女，都將會傾力相助沈兄，完成雄霸江湖之願。」

沈木風道：「哈哈！三、五年時間雖然不長，我沈木風可以等你，但當今武林中各大門派，只怕不肯等了，就我沈某人的看法，三年之內，武林大局，必有結果，若等上三、五年，小兄不是已進了霸統江湖之願，就是屍骨早寒。」

毒手藥王道：「這麼說來，沈兄連小弟的面子，也是不肯賞了？」

孫不邪哈哈一笑，道：「此一時也，彼一時也，當年你毒手藥王，對那百花山莊有如養魚之水，飼馬之草，此時，百花山莊羽翼已豐，你毒手藥王早已無關緊要，竟還這般自找沒趣，老叫化該罵你一句不識時務了。」

毒手藥王冷笑一聲，道：「我們兄弟的事，不用你老叫化多操閒心。」

但聞沈木風說道：「蕭翎救了我那賢侄女的性命，兄弟你也救了他的父母，又毒死我百花

山莊十二名武士，兩事相抵，那也算恩盡債清了。」

毒手藥王道：「救人救活，兄弟既是救了蕭翎的父母，自然不願看到再被沈兄擒回百花山莊，但得沈兄撤除四周黑衣武士，放他們父子離去，錯過今夜，兄弟決不再過問蕭翎的事。」

沈木風道：「兄弟素有毒手藥王之稱，今夜何以竟會動如此善心……」

毒手藥王一改往昔冷漠之態，向沈木風懇切地道：「虎毒不食子，梟獍有親情，兄弟雖有毒手，但亦有愛顧小女之心，寧叫子不孝，不爲父不慈，那蕭翎救了小女之命，在兄弟感覺中，施恩之重，尤過救我之命，還望沈兄賜給兄弟一個薄面，放了他們。」

蕭翎本想出口拒駁毒手藥王之言，但想到無辜父母，受此拖累，心中實是難安，但得父母無恙，縱受屈辱，亦是甘心。

沈木風道：「以咱們交情而言，爲兄實該答應，不過……」

毒手藥王急道：「不過什麼?」

沈木風道：「不過縱虎歸山，後患無窮，大丈夫要成大事，豈可存婦人之仁，兄弟溺愛令嬡，忽略了大局……」

毒手藥王臉色一變，冷冷接道：「兄弟一生之中，從未對人說過這般乞求之言，沈兄竟是這般寡情薄義，那是逼迫兄弟斷情絕義了。」

只見正東方黑衣武士紛紛讓到兩側，沈木風帶著八個紅衣大漢，緩步走了過來。

那八個紅衣大漢，每人都揹著一個特製的巨劍，面色冷木，毫無表情，直似剛由棺材中拖

出來八具行屍。

毒手藥王冷然一笑，道：「八大血影化身。」

沈木風微微一笑，接道：「不錯，兄弟也該知道，爲兄此來，已有了萬全之策。」

語聲微微一頓，接道：「你如肯改變心意，此刻猶爲未晚。」

毒手藥王瘦削的臉上，肌肉一陣抽動，左手緩緩拉起一片袍角，右手一探，疾快無比的搶過金蘭的寶劍，颼的一劍，斬了下來，緩緩說道：「割袍斷義，此後，誰也不用再存情義。」

沈木風笑容突斂，臉色冷肅地說道：「兄弟不再想想嗎？」

毒手藥王冷漠地說道：「老夫已經想過了，不敢再勞沈大莊主以兄弟相稱。」

沈木風仰天一陣大笑，道：「藥王堅持和我沈某絕交斷義，沈某人也不再高攀了，念在咱們數十年交往舊情份上，沈某人要先行奉告一言。」

毒手藥王道：「沈大莊主請講。」

沈木風道：「如是動起手來，刀箭無眼，如傷到令嬡，可別怪我沈某人手下毒辣。」

毒手藥王一張臉本就難看，此刻是冷若堅冰，一字一句地說道：「不論何人，傷了小女，老夫決不饒他……」

沈木風淡然一笑，接道：「別人怕你用毒，我沈木風卻不怕，你藥王心中有數。」

毒手藥王道：「毒有千百種，諒你沈木風也難拒百毒不侵。」

沈木風道：「咱們交往數十年，藥王能用之毒，我沈某人早已瞭如指掌了。」

毒手藥王冷笑一聲，道：「我毒手藥王也不會不留幾手。」

沈木風道：「彼此已成敵對，我沈木風也不用再隱瞞了，未雨綢繆，我早對你暗下毒手，使你身受暗傷，只要一年之內，你不和我沈某見面，那暗傷即將發作。」

毒手藥王道：「老夫也早已對你暗中下毒，不出半年，那毒性即將發作。」

兩人幾句之言，可算是道盡了江湖上的險惡風波。

蕭翎暗暗歎息一聲，忖道：數十年的莫逆之交，彼此皆是暗下毒手，聽起來實叫人身心皆顫。

只聽沈木風仰臉大笑一陣，道：「就算你說得不錯，真在我沈木風身上下了奇毒，但還有半年才發作，可是你毒手藥王，卻難逃今日之厄！」

毒手藥王冷冷說道：「目下勝負尚未分出，沈大莊主不用誇口。」

蕭翎默查情勢，已然箭在弦上，如騎虎背，難免一場生死之搏，當下一揮寶劍，高聲說道：「沈木風，你在江湖之上，享了數十年的聲譽，男子漢大丈夫，也該有點英雄性格，不論今宵結果如何，我蕭翎願以手中長劍，和你決戰一場，想來沈大莊主不會推辭了。」

沈木風兩道森寒的目光，緩緩移射在蕭翎的臉上，道：「就今宵情勢而論，我已掌握了必勝之機，再和你以命相搏，豈不是有些不智了嗎？」

蕭翎冷笑一聲，回顧了孫不邪和毒手藥王一眼，道：「我蕭翎有幾句肺腑之言，還望兩位老前輩能夠依我蕭翎之意而爲。」

孫不邪哈哈一笑，道：「咱們今宵縱然不能破圍而出，但百花山莊在場之人，也得死傷大半，對本對利，定可撈回，蕭大俠有什麼話，儘管請說，水裏水裏去，火裏火中行。」

蕭翎道：「在下這裏先行謝過。」

抱拳一個長揖，目光轉注在毒手藥王的臉上，等待回答。

毒手藥王輕輕咳了一聲，道：「老夫已和沈木風斷義絕交，心中已無顧忌，不管什麼話，只管說出就是。」

蕭翎神情肅然地說道：「在下出手對付沈木風，兩位也不用出手相助了，請帶中州二賈，和金蘭、玉蘭，全力破圍而出，以兩位老前輩的武功，想那百花山莊的武士，決難攔住你們，破圍之望甚大。」

孫不邪呆了一呆，道：「你一人要獨戰沈木風和他那八大血影化身嗎？」

毒手藥王接道：「再加上這二百多個身受禁制，悍不畏死的黑衣武士？」

蕭翎移動一下身軀，取了一個適中的角度，剛好攔住沈木風和他身後八大血影化身，緩緩說道：「在下自信有突破此圍之能，還望老前輩依從在下之意。」

孫不邪道：「藥王率隊突圍，老叫化留下陪你。」

毒手藥王搖搖頭，道：「你老叫化掌力雄渾，護他們突圍最好，我陪蕭大俠留此，也好一施毒手。」

沈木風淡淡一笑，道：「你們慢慢商量，區區等待你們就是。」

蕭翎急得雙目盡赤，高聲說道：「兩位老前輩如若不肯聽從我蕭翎之言，從今以後咱們就永絕來往……」

沈木風陰森一笑，道：「三弟不用生氣，那老叫化和毒手藥王，大約是自知無能保護令尊、令堂破圍，故而不敢答應。」

蕭翎怒道：「不勞閣下費心。」

目光轉動，只見四周環圍的黑衣武士，已然拔出兵刃，舉起強弩。

那沈木風口中雖然說讓幾人慢慢商量，其實卻在藉此調動人手。

只見沈木風身後排列的八個紅衣大漢，突有四個人舉步而行，分散在正北、正西和正南三個方位之上。

蕭翎眼看沈木風人手調配，愈來愈是嚴密，不禁暗中一歎，忖道：拖延時間，對我有害無益，只有硬拚一場了，如能僥倖殺了沈木風，爲武林除一大害，就算戰死此地，那也死而無憾了。

心念一轉，真氣暗提，緩緩舉起手中長劍，正想出手，突然聞到一個微弱的聲音傳了過來，道：「不可造次。」

轉臉望去，只見毒手藥王那多病的女兒，突然掙扎而起，用手抓住金蘭的右腕，道：「姊姊扶我過去。」

金蘭微微一怔，道：「到哪裏去……」

毒手藥王一見女兒掙扎起身，心中大急，道：「婉兒，快快給我坐下。」

原來，蕭大人夫婦和婉兒，都在中州二賈、金蘭、玉蘭四面環護之中，這婉兒站起身子，無疑脫離了幾人的保護圈。

那婉兒舉起枯瘦的右手，理一下頭上散髮，嫣然一笑，道：「爹爹啊！你不是一向稱讚女兒聰明有才智嗎？」

毒手藥王道：「孩子，你雖然聰明絕世，但你不會武功，此刻處在凶險重重之中，一個不好，即沒了性命，我兒身體嬌弱，如何能當一擊。」

婉兒道：「我要沈伯伯撤走四周的黑衣武士就是……」

毒手藥王大吃一驚，道：「爲父的和他交往數十年，助他建立百花山莊，但他一點也不肯給予爲父面子，我已和他斷袍絕交，如何還會聽你的話……」

婉兒扶在金蘭肩上，道：「不用爹爹多管，女兒自有讓他撤退黑衣武士之策。」緩步向沈木風行了過去。

蕭翎道：「生死大事，不是兒戲，姑娘快回去……」

婉兒一雙圓大的眼睛，轉注到蕭翎臉上，嫣然一笑，道：「怎麼？你怕我死了嗎？」

生死危亡之間，眾目睽睽之下，一個弱不禁風的少女，談笑自若，深情款款，直讓蕭翎聽得又氣又窘，長歎一聲，不再言語。

毒手藥王眼看愛女固執如此，只急得滿頭大汗，直向下滾，急急說道：「婉兒！那蕭翎說

得不錯，生死大事，豈是開得玩笑的嗎？快快退回去吧！」

婉兒望望四周高舉的火把，和那層層圍困的黑衣武士，柔聲說道：「沈伯伯人手眾多，你們很難殺出重圍……」

沈木風低沉的一笑，道：「就算他們能夠殺出重圍，也無法帶出姑娘和蕭翎雙親。」

婉兒輕輕推了下金蘭，道：「走啊！」

那金蘭見到沈木風，早已嚇得兩腿發軟，舉步維艱，但想到婉兒一個不會武功的柔弱女子，都不怕死，自己還怕什麼？一咬牙，硬著頭皮對沈木風走了過去。

蕭翎暗中提氣，手舉長劍，冷冷說道：「沈木風，她是一個全然不會武功的弱女子，你如傷了她，將無顏面再見天下英雄。」

毒手藥王握著雙手，冷汗淋漓地說道：「沈木風，你如傷了小女，我要毒死你百花山莊中所有之人，雞犬不留。」

婉兒回過頭來，道：「爹爹、蕭郎，但請放心，沈伯伯決不會傷我。」

沈木風哈哈一笑，道：「你不要這樣自信，你那父親已和我劃地絕交，沈伯伯也不是大度之人，說不定就傷了你。」

說話之間，婉兒和金蘭已然行到沈木風的身前。

婉兒微微一笑，道：「沈伯伯，晚輩不會用毒，你不要害怕。」

沈木風兩道目光，凝視婉兒臉上，道：「你就是會用毒，我也不怕。」

婉兒道：「那很好，請伯伯附耳過來，我和你說幾句話。」

沈木風怔了一怔，道：「什麼話，姑娘儘管請說就是。」

婉兒搖搖頭，道：「這話很機密，不能讓人聽到。」

沈木風爲難地道：「你爹爹也不能聽嗎？」

婉兒道：「他如知道，定然要好好罵我一頓，自然不能讓他聽到了。」

沈木風略一沉吟，果然屈下高大的身軀，伸耳過去。

只見婉兒在沈木風耳邊低言數語，沈木風立刻臉色大變，挺起身子道：「當真嗎？」

婉兒有氣無力地說道：「我說了很多話，已經很累了，你要是不肯信，那也是沒有法子的事了。」

沈木風雙目中殺機閃動，道：「小丫頭，我該先把你碎屍萬段。」

婉兒微微一笑，道：「小不忍則亂大謀，殺了我一個毫無武功的弱女子，你划得來嗎？」

沈木風胸上殺氣漸消，緩緩說道：「如是我依了你，撤去四周的黑衣武士呢？」

婉兒道：「那我也自然依約而行。」

沈木風道：「我如答應了你呢？」

婉兒道：「放他們先走，我留在這裏作爲人質。」

群豪都不知她對那沈木風說得什麼，但聞那沈木風答允撤除四周的黑衣武士，個個聽得心中驚異不止。

沈木風道：「好！就此一言爲定。」舉手一揮，道：「讓開一條去路。」

四周的黑衣武士，應聲後退，東、南、西、北，各讓出一條路來。

沈木風道：「網開四面，你們自己選一條路走吧！」

婉兒回過頭去，望了蕭翎一眼，道：「蕭郎，求你聽我一句話好嗎？」

蕭翎黯然說道：「姑娘只管吩咐。」

婉兒道；「快帶你雙親和大家向正南方去。」

蕭翎道：「姑娘呢？」

婉兒道：「我要留在這裏作爲人質。」

蕭翎道：「不成，我蕭翎堂堂男子，豈肯做出此等事來，今宵寧願戰死於此，埋骨荒野，也不能聽從姑娘之命。」

婉兒歎道：「你英雄氣概，戰死於此，那也罷了，可是你的二老雙親呢？難道也要他們陪你死於此地嗎？」

蕭翎呆了一呆，半晌答不出話。

毒手藥王突然一抱拳，道：「沈兄，小弟留此作爲人質，放了小女如何？」

沈木風面色沉重，緩緩說道：「你留此無用，不用了。」

婉兒道：「爹爹啊！此刻女兒就在沈伯伯的身側，他只要舉手劈下，立時可把女兒擊斃，諒爹爹也是不能搶救得了……」

毒手藥王道：「孩子，誰要你自投虎口呢？」

婉兒道：「但女兒已在虎口之中，說亦無益了……」

突然微微一笑，道：「但我相信沈伯伯決然不會傷我……」

目光轉到沈木風的臉上，接道：「是嗎？」

婉兒舉起衣袖拂拭一下頭上的汗水，道：「你們聽到了，還不快走，等待何時？」

蕭翎一咬牙，沉聲對毒手藥王和中州二賈等說道：「諸位請帶蕭某雙親先走，我蕭翎留在此地陪伴婉姑娘。」

強敵環伺，生死瞬息之間，一個弱不禁風的女孩子，卻有著無比的鎮靜和從容，舉手理一下夜風吹亂的長髮，笑道：「那也好，沈伯伯為人雖然陰險惡毒，但卻是聰明絕倫的人，兩害相權取其輕，他不會為了殺咱們洩一時之忿，誤了他江湖霸業……」

目光轉到沈木風的臉上，問道：「沈伯伯，晚輩說的對是不對？」

沈木風冷哼一聲，道：「就算對了。」

婉兒嫣然一笑，目光又轉到蕭翎的臉上，道：「快些要他們走啊……」

孫不邪哈哈一笑，道：「蕭兄弟，咱們上次在百花山莊中和數百武士對抗，那一戰當真是打得痛快淋漓，老叫化一直是念念難忘，今日舊事重演，老叫化豈可失之交臂，我留在這裏陪你。」

那婉兒搖搖頭，道：「不成，你們都得走，少留一人，我們就多一分生機，留下蕭翎一人

陪我，已經夠了……」

一推金蘭，接道：「你也去吧！」

群豪只覺她言之有理，無言可駁，中州二賈首先行動，扶起蕭大人向南行去。

玉蘭扶起蕭夫人，緊隨在中州二賈之後。

孫不邪望了蕭翎一眼，道：「兄弟多多保重，老叫化先走一步了。」

毒手藥王卻仍然站在場中，不肯行動，那金蘭也呆呆地站在婉兒身旁，無所適從。

婉兒心中大急，用盡了全身之力，喝道：「爹爹啊！你留這裏也未必能救女兒，留此何益，再不肯走，女兒就先死給你瞧瞧。」

毒手藥王滾落下兩行淚水，緩緩說道：「孩子，你要自重了。」

婉兒目光凝注金蘭臉上，道：「快些隨我爹爹出去。」

金蘭欠身一禮，道：「婢子遵命。」追在毒手藥王之後，奔向正南而去。

那婉兒說話太過用力，體力不支，雙腿一軟，向前栽去。

蕭翎急行一步，扶住了她的身子。

婉兒長吁一口氣，不勝羞怯偎在蕭翎的身上，笑道：「你可記得我對你說過我的名字？」

蕭翎心中暗道：此時何時，還在談這些不相干的事情。

口中卻應道：「不錯。」

婉兒道：「你還記得嗎？」

蕭翎道：「自然記得。」

婉兒道：「說給我聽聽好嗎？」

蕭翎道：「姑娘叫南宮玉，是嗎？」

婉兒笑道：「嗯！一字不錯。」

沈木風呆呆地站在一側，有如木刻泥塑一般，目注群豪而去，一直不發一語，此刻再也忍耐不住，冷冷地說道：「你們的話等一會兒再談不遲，老夫耐心雖好，但也有一定的限度。」

蕭翎回目一望，群豪已走得蹤影不見，一挺胸道：「沈大莊主，可是想和我蕭翎一決死戰嗎？」

沈木風全身微微抖動，顯然是氣憤已極，強息怒火，說道：「我如有殺你之心，也不會放走令尊、令堂了。」

南宮玉笑道：「我知道沈伯伯一向疼我，決然不會傷害咱們。」

沈木風冷哼一聲，道：「可惡的丫頭，今宵縱然放過你，日後也決不饒你。」

南宮玉道：「日後的事，日後再說吧！」

沈木風道：「如今他們皆已離去，你答應老夫的事，也該實現了吧！」

南宮玉道：「慌什麼呢，他們還未去遠哩！」

沈木風道：「你要老夫等到幾時？」

南宮玉道：「再等一頓飯時光如何？」

沈木風道：「太久了。」

南宮玉道：「好！那就再等一盞熱茶工夫吧！」

沈木風無可奈何的冷笑兩聲，不再言語。

蕭翎暗念道：看來這位難當一指的弱女子，當真是把沈木風制服了，不知她用的什麼法子，竟然能有此等奇效。心中想問，但又怕她不便言明，只好悶在心中。

南宮玉豪情無倫，毫無畏懼之色，回顧了蕭翎一眼，笑道：「沈大莊主一心要把我和令尊、令堂生擒回百花山莊，如今心願難償，心中定然是十分氣憤。」

蕭翎心中暗道：此時此情，險象環生，那沈木風不肯下手傷你，也就罷了，難道你非要激得他傷你不可，距離如此之近，他如陡然出手，只怕我也救你不了。

心中念轉，口中又不得不應，只好說道：「姑娘說得是。」

南宮玉微微一笑，道：「不過沈大莊主乃是大智大勇之人，決然不會為小失大，為了想殺咱們兩人，誤了他江湖大業。」

蕭翎也不知她心中想的什麼，只好糊糊塗塗地接道：「不錯。」

南宮玉笑道：「我一向叫那沈大莊主叫伯伯，但他此刻和我父親劃地絕交，我也沒有法子叫他沈伯伯了。」

沈木風是一代梟雄之才，任那南宮玉冷嘲熱諷，始終是一語不發，神態嚴肅，木然而立。

大約過去了一盞熱茶時光，沈木風突然開口說道：「姑娘，時刻到了吧！」

南宮玉微微一笑，道：「到了。」

沈木風道：「你答允老夫的事，也可兌現了吧！」

南宮玉回顧一眼，道：「這麼吧！你先要這些黑衣武士撤走，我交給你之後，就可以立刻逃走。」

沈木風目光轉動，沉吟不語。

南宮玉微微一笑，道：「不用打壞主意，我把那圖案，分成了幾處藏好，你就算殺了我，搜取得一部分，也無法把它拼對起來。」

沈木風冷笑一聲，道：「姑娘不覺得提出的條件太多了嗎？」

南宮玉道：「你已經答應了不傷害我們，撤除四周的武士，這又有何不可？」

沈木風道：「你如何能保證不是騙我？」

南宮玉接道：「我決不騙你，你如是多疑，那也是沒有法子的事……」目光流動，四顧一眼，道：「你至多把我殺死，蕭翎一定可以突圍而出，此刻，你已經站在不利之地，何苦不多讓一步？」

沈木風長長吁一口氣，道：「小丫頭，你如騙了我，天涯海角，我也要把你活活捉住，讓你嘗試一下，那人世間最難忍受的痛苦。」

南宮玉嫣然一笑，道：「如是沒有騙你呢？」

沈木風道：「老夫付出的代價，不能算小了……」

舉手一揮，道：「四面撤退。」

但見四周那黑衣武士，紛紛向後退去，片刻工夫，皆盡撤完。

沈木風冷冷說道：「姑娘，四面圍守的武士已撤，老夫已再三讓步了。」

南宮玉望著沈木風身後的紅衣大漢，緩緩說道：「大莊主既然撤退了四周的黑衣武士，自然也不用留下那些紅衣大漢了。」

沈木風一皺眉頭，道：「姑娘不要激起老夫的怒火，我可能要改變承諾之言。」

久久未發一言的蕭翎，此刻卻突然接口說道：「你阻攔我蕭翎的機會，已是愈來愈小，大莊主如若不信，那就不妨一試。」

南宮玉接道：「百里行程半九十，這最後一步你若不讓，豈不是前功盡棄？」

沈木風突然仰天一陣大笑，道：「想不到我沈木風一世英雄，竟然被一個困於病魔的柔弱女子，逼得步步失算。」

南宮玉笑道：「大莊主言重了。」

沈木風回顧了身後的紅衣大漢一眼，道：「你們退下去吧。」

排列於沈木風身後的紅衣大漢，一語不發，轉身向後退去。

沈木風眼看那紅衣人，消失於夜色之中，才緩緩說道：「姑娘還有什麼條件嗎？」

南宮玉道：「沒有啦。」

探手從懷中摸出一個黃色布包，道：「其實這張圖案完整無缺的收在我衣袋之中，不論你

把我生擒、殺死，都可以很容易取去。」

沈木風伸出手來，正待接過布包，忽聞蕭翎大聲喝道：「且慢！」

沈木風冷然一笑，道：「蕭兄弟意欲何為？」

蕭翎長劍推出，一片劍花護在南宮玉的身前，口中緩緩說道：「急也不在這片刻之間。」蹲下身子道：「姑娘請伏在在下背上。」

南宮玉微微一笑，依言伏在蕭翎背上。

沈木風暗中提聚了功力，想要出手，但心中卻又對蕭翎那莫可預測的武功，有所顧慮，出手一擊，擊斃那南宮玉並非難事，但如被蕭翎搶去圖案，卻是大不划算的事。心中念頭輪轉，臉上卻不露聲色。

蕭翎揹起南宮玉，左手卻從南宮玉的手中，取過布包，冷冷說道：「沈木風，接好了。」左手一揚，布包挾帶一陣疾風，直向旁側飛去。

沈木風雙肩一聳，離地而起，疾如電光石火，一把抓住布包。

蕭翎在拋出布包的同時，人也飛躍而起，直向正南奔去。

待那沈木風接過布包，蕭翎已帶著南宮玉走得蹤影不見。

他目睹蕭翎飛躍的身法，長長吁一口氣，緩緩回身行去。

且說蕭翎揹著南宮玉，一陣急奔，一口氣跑出了十幾里路，回頭不見沈木風追來，才停下

腳步，說道：「姑娘，可要休息一會兒嗎？」

南宮玉緩緩睜開雙目，喘了兩口氣，笑道：「你跑得這樣快，又有寒風撲面，差一點就要把我凍死了。」

蕭翎想到她身體虛弱，這一陣急奔，自是承受不了，當下說道：「處境太險惡，在下只想帶姑娘逃命，忘記了姑娘大病初癒。」

南宮玉微微一笑，道：「本來我早該暈過去……」

蕭翎奇道：「可是因爲在下及時停了下來……」

南宮玉搖搖頭，接道：「不是，因爲是你揹著我，我要暈了過去，豈不是無法享受這片刻的溫存了嗎？」

蕭翎呆了一呆，默然不言。

忽見兩條人影，奔行到蕭翎身前，突然停了下來，竟然是孫不邪和毒手藥王。

毒手藥王眼看蕭翎身上揹著愛女，心先放下一半，長長吁了一口氣，急道：「蕭大俠，小女沒有受傷嗎？」

蕭翎道：「令嬡很好。」

毒手藥王緩步行到蕭翎身前，低聲叫道：「婉兒，你還好嗎？」

南宮玉睜開眼睛，望了爹爹一眼，道：「我很好。」

毒手藥王如獲至寶，伸手從蕭翎背上抱過女兒，道：「孩子，你用什麼方法，退了沈木風？」

南宮玉似是很倦，有氣無力地說道：「爹爹啊！我沒有力氣說話了。」

毒手藥王道：「好！不說，不說，我毒手藥王的女兒，大病初癒，就一鳴驚人。」

他說得眉飛色舞，滿臉歡愉，顯然內心之中，確有著無比的激動、興奮。

蕭翎接口讚道：「令嬡的才慧、勇氣，足愧煞了七尺鬚眉，在下十分敬服。」

毒手藥王哈哈大笑，道：「此言出自你蕭大俠之口，自然是可以信得過了。」

孫不邪道：「老叫化倒還不明白南宮姑娘，用的什麼方法，退了強敵。」

毒手藥王道：「自然是絕妙一時的奇計了。」

原來，他也不知女兒如何能使陰沉、險惡的一代梟雄沈木風，撤退了四下的人手。

孫不邪心中暗道：他女兒一直在暈迷之中，十數年如一日，此刻驟然醒來，竟以一個柔弱無力的女子，奇計退去強敵，固是値得高興，但這如癡如狂，未免喜悅的有些過份了……

心中念頭轉動，口中卻對蕭翎說道：「蕭兄弟，可知那南宮姑娘，如何退去強敵嗎？」

蕭翎搖搖頭，道：「詳細內情，在下亦是不知，但那南宮姑娘卻交給了沈木風一個黃色布包。」

孫不邪道：「蕭兄弟可知那布包中，放的什麼東西？」

蕭翎道：「好像是一種什麼圖案。」

孫不邪道：「那圖案定然十分重要，其比重猶過咱們幾人的生死。」

毒手藥王突然接口說道：「奇怪的是，小女一直在大病之中，那圖案從何而來呢？」

孫不邪心中暗道：老毒物最喜人讚他女兒聰明，難得他晚年棄邪歸正，老叫化何不讚他女兒兩句，讓他樂上一樂，也可使他感覺到正邪之間，有很多不同之處。

心念一轉，微笑說道：「令嬡才慧絕世，這些神機妙算，豈是咱們能夠想得到的。」

毒手藥王果然樂得縱聲而笑，道：「孫兄言重了，小女日後出道江湖，還望孫兄多多照應。」

孫不邪道：「那是義不容辭。」

毒手藥王道：「蕭大俠的父母，尙在等待愛子，孫兄快請帶蕭大俠會見雙親，這父母慈愛兒女之心，兄弟最是明白不過。」

蕭翎道：「老前輩呢？」

毒手藥王道：「老夫要暫時和諸位別過。」

孫不邪道：「你要到哪裏去？」

毒手藥王道：「小女這等才智，如若耽誤了她，那可是終身大憾的事，我要去找一處清靜的深山大澤，傾盡一身所能，採奇藥，製靈丹，借重藥物，以補小女先天的缺憾，盡三年之功，把她造成武林中一株奇葩。」

孫不邪道：「靈藥無地，尋來何易……」

毒手藥王道：「這個不勞孫兄費心，兄弟爲小女覓藥療疾之時，幾乎走遍了天下名山，雖

然未尋得治療小女絕症的藥物，但卻順手採集了不少奇草靈藥，儲存在一處隱秘之地……」

他長吁一口氣，仰首望著天上的星辰，緩緩接道：「我夢想著小女的絕症一旦療治好後，我要把採得靈藥，煉成丹丸，讓她服用，再傳以武功，使她能衝破習武的限制，短短幾年間，步入大成，如今我這夢想，竟然能夠實現了。」

孫不邪道：「藥王有此豪情雄圖，老叫化也不便挽留你了。」

毒手藥王道：「來日方長，咱們青山不改，綠水長流，他年想見了，後會有期，兄弟就此別過。」

轉身兩個飛躍，消失在暗夜之中不見。

孫不邪望著毒手藥王遠去的背影，長長歎息一聲，道：「此人行事，一向心狠手辣，想不到對待自己女兒，竟如此的慈愛。」

蕭翎道：「只聞子不孝，少見父不慈，古人是誠不欺我了。」

孫不邪道：「南宮姑娘已去，我們也該走了。」當先向前行去。

蕭翎若有所警地望了孫不邪一眼，欲言又止，放步緊隨在孫不邪的身後行去。

夜色中兩人放腿而奔，片刻工夫，又走出四、五里路。

孫不邪停下腳步，低頭在地上瞧了一陣，折向田中行去。

蕭翎也不多問，隨在孫不邪身後，又行里許，突然前面草叢中一聲沉喝道：「什麼人？」

孫不邪道：「老叫化子。」

但見人影一閃，金算盤啇八由草叢中飛身而出。

蕭翎惦念父母，急急問道：「我父母何在？」

啇八道：「小弟深恐留此不夠安全，已叫杜九、金蘭和玉蘭，帶著兩位老人家先行離開，小弟在此等候。」

蕭翎聞言皺眉，心中卻在暗暗忖道：杜九和二婢之力，十分單薄，萬一路上遇到百花山莊的暗樁，如何是好？

啇八似是已經瞧出了蕭翎心中憂慮之事，急急接口說道：「他們有兩條虎獒帶路，必可避開百花山莊的耳目。」

孫不邪道：「走了多久？」

啇八道：「不足頓飯的時光。」

孫不邪道：「咱們快追上去。」

啇八收了金算盤，一挺大肚子，道：「小弟帶路。」

撒腿向東南奔去，夜色幽深，四周景物不明，蕭翎生恐錯了方向，沉聲說道：「啇兄弟，咱們不能走得太快，別錯了方向。」

啇八道：「大哥放心，小弟心中有數。」

蕭翎無可奈何，只好在身後而行。

行不過一里左右，突見一條黑影，閃電般奔了過來。

蕭翎暗中一提真氣，揚起掌力，正待劈出，忽見商八雙臂一張，那條黑影，直撲入商八懷抱之中。

凝神望去，只見那撲入商八懷中的，正是兩條虎獒之一。

孫不邪閱歷豐富，雖然瞧不懂那虎獒的舉動，但卻瞧出了情勢不對，忍不住說道：「有了變故。」

短短四個字，有如鐵錘一般，擊打在蕭翎的心上，只聽得全身一寒，打了一個冷顫，急急說道：「兄弟，有了變故嗎？」

商八道：「似是遇上什麼怪事，咱們得走快一步。」揮手一推，那捲毛虎獒，突然放腿向前奔去。

蕭翎等幾人緊追在虎獒身後，全力向前奔行。幾人輕功何等高強，那虎獒奔行更是迅如閃電，片刻間已奔出六、七里路。

夜色中，一盞紅燈高挑，耳際間響起了奔騰澎湃的水聲。

抬頭看去，只見杜九正站在一座高聳的吊橋之上，揮動著左手的鐵筆和護手銀圈，同一個黑衣大漢，正展開一場激烈絕倫的惡鬥。

那吊橋寬不過三尺左右，而且已經陳舊，人在橋上衝擊搏鬥，使那高懸的吊橋搖動得十分厲害，激盪起伏，嗤嗤亂響。

在黑衣大漢身後六、七尺處，站著一個身體瘦小的黑衣人，高挑著一盞紅燈。

燈光下，倒臥著兩個身著黑衣的屍體，想是傷在杜九手下的敵人。

橋頭盡處，人影閃動，隱隱可見一座高大的神像。

蕭翎道：「是神風幫的人！」

急急向前往吊橋上面奔去。

孫不邪沉聲說道：「蕭兄弟，那吊橋已呈難支之勢，恐怕難再加入，兄弟千萬不可造次，冒這等無謂之險，咱們既然趕到，自是不用再懼怕他們人多，不如招那杜九退下橋來得好。」

蕭翎估量了一下形勢，道：「杜兄弟所佔據的位置，距離實地不過一丈左右，就是那吊橋不支墜落，亦可及時躍回實地。」

商八一探腰際，摸出金算盤，接道：「小弟去接杜兄弟，大哥先去見過兩位老人家。」

當先朝吊橋奔去，口中高聲喝道：「老二，退下來休息一會兒，讓爲兄擋他一陣。」

他喝叫的聲音雖大，但杜九卻似渾如未聞，手中鐵筆揮動，惡鬥如故。

商八江湖經驗豐富，不聞杜九回答，已知情勢不對，暗中一提真氣，直向橋上衝去！

蕭翎流目四顧，不見父母和金蘭行蹤，心中暗自急道：如若兩婢保護著兩位老人家藏在附近，也該現身相見才是，何以不見人影……

忖思之間，瞥見一條人影，疾奔而至。

蕭翎目力過人，一眼間已瞧出正是金蘭，急急說道：「金蘭嗎？兩位……」

話未說完，金蘭已衝到蕭翎身前，接道：「老爺、夫人都安然無恙，玉蘭卻受了重傷，小婢帶他們在一片草叢之中，杜二爺已然連斃四名強敵，恐已受傷，公子快去替他下來。」

蕭翎回顧了孫不邪一眼，道：「老前輩請去瞧看一下玉蘭傷勢，晚輩去助商兄弟拒擋敵人。」

孫不邪道：「橋下山洪急流，勢道甚為凶惡，最好能保護這座吊橋。」

蕭翎應道：「晚輩記下了。」放步向吊橋行去。

孫不邪望著金蘭，道：「姑娘帶老叫化去瞧瞧玉蘭姑娘的傷勢。」

金蘭應了一聲，轉身帶路。

蕭翎行近吊橋，商八已衝上吊橋替下杜九。

只見杜九步履踉蹌，行下吊橋，直走到蕭翎面前兩、三步遠，叫了一聲大哥，下面之言，還未出口，人卻向地上栽去。

蕭翎右手疾如閃電而出，一把抓住杜九，凝目望去，只見他前胸和左腿之上，各有一處刀傷，鮮血早已濕透衣褲，不禁心頭黯然，沉聲說道：「杜兄弟，振作一下，為兄助你一口真氣，不要暈過去。」

左手托著杜九身體，騰出右手，按在杜九背心之上，逼出真氣。一股熱流，由杜九命門穴中直沖而入。

但聞杜九長吁一口氣，睜開了雙目，說道：「大哥，小弟武功平庸，幾乎難保兩位老人家

的安全，但我已盡了心力。」言罷，重又閉上雙目。

蕭翎歎道：「小兄已然感激不盡了……」語聲微頓，接道：「你傷勢不輕，不宜多言，快些運氣，和我逼入你體內的真氣呼應，先使氣血平靜下來，小兄再為你敷藥療傷。」

一向臉色冰冷的杜九，忽然微微一笑，道：「多謝大哥了。」

蕭翎想到他義薄雲天的豪邁之氣，心中既是悲痛，又是感激，一面逼出真氣，助他療傷，一面默查他前胸和左腿上的刀傷，幸好都還未傷及筋骨。

杜九得蕭翎源源不絕的真氣相助，體能漸復，苦戰後的疲累，也大見消減。

睜眼望去，只見蕭翎頭上汗氣隱隱，顯然十分吃力。

當下說道：「小弟得大哥真氣之助，已可自行調息，大哥也可以休息一下了……」

突聞一聲慘叫傳來，打斷了杜九未完之言。

轉臉望去，只見和商八搏鬥的那黑衣大漢，已被商八打下吊橋，慘叫聲中，沉入急流。

蕭翎探手從懷中摸出一包金瘡藥來，敷在杜九傷處，撕下了兩片衣襟，包好杜九傷口，道：「兄弟好好養息，我去助那商兄弟一臂之力。」

站起身子奔向吊橋。

這時對方正有著兩名援手，趕了過來。

商八手執金算盤，正待迎向前去，蕭翎已施展出八步登空的輕功絕技，凌空飛越，由商八頭上飛過。

剛落實地，人已超越過商八身前八尺，回頭對商八說道：「兄弟請回去照顧杜兄弟，由小兄來奪橋開路。」

商八心知蕭翎武功強過自己甚多，當下說道：「大哥小心一些。」回身而去。

蕭翎提氣而行，迎向前去。

那手提紅燈大漢，眼看同伴被商八一算盤擊落水中，自知難敵，已然向後退去。

蕭翎奔行迅速，眨眼間已然追到提紅燈的大漢身前。

那大漢眼看已然無法退避，只好把紅燈交到左手，拔出腰刀拒敵，揮手一刀，直向蕭翎劈去。

蕭翎冷笑一聲，長劍一起，硬向刀上迎去。

他心中充滿悲憤、怒火，出手用力甚重。

但聞噹的一聲，金鐵交鳴，那大漢手中之刀被震得直盪開去。

蕭翎長劍推出的同時，雙足也連環踢出。

那大漢避開左腳，卻無法避開蕭翎接連而至的右腳，正踢在小腹之上，整個身子，飛了起來，呼叫聲中，連人帶燈，跌下了吊橋。

這時，兩個趕來援助的大漢，已然奔近蕭翎。

紅燈跌落橋下，吊橋上驟然間黑暗下來。

蕭翎大喝一聲，搶先攻出一劍。

那當先一個大漢，施用一把厚背開山刀，眼看蕭翎一劍刺來，揮刀向劍上迎去。

他自負臂力過人，使用的兵刃，又十分沉重，蕭翎手中長劍，縱不脫手，也將被震盪開去。

哪知情形完全出了他意料之外，刀劍相觸之下，蕭翎那長劍之上，似有著一股無形的力道，竟然把開山刀上的力道，輕輕卸去，蕭翎長劍貼刀而下，疾快無比，寒芒一閃，那執刀大漢應聲慘叫，右腕齊肘間，被生生斬作兩斷。

蕭翎左掌飛出，砰的一聲，正擊中那大漢前胸，整個的身軀，吃蕭翎一掌打得飛了起來，掉入橋下水中。

蕭翎右腳一挑，把那大漢落到橋上的厚背開山刀，挑了起來，左手一探，抓住了刀柄，運足腕力，一抖手，當做暗器，疾向後面一個大漢打了過去！

那大漢眼看同伴和對方動手，不過兩招，人就被打落橋下，不禁一怔。

蕭翎收拾那執刀大漢，不過是一眨間工夫，出劍、發掌，一氣呵成。

那後面大漢看也沒有看清，同伴已飛出吊橋，摔入急流。

就在他一怔神間，蕭翎投擲過來的開山刀，已近前胸。

雙方距離既近，那開山刀的力道又猛，倉促應變，急急向旁一閃。

五四　驚天一搏

這吊橋不過兩、三尺寬，閃動不穩，那大漢一閃之下，頭撞在攔索之上，直撞得眼睛中金星亂冒，開山刀帶著急風而過，帶走了一條左臂。

蕭翎隨刀而至，飛起一腿，把那大漢踢得飛向橋外。

他片刻之間，連斃三敵，提氣疾向對面奔去。

他擔心對面情急之下，把這吊橋斬斷，沈木風的追兵，再躡蹤而至，那時就難以對付了，是以出手都是十分辛辣的招數，但求一擊成功。

夜色幽暗，對面敵人，無法看清楚橋上搏鬥的情形，竟然未再派人趕來援救。

蕭翎提氣疾奔，一口氣衝過吊橋。

只見橋頭處兩個手執鬼頭刀的大漢，正在向橋上張望。

顯然是沒有想到派出的援手，竟然在片刻之間，傷亡在蕭翎手中。

蕭翎來勢奇快，待兩人警覺，蕭翎已衝到橋頭，右手長劍一招「海市蜃樓」，幻起了一片耀眼生花的劍影，攻向南面一人，左手發出修羅指力，擊向北面一人。

北面一個大漢，還未看清楚蕭翎，已然被修羅指力擊中前胸玄機要穴，一聲未出的栽下橋

去。

右面一人見重重劍影，當頭罩下，糊糊塗塗的舉刀封去，一刀封空，已知不妙，想待要走，已知不及，劍光掠頭而過，斬去了大半個腦袋，悶哼一聲，栽落橋下。

蕭翎一舉手間，收拾了兩個守橋大漢，縱身一躍落在橋下。

只見火光閃動，幽暗的夜色中，突然亮起了兩盞紅燈。

蕭翎長長吁一口氣，抬頭望去，只見前面四丈左右處，停放著一座高大猙獰的神像。八個全身黑衣，手執長劍的黑衣大漢，一排並立，擋在那神像前面。

四個赤膊短褲，全身黑毛，似人非人、似猿非猿的高大漢子，分站那神像兩側。

在那神像之後，人影幢幢，似是還有著不少的人。

蕭翎長劍橫胸，冷冷說道：「神風幫主，你既想在江湖之上揚名立萬，何以不肯以真面目見人，這樣裝神弄鬼，故弄玄虛，難道還真能嚇倒人嗎？」

只聽那高大神像口中傳出一個清脆嬌甜的聲音，道：「你是什麼人？口氣如此誇大。」

蕭翎一皺眉頭，暗道：聽此人聲音分明是一位婦道人家，想不到一個女孩子，竟然會塑造出這樣一座恐怖猙獰的神像，藏身其中……

心頭念轉，口中卻冷冷應道：「在下蕭翎。一個婦道人家，這般裝神弄鬼，倒是少見的很，這等猙獰神像，只能嚇唬一般愚夫愚婦罷了，如若想借這份陰森之氣，在武林中爭霸，未免是太可笑了。」

那恐怖的神像似是被蕭翎言語所激怒，拳頭大小的雙目中，突然射出來兩道亮光，即時傳出冰冷的聲音，道：「你們退下，我要親自會會蕭翎。」

八個手執長劍的黑衣大漢，應聲向後退去，躲到那神像之後。

四個短褲赤膊，全身黑毛的怪人，也緩步退到那神像之後。

這些時日中，蕭翎連遇強敵，特別注意四個赤膊怪人，看他們舉動緩慢，雙臂之上肌肉壘起，已知這四人蠻力驚人，暗生戒備之心。

但聽那嬌甜聲音道：「蕭翎，請動手吧！」

蕭翎怔了一怔，道：「你躲在那神像之中，咱們如何一個打法呢？」

神像中傳出一陣咯咯的笑聲，道：「這神像就是神風幫主，你儘管出手吧！」

蕭翎打量那神像一眼，只見那神像高有一丈四、五，全身上下彩色繽紛，實不知該如何下手，當下說道：「在下候教，幫主先請出手。」

心中暗道：你躲在神像之中，看你如何一個出手之法。

心中念轉，人卻暗中運氣戒備，絲毫不敢大意。

只聽神風幫主說道：「你小心了。」

闊大的嘴巴突然一張，一道白芒，直射出來。

這時，蕭翎已然逼近那神像前一丈左右，覺出那射來白芒，十分勁急，立時揮劍擋去。

噹的一聲金鐵交鳴，那白芒吃蕭翎一劍震開。

藉著燈光望去，竟然是一柄一尺左右的短劍。

那短劍旋盪開去，環飛半周，突然又縮回那神像闊大的嘴巴中。

蕭翎冷笑一聲，道：「姑娘在那短劍之後，繫上一條緊牢的繩索，收放自如，那也算不得什麼驚人的古怪。」

話還未完，但聞一陣嗤嗤輕響，那神像一條粗大的右臂，緩緩伸展開來。

蕭翎長劍平舉胸前待敵，雙目卻盯著那緩緩伸動的手臂。

但聞那神風幫主說道：「蕭翎，你可有膽子再行近一些嗎？」

蕭翎道：「有何不敢。」緩步向前行去。

只聽身後傳過來孫不邪的聲音，道：「蕭兄弟，別中了敵人激將之法。」

一條人影帶著衣袂飄風之聲，疾躍而至。

人還未到，掌力已落。一股劈空掌風，直撞過來，砰的一聲，正擊在那神像前胸之上。

只見那高大的神像搖了兩搖，仍然屹立未動。

孫不邪右手擊出了一記劈空掌，左手卻抓住了蕭翎左腕，硬把蕭翎拖了回來，低聲說道：「此時豈可和她賭氣。」

蕭翎想到父母仍處險惡之境，立時應道：「老前輩話雖然不錯，不過，因她擋在道中，如若不先行把她制服，如何能夠通過？」

孫不邪回顧一眼，道：「何不從旁側繞過？」

蕭翎道：「在那神像之後，隱藏有不少神風幫中高手，豈會輕易放過咱們……」

聲音一低，接道：「杜九、玉蘭的傷勢不輕，目下已無再戰之能，家父母都是未習過武功之人，如不把他們驚走擊退，只怕不易脫過險阻。」

孫不邪道：「老叫化這次重入江湖之後，得我丐幫弟子相告，神風幫的標識神像，乃當代十二位巧手名匠，費時十年方得造出，其中布設精巧，手足可以轉動出擊，而且能發出三十六種不同的暗器，據說其中有兩種毒煙、毒水，更是惡毒無比，只要進入它一丈以內，不論武功何等高強，身手何等迅快，也無法躲開那毒煙、毒水。」

蕭翎劍眉聳動，道：「這麼說來，這座象徵那神風幫主的神像，無人能夠對付了。」

孫不邪道：「凡是傳言，不是有些誇張，就屬有些保留，很難得恰如其分，但他說得如此厲害，就算有誇張，也不會離譜太遠，你現在一身繫天下武林命運，又要保護父母安危，如是情勢所迫，非得一拚，別無他途可循，那也罷了，但得能夠避過，就不用涉險了，何況對方又非是以武功和你相搏，以血肉之軀，和暗器、毒煙、毒水相拚，大可不必。」

蕭翎道：「老前輩之意呢？」

孫不邪道：「以老叫化子之見，不如繞道而行，避其銳鋒，只要咱們不近他一丈之內，縱有暗器，也難傷得咱們。」

蕭翎道：「就以老前輩之見，晚輩在此拒擋敵勢，老前輩要他們盡快渡過吊橋。」

孫不邪道：「不用了，老叫化早已和那商八約好聯絡信號。」

言罷，仰臉一聲長嘯。

蕭翎探手從懷中摸出了一把制錢，低聲說道：「那神像構造雖然靈巧，但它笨重龐大，本身又不會移動，咱們只要設法對付它隨帶的幾個屬下，不讓他們移動那龐大的神像，也就夠了。」

孫不邪道：「目前形勢迫切，蕭兄弟也不用顧慮到傷人的事，非得來一個先聲奪人，才可震懾住他們。」

蕭翎道：「老前輩說得是……」

語聲微頓，高聲接道：「神風幫眾人聽了，在下等路過此地，並無和諸位動手之心，但如諸位出手相逼，不要怪在下下手毒辣了。」

神風幫主冷笑一聲，道：「你們談了半天，原來是研究的逃走之策。」

只見那猙獰神像，一顆巨頭，緩緩移動，兩道亮光，直射向兩人身邊。

蕭翎低聲說道：「老前輩說得不錯，這座神像果然建造得十分精巧。」

神風幫主冷笑一聲，接道：「蕭翎，本幫主已聽過你的大名，何以今日卻不敢和我一戰？」

蕭翎道：「在下並無害怕姑娘之意，只因今宵有要事在身，不能多留於此，日後如是再遇上幫主，蕭某必將在幫主身前一丈之內領教。」

神風幫主道：「你說的可是當真嗎？」

蕭翎道：「自然是當真了。」

神風幫主突然高聲道：「放他們過去，不許出手攔截。」

這一下，不但大出了那蕭翎意料之外，就是連那見多識廣、閱歷豐富的孫不邪，也聽得一臉茫然之色。

只見那四個赤膊短褲怪人，抬起那高大的神像，向後退了三丈，讓開大道。

蕭翎低聲說道：「老前輩見多識廣，可瞧出這是怎麼一回事嗎？」

孫不邪道：「聽那神像中傳出的聲音，那神風幫主定然是女子了？」

蕭翎道：「這倒不錯。」

孫不邪道：「這就對了，老叫化一生怕一種人。」

蕭翎道：「什麼人？」

孫不邪道：「女子，凡是女人家做的事，老叫化總是猜不透。」

說話之間，商八已帶著蕭氏夫婦和杜九等度過了吊橋。

兩隻虎獒緊隨在商八身後。

商八低聲說道：「大哥，可要斷去這座吊橋嗎？小弟渡橋之前，曾見兩朵火花，直升高空，也許是百花山莊的追兵。」

蕭翎一皺眉頭，道：「你們盡快通過，最好能逃走小徑，其餘的事都由我和孫老前輩對付，神風幫讓路之心，莫可預測，也許他們會隨時改變主意。」

商八不再多言，揹著蕭大人，扶著杜九，當先而過。

金蘭扶著玉蘭，揹著蕭夫人，緊隨在商八身後。

蕭翎眼看著父母受累之苦，不禁黯然神傷，悄悄流下眼淚來。

那神風幫主似是很講信用，果然未曾出手攔截。

蕭翎眼看商八等一行走遠，低聲對孫不邪道：「老前輩，咱們也可以走了。」

孫不邪道：「你和神風幫主打個招呼吧！」

蕭翎心中暗想道：就今宵情勢而言，那神風幫主如若下令出手，只怕父母和受傷的杜九、玉蘭，很難閃得過去，想到連傷神風幫中數人，心中甚感不安。

當下抱拳一禮，說道：「幫主讓道之情，蕭翎牢記於心，日後當有一報。」

那高大神像中傳出嬌甜的聲音，向蕭翎道：「不用謝了，快些去吧！」

孫不邪道：「走啦。」一拉蕭翎，聯袂而起。

兩人武功何等高強，聯袂疾奔，片刻之間，已然追上了商八等一行。

孫不邪長長吁一口氣，道：「兄弟，老叫化聽那神風幫主的口氣，似是毫無敵意。」

蕭翎道：「晚輩亦是想不透，她何以會突然間化敵爲友。」

孫不邪道：「唉！女孩子的心，最是難猜，咱們還是別猜算了，倒是有一樁重要之事，不知兄弟你要如何處置？」

蕭翎道：「什麼事？」

孫不邪放緩腳步，道：「目下你聲譽日高，但結仇也漸多，那沈木風是視你如眼中之釘，百花山莊勢力龐大，只怕已凌駕當今各大門派之上，此刻，你已自自然然的變成一干俠義同道心目中的領袖，大勢所趨，欲罷不能，目下江湖的紛亂、複雜，前所未見，恐非三、五年，能夠平靜下來……」

他頓了一頓，繼道：「老叫化勸你擔當重任，自然該全力助你，義無反顧，死而後已，但令尊、令堂，卻是一個大大的負擔，只要有人控制兩位老人家，就可以迫你蕭翎屈服、變節，爲人所用之。」

蕭翎長長吁一口氣，默然不語。

孫不邪接道：「眼下最爲重要的事，就是把令尊和令堂，送往一處安全隱秘之地，你才能一心一意，對付強敵。」

蕭翎道：「老前輩說得不錯，可是何處是安全之地呢？」

孫不邪道：「我們丐幫總舵，安全倒是安全，只是令尊、令堂，整日裏和叫化子生活在一起，只怕是難過得很。」

蕭翎道：「貴幫總舵，防衛雖然森嚴，但卻早已有了百花山莊的暗樁耳目，家父母如若安居於貴幫總舵，此訊只怕極快就會傳入沈木風耳中……」

孫不邪道：「此話當真嗎？」

蕭翎道：「在下絕不會無的放矢，不但貴幫中有那沈木風的耳目暗樁，當今各大門派之中，無一沒有那沈木風安排的耳目，連那神風幫也一樣有。」

孫不邪道：「我丐幫忠誠相傳，如有此等之事，那可是大傷臉面的事……」

語聲微微一頓，道：「兄弟可知那人是誰嗎？」

蕭翎道：「那沈木風召集他們時，都戴著面罩，晚輩認他不出。」

孫不邪道：「老叫化已然很久不問幫中事了，但此事卻不能不管，必得查出其人不可。」

蕭翎輕輕歎息一聲，欲言又止。

他心知茲事體大，如是一言錯出，立時可能引起丐幫中自相殘殺，心中沒有把握，手中沒有證據之前，不敢亂言。

孫不邪輕輕咳了一聲，道：「當年那沈木風身受重傷，追殺他的群豪，如若能夠耐心追尋出他的下落，當場處死，武林之中，也不會有今日這等紛亂之局了。唉！斬草不除根，留下了今日這個禍胎，只怕也非當年追殺沈木風的群豪，始料所及了。」

蕭翎道：「其人不但武功精深，莫可預測，而且心機陰沉，手段惡毒，亦是人所難及，奇怪的是，他竟能羅致武林中那麼多高手，為他效力賣命。」

孫不邪道：「他為人所不願為，行人所不肯行，加上那陰沉的心機，高強的武功，自然是更見鋒芒了……」

他語聲微微一頓，接道：「丐幫既不能去，兄弟對兩位老人家做何安排呢？」

蕭翎道：「晚輩也難想出，何處是安全之地。」

孫不邪道：「兄弟，兩位老人家的事，必得妥善處理，你才能夠放手在江湖上有所作爲，照老叫化子的看法，目前你已經聲名大振，三、兩年後，必將被擁做武林領袖，和那沈木風、四海君主等對抗於江湖之上，這是數百年來武林中從未有過的混亂之局，也是江湖上最悲慘的殺戮時代，不是老叫化捧你，當今武林形勢除了你兄弟之外，再也無人能收拾這局殘棋……」

蕭翎歎息一聲，道：「老前輩太過誇獎晚輩了。」

孫不邪哈哈一笑，道：「老叫化一生，從未誇獎過人，我只是在爲當前動亂之下，悲慘的武林同道請命……」

突然放低了聲音，接道：「但兩位老人家卻成了一大拖累！沈木風必不會和你硬拚，而會費盡心機去找兩位老人家的下落，兄弟，老叫化願以殘餘之年，老朽之身，助你一臂，但你必得有膽識，擔起這副擔子。」

蕭翎只覺他言外別有用意，一時間沉吟不語。

金算盤商八突然接道：「在下倒知道一個清靜之地，也許那沈木風耳目難及。」

孫不邪道：「什麼地方？」

商八道：「那地方遠在南海之中，是一片四面海水環繞的孤島，漁人百戶，風景秀麗，如若由金蘭、玉蘭陪著兩位老人家，息隱於那孤島之上，也許沈木風無從追覓。」

孫不邪道：「不成，那孤島之上，不過只有百戶人家，兩位老人家遷居孤島，必將轟動全村，漁舟飄泊，行蹤難定，此訊必將有一日傳入中原。」

商八沉吟了一陣，道：「老前輩說得是，必得找一處人蹤罕至的地方才是。」

孫不邪道：「也不成，那地方必得使蕭兄弟十分放心，才能無後顧之慮。」

蕭翎歎道：「想不到天地如此遼闊，我蕭翎竟然使父母無存身之地。」

商八道：「大哥不用憂慮，咱們慢慢想，總會找到一處使大哥放心之地。」

談話之間，突聞一陣急促的馬蹄聲奔了過來。

孫不邪低聲道：「快躲入道旁草叢之中！」

當先閃身而入，只見兩匹健馬，一先一後，疾奔而來。

但聞後面馬上之人道：「咱們走了一日夜，全不見一點消息，我看一定是走錯方向了。」

那當先一騎馬上之人，說道：「唐兄只管放心，兄弟神卦決不會錯，一定在這個方位。」

商八低聲對蕭翎說道：「大哥，這不是東海神卜司馬乾的聲音嗎？」

蕭翎道：「有些像他。咱們等他行近一些瞧瞧再說。」

運足目力望去，那當先一騎上之人，果然是司馬乾，後面一人身揹長弓，腰繫箭袋，滿袋中盡是鵰翎，竟是神箭鎮乾坤唐元奇。

蕭翎一躍而出，攔在路中，道：「司馬兄，追覓何人？」

司馬乾一下子勒住馬韁，奔行中的快馬，長嘶一聲，停了下來。

他望了蕭翎一眼，道：「找你啊！蕭兄。」

縱身下馬，奔上前去，握住蕭翎的一隻手，說道：「找苦我們了……」
不容蕭翎答話，回頭對身後的唐元奇道：「唐兄，兄弟的神卜如何？」
唐元奇道：「果然是靈驗得很。」
翻身下馬，奔到蕭翎身前，抱拳一個長揖，接道：「馬總瓢把子身受重傷之後，推薦蕭兄，他說：如若我武林同道，想度過這一番悲慘殺劫，唯有擁蕭兄主盟大局……」
蕭翎急急接道：「那馬總瓢把子的傷勢如何？」
唐元奇道：「傷得雖重，但已得武當派掌門人無爲道長賜藥施救，已無性命之險。」
司馬乾緩緩問道：「未和中州二賈在一起嗎？」
司馬乾喜道：「好極，好極，諸位無恙，兄弟也可以對他們交代了。」
商八扶著杜九挺身而起，道：「中州二賈在此。」
杜九冷冷說道：「交代什麼？」
司馬乾道：「眾家英雄擔心兩位安危，兄弟力辯無恙，如是兩位有了閃失，豈不要天下英雄笑我司馬乾卜卦不靈了。」
杜九道：「兄弟雖然未死，但卻受傷不輕。」
商八突然想起了神偷向飛，急急問道：「那老偷兒怎麼樣了？」
司馬乾道：「向兄受傷較輕，已可行動自如了。」
孫不邪緩緩站起身子，接道：「他們現在何處？」

孫不邪在百花山莊之中，大展神威，群豪已知他之名，都對他敬重無比。

司馬乾當先抱拳一禮，道：「老前輩也在此地。」

孫不邪道：「怎麼?老叫化不能來嗎?」

司馬乾微微一笑，道：「在下踏進中原，原來想與中原武林同道上的人物，一爭長短，哪知百花山莊一戰，使在下雄心盡消，心中對蕭兄，更是生出了無比敬慕之心，因此，決心留在中原，助他一臂之力……」

孫不邪哈哈一笑，道：「孺子可教，老叫化倒要和你交一交了。」900

司馬乾輕輕咳了一聲，道：「無爲道長和馬文飛等，現在一處十分隱秘之地，一面養息傷勢，一面籌劃對付那沈木風之策。」

孫不邪道：「距此多遠?」

司馬乾道：「行程約在兩百里左右。」

孫不邪道：「你可以下馬來，走上一程，也好舒散一下筋骨。」

司馬乾道：「老前輩說得是。」

翻身下馬，高聲對杜九道：「請上馬趕路。」

蕭翎只瞧得心中大感奇怪，暗道：初和此人見面之時，是那般冷傲孤僻，一副自負不群的神情，此刻，何以會忽然間變得如此溫和?

只聽啇八說道：「老二上馬去!那神卜既是誠心相讓，咱們也不用和他客氣了。」

杜九大步走了過去，冷冰冰地說道：「那就有勞你走路了。」

司馬乾道：「杜兄受傷，兄弟是理應相讓。」

伸手扶著杜九上馬。

商八目光轉到唐元奇的身上，道：「唐兄，咱們還有一位受傷的姑娘……」

唐元奇急急接道：「哪一位？快些請來上馬。」

商八回頭叫道：「金蘭姑娘，玉蘭姑娘的傷勢如何？是否還可乘馬趕路？」

金蘭道：「得孫老前輩療治，並以真氣助她之後，傷勢已然大見好轉，大概可以乘馬了。」

商八道：「好！快把她送過來。」

金蘭應了一聲，抱著玉蘭行了過來，坐上唐元奇的健馬。

蕭翎心中甚覺不安，正待說兩句感謝之言，那孫不邪高聲叫道：「沈木風只要渡過吊橋，必將窮追咱們，咱們快些趕路吧！」

司馬乾道：「好，兄弟帶路。」當先向前行去。

商八、金蘭，揹起蕭大人夫婦，一行向前奔去。

沿途上，蕭翎談起了經過之情，只聽得那司馬乾和唐元奇目瞪口呆。

唐元奇聽完經過，不禁長長一歎，道：「一個沈木風，已經是很難對付，如今又加上一個四海君主，這江湖上的紛亂，可算百年來，最爲繁雜之秋。」

孫不邪道：「素聞那武當掌門人無爲道長，足智多謀，如若能想出一個法子，再讓四海君主和沈木風火併一場，咱們倒可省去不少氣力。」

蕭翎道：「據在下所見，這兩人都是心機十分陰沉之人，只怕是不易挑撥起他們的怒火。」

司馬乾道：「那四海君主武功如何？」

蕭翎道：「他一直未曾出手，使人難測高深……」

孫不邪接道：「老叫化知道那逍遙子，不但武功高強，而且心機惡毒，那四海君主既能用那逍遙子爲他效力，自非平庸之輩。」

唐元奇、司馬乾，都不知那逍遙子來歷出身，一時間，倒是無法接口。

天亮時分，蕭翎等行到一個鎭店之上，爲了蕭夫人，群豪只好休息半日，雇好一輛馬車，重行趕路。

一夜兼程，到次日太陽下山時分，到了一座湖邊。

司馬乾道：「蕭兄，那無爲道長等，就在此湖對岸……」

蕭翎凝目望去，只見對面青山邊，隱隱現出一片茅舍。

孫不邪估計湖面長約二里，寬亦在里許左右，當下說道：「沒有渡河之舟，我們如何才能渡過這片湖水？」

唐元奇道：「老前輩不用擔心，在下要他們立刻放船過來。」

左手挽弓，右手取出一支響箭，嗤的一聲，射了出去。
他善施強弓，素有神箭之譽，長箭破空而上，直沖霄漢。
片刻之後，果見那湖面之上，一葉小舟，裂波而來。
舟行奇速，片刻工夫已到了幾人停身的岸邊。
一個中年佩劍道人，運槳行舟，船頭卻站著藍衣佩劍的展葉青。
展葉青不待小舟停好，縱身一躍上岸，揮手對唐元奇和司馬乾道：「兩位辛苦了。」
目光轉到孫不邪的身上，抱拳說道：「難得老前輩大駕光臨。」
孫不邪道：「令師兄一向少問武林中事，想不到這一次居然捲入了是非之中。」
展葉青道：「敝師兄雖號無為，實則俠骨熱腸，此次江湖大亂初動，敝派已捲入漩渦之中，都是敝師兄仁慈心胸，不忍坐視大劫興起之故。」
孫不邪道：「怎麼？難道少林、峨嵋、青城幾大門派，都坐視不管？」
展葉青道：「敝師兄已派遣急足，晉見少林掌門方丈，函陳目下江湖大局，去人未返，目下少林派態度如何，還未得回音。」
語聲微微一頓，接道：「敝師兄已在候駕，諸位請登舟過湖再說。」
孫不邪也不客氣，當先登上小舟。
司馬乾道：「展兄先帶孫老前輩和蕭大俠過湖，我等稍候片刻。」
原來，那木舟過小，孫不邪、蕭翎、蕭大人夫婦，加上金蘭、玉蘭登上艙中之後，小舟已

無轉身餘地。

展葉青低聲對那運槳道長說道：「你留此陪他們一會兒，我來操舟。」他年紀雖輕，但在武當門下，身分甚高，那道長應了一聲，躍登上岸。

展葉青運槳行舟，船快若飛，片刻工夫，已到對岸。

只見白髯垂胸的無爲道長，帶著雲陽子早已在岸上相迎。

蕭翎目光流動，四下打量了一眼，但見這一座半月形山谷盆地，一半依山，一半臨湖，湖光山色，在晚霞中相映交輝，景物十分秀麗。

無爲道長合掌對孫不邪笑道：「老前輩避世數十年，竟然也被牽入了江湖殺戮是非之中。」

孫不邪生性豪放，哈哈一笑，道：「老叫化行將就木，風燭殘年中，能爲武林正義，稍盡綿薄，那是死而無憾。」

蕭翎想到無爲道長對自己相護之力，立時急行兩步，長揖說道：「晚輩蕭翎，拜候道長大安。」

無爲道長欠身還了一禮，笑道：「蕭大俠已是我武林同道，目下最爲敬佩之人，貧道有幸，早得識荆。」

蕭翎輕輕歎息一聲，道：「蕭某少不更事，何德何能，道長如此誇獎，晚輩如何當受得

起。」

無爲道長回顧了雲陽子一眼，道：「二弟請代小兄迎候群豪。」

雲陽子欠身道：「小弟領命。」

無爲道長低聲對孫不邪道：「兩位請到貧道靜室奉茶，貧道正遇著一樁爲難之事，反覆思想，難以決斷，還得向二位請教。」

這時，早有兩位中年道人，迎了上來，把蕭大人夫婦和金蘭、玉蘭，接入一座茅舍中。

蕭翎、孫不邪緊隨在無爲道長身後，行入了一座茅舍中。

茅舍中布設非常簡單，一榻一桌外，只有幾張竹椅，但卻打掃得纖塵不染。

一個眉目清秀的道童，分別爲三人獻上香茗。

孫不邪雖已年登古稀，但生性仍十分躁急，急道：「道長有什麼事，還請早些見告，老叫化素來最沒耐性。」

無爲道長舉手一揮，那道童悄然退出茅舍，順手帶了木門。

孫不邪心中暗自奇道：看來此事還十分機密哩。

無爲道長輕輕歎息一聲，道：「此事太過突然，連貧道也有些莫名所以，如是蕭大俠今日不到，今夜中即將有一場意外的殺戮。」

蕭翎呆了一呆，道：「和晚輩有關嗎？」

無爲道長道：「不錯，來人指名要找蕭大俠。」

蕭翎奇道：「什麼人？」

無爲道長道：「北天尊者。」

孫不邪臉色一變，道：「那老魔此刻在中原道上嗎？」

無爲道長道：「就在附近十里之內，他遠居北海冰宮，甚少到中原武林中來，但他耳目卻很靈敏，對目前中原武林形勢，瞭如指掌……」

孫不邪接道：「那老魔頭可是和沈木風勾結一起，要在中原武林道上掀起一場殺劫嗎？」

無爲道長搖搖頭，道：「北天尊者自負異常，如何肯和那沈木風勾結一起，何況他一直未有爭雄中原之心……」

孫不邪道：「那是單獨衝著蕭翎而來了。」

無爲道長道：「不錯……」

目光凝注在蕭翎臉上，緩緩接道：「蕭大俠請勿見怪，貧道雖然明知其中有誤會，但也得先行說明內情。」

蕭翎道：「老前輩儘管請說，晚輩洗耳恭聽。」

無爲道長道：「蕭大俠可認識那北天尊者之女？」

蕭翎略一沉吟，道：「見過一面。」

無爲道長道：「這麼說來，其間雖有誤會，倒不是空穴來風的事了？」

蕭翎道：「究竟什麼事？老前輩只管明言。」

無為道長道：「昨宵深夜，北天尊者突然單人匹馬，過湖而來，直闖貧道暫居茅舍，貧道一聞其名，知他武功非同小可，當時以禮迎見，他卻直探蕭大俠的行蹤何在……」

蕭翎接道：「道長如何答覆他？」

無為道長道：「貧道看他面有怒容，笑說不知，但他卻不信貧道之言，臨去之際，聲言限令貧道今宵子時之前，找到蕭大俠，如是屆時不能說出蕭大俠的行蹤，可不能怪他，要屠盡武當一門。」

蕭翎道：「為什麼呢？」

無為道長道：「他說蕭大俠拐走了他的女兒……」

蕭翎劍眉聳揚，俊目生光地接道：「這從哪裏說起！」

無為道長道：「貧道亦知其間必有誤會，但那北天尊者，卻不肯再多解釋，含怒而去。」

孫不邪怒道：「這老魔是誠心找事罷了，這幾日中，老叫化一直和蕭兄弟守在一起，從未見過那北天尊者之女。」

無為道長道：「貧道為此亦曾思慮甚久，想到其中定然是別有內情……」

目光轉到蕭翎臉上，說道：「當代武林中，同時崛起了兩位蕭翎……」

孫不邪一跳而起，道：「不錯啊！定然是那位冒牌蕭翎幹的。」

蕭翎輕輕歎息一聲，道：「眼下真相未明，很難肯定是那藍玉棠所為，待今晚見過那北天

尊者再說。」

無爲道長道：「眼下情形，也只有如此了，屆時由孫老前輩和貧道陪你見他，如是鬧翻動手，也好有個接應。」

蕭翎道：「晚輩行蹤，件件可考，不怕洗刷不了蒙受的不白之寃。」

無爲道長道：「話雖如此，但那北天尊者爲人一向孤傲自負，只怕不肯聽你解說。」

蕭翎道：「如若情勢迫人，那也沒有法子，只好和他一較長短了。」

無爲道長雖然聽人說過，百花山莊之戰，蕭翎豪勇無比，但以他這點年紀，就是生具奇稟異質，也難和那北天尊者抗拒，本待勸說幾句，忽聞木門呀的一聲，那守門的道童道：「師叔已帶群豪而至，候諭室外。」

無爲道長起身迎到室門口處，合掌說道：「諸位請進。」

商八當先而入，緊隨著杜九、唐元奇、司馬乾、展葉青、雲陽子，相隨魚貫而入。

那道童替群豪排了座，獻上香茗後，又悄然退出室外。

司馬乾拱手一笑，道：「兄弟誇下海口，去找蕭大俠，憑得卜卦之術，幸未辱道長之命。」

無爲道長笑道：「司馬兄辛苦了……」

目光轉到杜九臉上，接道：「杜兄傷勢如何？可要貧道帶杜兄去靜室休息……」

杜九冷冰冰地說道：「不用了，在下還可以支撐得住。」

無爲道長微微一笑，道：「貧道選擇此地，只爲了強敵不易暗襲，以那沈木風耳目之靈，說不定此刻已然得知了咱們存身之處，如是他決定對付咱們，也許在兩日之內，就可以率領高手趕到……」

語聲微微一頓，又道：「諸位遠道來此，想腹中早已飢餓，先請進些食用之物，貧道再要他們帶諸位到住宿之室，小息一日，養好精神，萬一那沈木風率人追蹤來此，也好和他一決雌雄。」

話聲甫落，已有兩個道童奔入茅舍，齊齊合掌說道：「諸位請入膳室進餐。」

群豪在兩個中年道人引導之下，進入另一座茅舍之中，酒菜早已擺好，靠內一桌，魚、肉、雞、鴨，應有盡有，靠外一桌，卻是幾盤蔬菜。

原來，無爲道長、雲陽子以及皈依玄門的弟子都已不食葷腥。

一餐飯匆匆食畢，群豪在那幾個道人率領之下，人各一室。

五五 兩敗俱傷

此地原有數十戶人家，以漁獵爲主，但無爲道長選中此地，大聚群豪，準備和百花山莊爲敵之後，生恐武林殺戮，波及無辜，特地重金遣散聚居於斯的數十戶樸實人家。

蕭翎居室，緊傍父母，這兩位老人，眼看愛子身受武林同道擁戴，身歷數度生死，心知這等江湖恩怨牽纏而起的仇殺，已非言語能夠解說明白，只好不聞不問。

但那蕭夫人愛子心切，日日夜夜爲蕭翎擔心，幾度想勸他退出江湖，找一處清靜之地，過那平淡生活，但卻爲蕭大人從中勸阻。

這夜二更時分，蕭翎悄然起身，經過了半宵休息，精神十分充沛，正想會合無爲道長趕赴那北天尊者之約，瞥見父母房中燈光未熄，暗忖道：我蕭翎連累父母，老年跋涉奔走，實是有虧孝道，二老深夜未眠，必是憂心所致……

心中念轉，人卻信步行了過去，正待叩門而入，突聽室中傳出母親的聲音，道：「唉！生子當爲農家子，漁耕安居到白頭，只因翎兒太過聰慧，才招惹這些麻煩纏身，害得我日夜爲他擔心。」

慈母之聲，字字充滿著天倫情愛，只聽得蕭翎鼻孔一酸，熱淚奪眶而出。

但聞蕭大人接道：「算啦！如若翎兒當真是漁耕之子，只怕你又要怪他沒出息，咱們雖受了不少風霜之苦，但卻也增廣了很多見聞，山色、湖光，披星戴月，都是我夢想不到的經歷……」

蕭夫人怒聲接道：「你這做父親的，全然不爲孩子擔心，他終日裏耍刀弄劍，殺殺砍砍，須知刀槍無眼，要是被人傷了如何是好！」

蕭大人哈哈一笑，道：「這個你儘管放心，我瞧咱們翎兒的本領之大，就算千軍萬馬，箭如飛蝗，也是傷他不著，他小小年紀，能受無數的江湖英雄愛戴，是何等榮耀之事，生子正當如此才是……」

蕭夫人怒聲喝道：「好啊！你倒是贊成他闖蕩江湖了，有父如此，難怪他生具野性了。」

蕭大人笑道：「翎兒如若不是學得一身絕世武功，能否活到現在，誰也難以預料，記得我告訴過你的話吧！他生具怪病，名醫束手，多則活到二十，少則十五而夭，我準備他足滿十五之年遊歷天下，讓他長些見聞，也不枉到人間一趟。」

蕭夫人道：「話雖然不錯，但此時和彼時不同，翎兒此刻怪症已好，難道還硬要說他是身具絕症不成？」

蕭大人道：「你那翎兒，已得絕症而死，此刻的翎兒，已非我們所有……」

蕭夫人道：「我生他、養他，不是我的是誰的？」

蕭大人一直帶著爽朗的笑聲，說道：「此刻你那翎兒，已經是這一代武林中救星，千萬人生死的擔子，已放在他的肩上，夫人如若只爲一己之私，逼翎兒棄武就耕，翎兒天生至孝，必將從你之命，咱們有了翎兒，但天下苦矣！不知多少個父母，將爲此失去他們的愛子，多少個婦人，失去她們的丈夫。」

蕭夫人歎息一聲，道：「翎兒還不足弱冠，對天下蒼生，真的如此重要嗎？」

蕭大人道：「他身承武林絕技，雖不及弱冠之年，但已具當世無匹的武功身手，這些殺劫，雖只是武林中人物的恩怨，但餘波所及，只怕要牽連很多無辜百姓，你只顧到翎兒一人生死，那未免太過自私了。」

蕭翎站在窗外，只聽得凜然一震，轉身逕向無爲道長靜室之中行去。

無爲道長和孫不邪早已在室外相候，眼看蕭翎行來，立時迎了出去。

蕭翎低聲說道：「晚輩來遲一步，有勞兩位老前輩久候了。」

孫不邪仰臉望望天色，道：「來得正好。」

無爲道長道：「北天尊者的事，貧道不想驚動群豪，因此特地邀約孫兄和蕭大俠，乘舟渡湖，和他在對面會談，萬一動起手來，也不致驚動群豪。」

蕭翎道：「老前輩說得是。」

行近湖面，只見展葉青勁裝佩劍，早已在舟上等候。

無爲道長一皺眉頭，道：「你怎麼知道了？」

展葉青欠身說道：「師兄恕罪。」

孫不邪笑道：「老叫化瞧令師弟，日後必能光大你們武當門戶，要他去見識一番也好。」

無爲道長長歎一聲，道：「如非瞧在孫老前輩爲你說情份上，非得逐你下舟不可。」

展葉青微微一笑，抱拳對孫不邪一禮，道：「多謝老前輩代爲說項。」

孫不邪也不還禮，一躍登舟，道：「快些走吧！」

展葉青伸手拿起雙槳，輕聲對無爲道長道：「操舟弟子，已爲小弟遣回。」

雙槳撥水，小舟疾如離弦之箭，駛入湖中。

一天浮雲，掩去了星月之光，湖面上一片昏黃之色。

無爲道長雙目神凝，望著湖面，緩緩說道：「咱們得留心一些，如若北天尊者早來一步，直入咱們息居之地，那就不堪設想了。」

說話之間，瞥見一艘小舟，急駛而來。

孫不邪道：「那一艘小舟，是不是北天尊者？」

展葉青不待無爲道長吩咐，小舟一轉，疾向那快舟迎去。

一去一來，眨眼間已然接近。

展葉青雙手運槳，忽然一橫小舟，攔住了來舟之路。

無爲道長站在船頭，合掌說道：「來人可是北天尊者？」

只聽一個蒼勁的聲音應道：「正是老夫。」

小舟上緩緩站起一個青衣小帽的長髯老人。

原來，他在舟中放了一座軟榻，斜臥在軟榻之上。

孫不邪暗道：這北天尊者倒是很會享受，竟在小舟上放下一具軟榻。

蕭翎打量著北天尊者，只見那小舟之上，除他之外，只有一個爲他操舟的大漢。

心中大感奇怪，忖道：此人一向是蟒袍玉帶，僕從如雲，今宵何以這般輕舟簡從而來。

無爲道長笑道：「此時還不到三更時分，尊者來得很早。」

北天尊者答非所問地說道：「道長可曾找到那蕭翎嗎？」

無爲道長道：「幸未辱命，不過……」

蕭翎不等無爲道長話完，搶先說道：「區區在此，尊者有何見教？」

北天尊者道：「老夫看就像你，果然不錯……」

目光轉到孫不邪的身上，道：「你是丐幫中碩果僅存的孫不邪了。」

孫不邪哈哈一笑，道：「正是老叫化子。」

北天尊者冷冷說道：「老夫久仰你的大名，今宵有幸一會。」

孫不邪道：「好說，好說。」

北天尊者目光又轉到蕭翎臉上，道：「小女現在何處？」

蕭翎搖搖頭，道：「令嬡去處，區區如何知道？」

北天尊者怒道：「你不知道，哪個知道！」

蕭翎道：「在下爲何定要知道令嫒去處何在？」

北天尊者道：「不要激怒老夫，免得鬧出慘劇。」

蕭翎劍眉一聳，昂然接道：「尊者如是不願講理，那就不用談了……」

北天尊者怒道：「老夫如不講理，豈會這般輕舟簡從而來，但你激怒老夫……」

蕭翎冷冷接道：「尊者含血噴人，就不怕激怒我蕭翎嗎？」

北天尊者似乎想發作，雙眉聳動，長髯無風自動，但終於忍了下去，緩緩說道：「小女不是被你拐逃而去嗎？」

蕭翎怔了一怔，道：「什麼人瞧到在下拐帶了令嫒？」

北天尊者道：「無人瞧到。」

蕭翎冷笑一聲，道：「無人瞧到，那是誰告訴你的？」

北天尊者道：「也不是。」

蕭翎道：「既是無人瞧到，也無人告訴過你，尊者何以指說在下拐帶了令嫒？」

北天尊者道：「老夫推想如此，自然是不會錯了。」

蕭翎氣極而笑，道：「事關令嫒名節，尊者最好能仔細推敲一下，污蔑在下，也還罷了，但傷到令嫒名節，在她可是一大憾事。」

北天尊者冷冷說道：「你既未拐帶小女，那小女到哪裏去了？」

蕭翎道：「這個在下如何得知？」

北天尊者凝目思索了一陣，道：「你當真不知道嗎？」

蕭翎道：「自然是當真了，難道這等事情，還會和你說笑不成。」

北天尊者沉吟了一陣，道：「不論你是否拐帶小女，但在小女未曾現身之前，我就要唯你是問。」

蕭翎冷冷說道：「尊者這般不講道理，不知是何用心。」

北天尊者仰天打個哈哈，道：「當今武林之世，又有幾人配和老夫講說道理。」

蕭翎道：「尊者之意，要如何處置我蕭翎呢？」

他心知此人武功高強，中原武林道上，目前又正値紛亂之際，也不願多樹強敵，故而心中雖然氣憤難耐，但卻強自忍了下去。

北天尊者道：「老夫要把你帶走。」

蕭翎怔了一怔，道：「在下並不知令嬡行蹤何處，帶走我也是枉然。」

北天尊者道：「老夫自有良策。」

蕭翎道：「如若真能有助你找回令嬡，我蕭某倒是極願幫忙，尊者可否先行講出來，讓在下考慮一下。」

北天尊者道：「小女出走，全是爲了找你，老夫把你帶走之後，就昭告天下，老夫擒得蕭翎，一月之內，予以處死，小女爲了救你之命，定會在一月期限之內趕回來。」

孫不邪冷笑一聲，道：「好辦法啊！不過，只有一點不妥。」

北天尊者道：「哪裏不妥了？」

孫不邪道：「如若令嬡聞訊稍遲，或聽得其訊仍然不肯回去，尊者要如何處置蕭翎？」

北天尊者道：「如無小女求情，老夫出口之言，自然是不會更改……」語聲微微一頓，接道：「老夫此次行遊中原，原想尋那禁宮之鑰的下落，卻不料小女出走，使老夫憂心如焚，那追覓禁宮之鑰一事，不得不稍微延緩一些時候了。」

孫不邪道：「尊者之意，是說一月之內，如是令嬡不到，你就當真處死蕭翎？」

北天尊者道：「不錯，老夫想不出哪裏不妥。」

蕭翎只覺胸中熱血沸騰，實是難再忍耐！當下說道：「有一事，尊者忘記了。」

北天尊者奇道：「什麼事？」

蕭翎道：「尊者忘記了我蕭翎不會束手就擒，任憑宰割。」

北天尊者冷然一笑，道：「難道你還敢和老夫動手不成？」

蕭翎道：「有何不敢。」

北天尊者怒道：「就在這小舟之上如何？」

蕭翎暗道：他久居北海冰宮，定會水裏功夫，不可和他在舟上動手。心念一轉，忍下怒火，道：「舟上地方狹小，尊者如想動手，最好能找一處寬闊所在。」

北天尊者道：「也好！」舉手一揮，快舟掉頭，當先駛去。

孫不邪望了無爲道長一眼，道：「看來今宵之局，委曲亦難求全了。」

無爲道長左手向下一按，故意讓小舟慢行，待那北天尊者去遠，才低聲對蕭翎說道：「蕭大俠，這北天尊者武功高強，非同小可，蕭大俠當真要和他動手嗎？」

蕭翎道：「事情已然迫到頭上，晚輩縱不願和他動手，也是有所不能。」

孫不邪接道：「咱們車輪戰他，老叫化先打第一陣，如是勝他不過，蕭兄弟再接第二陣，不用等和他分出勝敗，就由道長接手……」

蕭翎搖搖頭，道：「這辦法有些不妥……」

孫不邪道：「哪裏不妥了？」

蕭翎道：「北天尊者屬下高手甚多，在下是親目所見，如若咱們車輪戰他一人，他必將招來屬下相助，豈不是自找麻煩，不如由在下一人出手，和他決戰，不論勝敗，都不會牽扯上其他的麻煩。」

孫不邪道：「無爲道長和老叫化，既然參與了此事，都不會眼看著，讓那北天尊者把你帶走，這一戰，你如勝了，自然是好，萬一不幸落敗，老叫化和無爲道長，決難坐視，這一戰勢必要鬧出流血慘劇不可。」

談話之間，小舟已然近岸。

那北天尊者早已站在岸上等候，滿臉不耐煩的神色，冷冷說道：「這湖面也不過百丈寬

窄，你們就是走得再慢一些，也有靠岸之時。」

蕭翎一躍登岸，接道：「尊者請出手吧！」

這時，天上的浮雲，突然散去，露出了一勾新月，和滿天繁星。

北天尊者打量了蕭翎一眼，淡淡一笑，道：「你年紀輕輕，倒是很有膽氣。」

蕭翎道：「不勞誇獎。」

但聞衣袂飄飄之聲，孫不邪、無為道長、展葉青已齊齊躍登上岸。

北天尊者冷冷望了三人一眼，淡淡地對蕭翎說道：「你亮兵刃吧！」

蕭翎刷的一聲，抽出背上長劍，道：「尊者也請亮兵刃吧！」

北天尊者道：「老夫即以雙掌奉陪。」

蕭翎緩緩把長劍還入鞘中，解下佩劍遞給了孫不邪，道：「尊者既是不肯亮出兵刃，在下也只好赤手奉陪了。」

北天尊者一皺眉頭，道：「你赤手空拳，如何是老夫之敵。」

蕭翎一提真氣，抱元守一，道：「在下如若傷在尊者手中，那只怪在下學藝不精，死而無憾，在下只要說明一件事，那就是我沒有拐帶尊者的女兒。」

北天尊者道：「這個老夫相信了，但如不用你做餌，只怕很難找回我那女兒，情非得已，老夫是非得生擒你不可了。」

蕭翎淡然一笑，道：「尊者武功高強，天下無人不知，在下能和尊者動手，那是榮莫大

焉。不論勝負，都將全力抗拒。」

北天尊者淡然一笑，道：「你沒有取勝的機會。」

揚手一掌，拍了過去，他拍來掌勢，不見如何用力，但卻有一股強猛無比的力道，直撞過來。

蕭翎心知這一戰的勝敗，後果牽連甚大，哪裏還敢有絲毫大意，縱身一閃，避開掌勢。

只聽北天尊者喝道：「小心了。」

拍出的右掌，突然變爲擒拿手法，疾快絕倫地抓了過來。

蕭翎五指半屈，反向北天尊者右腕拂去。

北天尊者突然一躍而退，愕然說道：「十二蘭花拂穴手，你可認識那柳仙子？」

蕭翎聽他一開口，便能夠叫出自己使用的武功名字，亦不禁爲之一呆，暗道：此人武學，果然是淵博得很。

當下說道：「不錯，那柳仙子乃在下的師尊……」

北天尊者冷笑一聲，道：「那是無怪你如此狂傲了。」

雙手一緊，排山倒海一般地攻了過來。

蕭翎施出南逸公連環閃電掌法，拒擋那北天尊者排山倒海一般的凶猛攻勢。

孫不邪和無爲道長，暗中凝聚功力，只要蕭翎稍顯不支，兩人都將以雷霆下擊之勢，同時出手解救。

在兩人心目之中，以那北天尊者的盛名，蕭翎決難支撐過三十招。

哪知事情竟是大出了兩人的意料之外，蕭翎和北天尊者對拆五十招，仍然是一個不勝不敗之局。

南逸公連環閃電掌以雄渾迅快見長，最適攻敵，柳仙子十二蘭花拂穴手，卻是以輕靈奇異見稱，最適用以拒敵。

蕭翎同時使用出兩種武功，那是世間最快迅的攻勢，和當代最佳妙的防守之術。

北天尊者攻勢凌厲猛惡，但他只能突破蕭翎那快如閃電的護身掌影，卻被蕭翎那佳妙的拂穴手法，迫得中途收勢。

兩人惡鬥近百招，未曾硬拚過一掌，正因如此，也愈覺其凶險，觸目驚心。

雙方又拆數招，北天尊者突然收掌而退。

蕭翎初和北天尊者動手之時，心中有著幾分畏怯之心，數十招後，膽氣漸壯，攻守之間，更見純熟，正想反守搶攻，那北天尊者卻突然收掌而退。

孫不邪望了無爲道長一眼，微微頷首。

無爲道長也是微微頷首一笑。

這兩人雖未交談一語，但心中卻同時在讚頌蕭翎的武功，這位才絕一代的少年英豪，已然爲武當掌門所心折。

但聞北天尊者冷漠地說道：「如是老夫猜得不錯，你用的掌法，該是那南逸公的連環閃電掌法。」

蕭翎道：「不錯，尊者果然是見多識廣。」

北天尊者道：「你兼得南逸公、柳仙子，中原武林兩大高手絕藝，難怪能在極短時間之內，揚名於江湖之上了。」

蕭翎道：「尊者誇獎了。」

北天尊者道：「不過，老夫有一點不明之處，倒是要請教一、二。」

蕭翎道：「尊者儘管請問。」

北天尊者道：「數十年前，老夫曾和那南逸公比過掌法，柳仙子也曾和老夫比過武功，那時，老夫稍勝他們一籌。」

蕭翎聽他辱及義父的威名，急急接口說道：「就在下的看法，尊者此言，只怕未必確實。」

北天尊者怒道：「老夫是何等身分，豈肯隨便撒謊不成。」

蕭翎還待反唇相譏，孫不邪搶先接道：「蕭兄弟，先讓他說下去吧！」

蕭翎強自忍下心中激動，道：「尊者姑妄言之，在下姑妄聽之就是。」

北天尊者道：「因此老夫知南逸公的連環閃電掌法，必得二十年以上的工夫，才能夠發揮出雄渾的威力，但閣下不及弱冠，就算是自離娘胎之後，便練習武功，也難有此等火候，這一點倒使在下大爲不解。」

蕭翎道：「在下自知掌力難及義父百分之一，尊者誇獎了。」

北天尊者道：「以閣下掌力而言，和老夫昔年和南逸公動手時相差不多，但那時，南逸公也正值壯年，在連環閃電掌中，已下過三十餘年的工夫了。」

孫不邪接口說道：「天賦不同，每人的成就自然是也不同了。」

北天尊者冷冷說道：「老夫沒有問你老叫化子。」

孫不邪哈哈一笑，道：「老叫化愛管閒事，天下有誰不知。」

蕭翎急急接道：「尊者這等盤問在下，不知是何用心了！」

北天尊者道：「老夫百思不解，故而相問，那是談不上有所用心。」

蕭翎心中暗道：這倒不錯。

當下問道：「在下覺不出有何不同，如若一定是有，那也許是在下不及我那義父的精妙。」

北天尊者道：「南逸公的掌力至剛，但你掌力中卻是剛中蘊柔。」

蕭翎心中暗道：難道因我修習的內功，和義父不同，發生的掌力，也有不同之處嗎？口雖不信，但心中對那北天尊者的博廣見識，卻是暗暗的敬佩。

但聞北天尊者接道：「如是你單以那南逸公的閃電掌法，抗拒老夫攻勢，三十回合內，老夫可以點中你的穴道……」

蕭翎接道：「這麼說來，尊者是手下留情了。」

北天尊者道：「那倒不是，只因你使用了柳仙子的十二蘭花拂穴手，使老夫很多精妙的擒拿法，無所發揮威力。」

蕭翎道：「原來如此。」

北天尊者接道：「老夫還要告訴你一件事，那十二蘭花拂穴手，乃當代武學中最佳妙的防守武功，除了老夫之外，只怕無人能夠破它……」

蕭翎道：「尊者如此口氣，定知破解之法了。」

北天尊者道：「不錯，老夫若不能破解那十二蘭花拂穴手，豈不是枉被世人稱爲北天尊者嗎？」

蕭翎心中暗道：此人見識宏博，只怕此言不是信口開河了。

但聞北天尊者冷冷地接道：「還有一事，老夫亦得先行說明，你可以選擇決定。」

蕭翎暗道：這人雖然狂傲，倒是頗有氣度。

當下說道：「尊者有何指教？」

北天尊者道：「老夫生平之中，和人動手，只有兩次超過百招以上，這次，是第三次，你一個後生晚輩，有此成就，那是足以誇耀了……」

蕭翎雄心勃勃，但表面上卻故作輕鬆地淡淡一笑，道：「在下倒不作此想，尊者如若就是這些嘉勉之言，不說也罷了。」

北天尊者臉色一變，道：「好！既是如此，老夫就刪繁從簡，長話短說了……」

語聲微微一頓，接道：「天下武功中，很難有一套掌法、拳法，同時能對付連環閃電掌和十二蘭花拂穴手，老夫雖有破解之能，但卻已無法拿捏得恰到好處，說不定要了你的性命，或是重傷了你，因為在點穴和擒拿手法中，決然無法對付十二蘭花拂穴手了。」

蕭翎道：「不妨事，傷了在下，只怪我蕭翎學藝不精，死亦無憾。」

北天尊者道：「這和老夫的本意不同了，老夫之意，是想生擒於你，以你為餌，誘小女歸來，如是一掌把你打死，豈不是和老夫用心相反嗎？」

蕭翎道：「天有陰晴，月有圓缺，世上事，只怕難有十全十美之局，尊者想得雖好，只是力難從心，那也是沒有法子的事了。」

北天尊者道：「老夫倒有一策，不知你是否肯答應老夫？」

蕭翎道：「願聽高論。」

北天尊者道：「你如自知不是老夫敵手，何不束手就擒，既可保得性命，亦合老夫心願，豈不是兩全其美嗎？」

蕭翎搖頭笑道：「可惜我蕭翎不是貪生怕死的人，那是有負尊者的美意了。」

北天尊者怒道：「倔強的小娃兒，接掌！」

右手一揮，劈了過來。

這一掌和適才攻來掌勢，大不相同，掌勢未到，一股暗勁，夾雜著砭骨寒氣，直湧過來。

蕭翎一皺眉頭，暗道：「這是什麼武功，怎的如此寒冷。」

心中念轉，右手卻揚起硬接一掌。

掌勢相觸，全身突覺一寒。

但聞北天尊者冷冷說道：「這是老夫稱絕於世的玄冰掌，一流的江湖高手，也是難以接過十掌。」說話之間，雙手連揮，又是兩掌劈來。

蕭翎暗裏咬牙，雙手齊揮，又把兩掌接下。

只覺這兩掌中的陰寒之氣，猶過上面一掌，不禁心中大驚，暗道：我如這般和他搏鬥下去，豈不要被那陰寒之氣，活活冰得手足不靈……

北天尊者哈哈一笑，道：「果然不錯，連接老夫三掌，竟是面不改色。」

右手揚手拍出，一股奇寒之氣攻來。

他一掌接一掌，攻了過來，使蕭翎沒有考慮拒敵的機會，只好再揚手，又把這一掌接下。

但感全身一寒，一股陰寒之氣，不自禁地打了一個冷顫，一縷寒意，直攻內心。

北天尊者雙手連環各攻三掌。

蕭翎左封右擋，連接六招。

北天尊者停手一笑，道：「老夫這玄冰掌力如何？」

這時，蕭翎已感覺到內力之中，似被一奇寒之流侵襲，連帶雙手、雙足，都有些運轉不靈。

心中既是驚駭，又是氣怒，說道：「這等邪門武功，勝之亦不算武……」

北天尊者道：「老夫費了數十年苦功，練成驚人奇技，前無古人，足以流傳百代，豈可以邪門視之。」

蕭翎感覺到心中寒意越來越重，全身肌肉，都被那一股奇寒侵襲得無法控制，心知難再和他動手，但如此落敗，心中實有不甘，一面強自提聚真氣，運起修羅指力，左手卻探入懷中，摸出了一把銀丸，冷冷說道：「尊者只知那柳仙子十二蘭花拂穴手，妙絕一時，可知她還有什麼絕技嗎？」

北天尊者道：「除了她十二蘭花拂穴手外，在下倒是想不出，她還有什麼驚人的武功了。」

蕭翎冷笑一聲，道：「可要在下學給尊者瞧瞧嗎？」

北天尊者道：「老夫倒是想見識一下。」

蕭翎道：「好！先見識一下柳仙子的暗器手法。」

左手一揚，一把銀丸，疾飛而出，分襲北天尊者上、中、下各處大穴。

北天尊者哈哈一笑，道：「漫天花雨的暗器手法，何足為奇。」

雙掌拍出，勁力山湧而出，近處銀丸，紛紛被那暗勁擊落。

就在北天尊者擊打暗器的同時，蕭翎大喝一聲，飛躍而起，運足全力，發出了修羅指力。

北天尊者只顧擊打暗器，不防蕭翎絕學突出，一縷強勁無儔的指風，直擊過來。

心中警覺，已然遲了一步，凌厲指風，已然逼近前胸玄機大穴。

匆急之間，疾向旁側讓去。

只覺肋間一疼，指風正擊在大包穴上。

這修羅指力，非同小可，北天尊者雖有著深厚的內功，亦是承受不起，只覺氣血上湧，眼前金星亂冒，幾乎栽倒地上。

但他畢竟是有著非常武功之人，一提氣，壓制著翻動的氣血，轉身疾奔而去。

蕭翎強行運氣，發出修羅指力，雖是幸得成功，但本身也已支持不住，雙腿一軟，一跟頭向前栽去。

孫不邪、無為道長，齊齊飛躍而上，抓住了蕭翎，急急問道：「傷得很重嗎？」

兩人目光過處，夜色中，見蕭翎面色蒼白如蠟，雙目緊閉，口中還喃喃自語，道：「這是柳仙子的修羅指力。」

說完了這一句，人也昏了過去！

孫不邪見蕭翎面色蒼白如蠟，人也昏死過去，知道受傷甚重，不禁怒罵道：「這老匹夫用的什麼惡毒武功，蕭兄弟竟……」

抬頭看去，哪裏還有北天尊者的蹤影。

無為道長輕輕歎息一聲，道：「老前輩不用氣怒了，那北天尊者亦受重傷而逃，這一戰，他並未佔得便宜。」

孫不邪搖搖頭，道：「老叫化應該先讓他消耗一些內力才是。」

無爲道長道：「目下事情已過，老前輩悔之無益，眼下最急的是，先設法治療蕭大俠的傷勢。」

孫不邪伸出手去，一探蕭翎鼻息，只覺他氣息微弱，內傷似是十分嚴重，不禁一皺眉，道：「他傷得很重！」

無爲道長沉吟了一陣，道：「蕭大俠受傷之事，不宜洩露，貧道之意，就在左近，爲他找一處養息傷勢的地方，不知老前輩意下如何？」

孫不邪道：「不錯，沈木風耳目靈敏，此訊如若傳出，他必將很快的得到消息。」

展葉青接口說道：「距此二里之外，有一處富有農家，讓蕭大俠在那農家養息如何？」

孫不邪道：「如是人口眾多，只怕洩露消息。」

展葉青道：「那農家雖然富有，但人丁卻是不旺，一對夫婦之外，只有一個女兒。」

無爲道長道：「你何以知道？」

展葉青道：「小弟曾帶馬總瓢把子，在那裏住過兩日，故而知之甚詳。」

無爲道長道：「那很好，蕭大俠傷勢甚重，刻不容緩，咱們得立刻趕去才是。」

展葉青應了一聲，轉身而去。

孫不邪抱起蕭翎，無爲道長斷後相護，直奔正東行去。

兩里行程，轉眼即到，夜色中果見一座高大的宅院，矗立眼前。

展葉青行到門前，扣動鐵環。

片刻之後，一個中年漢子，手中提著一盞燈籠，開了兩扇木門。

他口中喃喃自語，不乾不淨地亂罵，但一見展葉青勁裝佩劍，立刻嚇得住口不言，神智也大見清醒。

展葉青裝作未聞，抱拳一禮，道：「有勞兄台通報李老丈一聲，就說一位姓展的求見。」

那大漢舉起手中燈籠，瞧了展葉育一眼，道：「原來是展大爺。」

展葉青微微一笑，道：「趙兄還能記得小弟。」

那大漢道：「展大爺太客氣了，這稱呼叫小人如何能擔當得起，展大爺你稍候片刻，小人這就去給你通報。」

那大漢去了不久，帶著一個慈善老丈，迎了出來。

展葉青迎上前去，抱拳一禮，道：「又來打擾老丈。」

那老人道：「老漢房子寬大，用它不完，展少爺快請進屋裏坐。」

那大漢提燈帶路，把幾人引入一座跨院之中，道：「展大爺還有吩咐嗎？」

展葉青道：「深夜驚擾，在下甚是不安，趙兄請休息去吧！」

那老丈望了孫不邪和蕭翎一眼，也不多問，和那大漢一齊退出跨院。

展葉青推開房門，無限感慨地說道：「這是馬總瓢把子療傷住的房子，想不到，我們竟然又借用了。」

孫不邪道：「這等善良人家，何以竟肯留我們這江湖人物？」

展葉青道：「他們夫婦，大約昔年受過馬總瓢把子的恩惠。」

無爲道長沉吟了一陣，道：「沈木風耳目遍及歸州方圓數百里，咱們不能拖累到別人，貧道盡半宵之力，如是蕭大俠傷勢仍然不見好轉，咱們也該另外找尋一處隱秘之處，以便蕭大俠療養傷勢，無論如何，不能拖累他們。」

孫不邪道：「道長說得不錯。」

舉步行到木榻之前，緩緩放下蕭翎。

無爲道長低聲說道：「三弟，把燭火拿近一些。」

展葉青應了一聲，手執火燭，行近榻前，無爲道長借那明亮的燭火，仔細地查看著蕭翎的臉色，不禁一皺眉頭。

自蕭翎受傷之後，無爲道長一直神情平靜，但此刻卻臉色大變。

孫不邪道：「久聞道長的醫道精深，想必早已胸有成竹，有救治蕭翎之法了。」

無爲道長不答孫不邪的問話，伸手抓住了蕭翎雙手，瞧了一陣，搖著頭歎道：「貧道毫無把握。」

孫不邪道：「這麼說來，他傷得十分危險了。」

無爲道長道：「他似是被傷在一種很特殊的武功上，不解傷情，實難斷言療救……唉！不過貧道當盡我心力。」

孫不邪道：「道長準備如何著手？」

無為道長道：「此刻他氣息十分微弱，貧道先以本身內力，助他暢和氣血，再行酌情施用藥物。」

孫不邪道：「老叫化對醫學一道，外行異常，如何處理，全憑道長了。」

無為道長心情沉重，面色一片嚴肅，緩緩說道：「貧道先行試試再說。」

扶起蕭翎身子，右手按在背心命門穴上，暗運真氣，一股熱流直攻入蕭翎命門穴中。

足足過了一頓飯工夫之久，仍然不見反應。

孫不邪伸手摸去，只覺蕭翎的左手，仍是一片冰冷，當下說道：「道長不用白費力了，趕快換一種法子試試。」

無為道長長歎一聲，收回右手，將手從懷中摸出了一個玉瓶，倒出了兩粒丹丸，投入了蕭翎口中。

燭光下，只見蕭翎面色鐵青，嘴唇發青，口含兩粒丹丸，竟是無法嚥下。

孫不邪搖搖頭，道：「看來是沒有救了。」

無為道長振起精神，捏開蕭翎牙關，用水沖下兩粒丹丸。

丹丸入腹，有如投入大海中的沙石，良久不見動靜。

孫不邪突然一跺腳，道：「道長請盡心力，老叫化去找毒手藥王。」

無為道長道：「單以醫術而論，那毒手藥王確是當今第一名醫，老前輩如是能找他來此，是最好不過了。」

展葉青突然接口說道：「老前輩可知道那毒手藥王落足之處嗎？」

孫不邪搖搖頭，道：「不知道。」

無爲道長道：「老前輩既不知他落足之處，天涯如此遼闊，你要到哪裏找他？」

孫不邪道：「大海撈針，碰碰運氣罷了。」

無爲道長道：「如是情勢不見好轉，只怕蕭大俠難以撐過兩日。」

孫不邪道：「道長難道無法保得他多活幾日嗎？」

無爲道長道：「貧道如有把握保他多活幾日，那也不用老前輩去找毒手藥王了。」

孫不邪臉色一變，道：「如果不是我出主意，仍讓他留在四海君主那裏，也許他還不會死了。」語音微頓，接道：「道長此刻準備如何處置蕭翎？」

說話時，雙目神光如電，眉宇間隱現怒意。

無爲道長心中雖然激動，但他卻強自保持鎮靜，道：「貧道再試試金針過穴之法，如果仍然無法激起他生命中的潛能，貧道就束手無策了。」

孫不邪道：「那是說，金針過穴之法，仍然不能激起蕭翎生命的潛力，他就算死定了，是嗎？」

無爲道長道：「至低限度，貧道已經無能爲力了。」

孫不邪哈哈一笑，道：「那時，道長準備如何？」

無爲道長道：「老前輩之意呢？」

孫不邪道：「老叫化的心意嗎？蕭翎死在道長和老叫化的手中，咱們是一條線拴兩個螞蚱，飛不了你，也跑不了我。」

無爲道長淡淡一笑，默然不語。

展葉青卻忍不住接口說道：「老前輩之意，可是說要在下師兄，爲蕭翎償命嗎？」

孫不邪道：「也少不了我老叫化子。」

展葉青道：「老前輩和敝師兄，一齊爲他抵命？」

孫不邪道：「你話裏有語病，不是抵命，應是引咎自絕。」

展葉青道：「這就不公平了。」

孫不邪道：「是了，可是沒有把你算上了？」

展葉青道：「他傷在北天尊者手下，敝師兄爲他療傷，那也不一定能把他治好，不然就以命相抵，這未免太過暴虐了。」

孫不邪笑道：「蕭翎若不幸死去，還有何人能和那沈木風頡頏於江湖之上，那時也是難免一死，早死、晚死而已，死之何惜。」

展葉青還想反唇相譏，無爲道長卻搶先說道：「三弟，不許和孫老前輩鬥口……」合掌對孫不邪一禮，道：「貧道略通相術，看蕭大俠決非早夭之相……」

孫不邪接道：「如他相屬早夭，那是早該死了。」

他生性躁急，火暴的脾氣，一生無法改過，否則，以他的成就名望，早已接掌了那丐幫幫主之位。

無爲道長道：「老前輩但請放心，如若蕭翎當真的不幸而逝，貧道自絕以謝武林。」

他這麼一說，孫不邪反有些不好意思起來，長歎一聲，道：「老叫化只不過說兩句氣憤之言，道長不要放在心上，不過，如若蕭翎當真的死去，就老叫化所知，確有幾人必將追隨泉下。」

展葉青道：「什麼人？」

孫不邪道：「第一個，是他的高堂老母……」

展葉青接道：「年老失子，痛不欲生，這有可能，不知還有何人？」

孫不邪道：「中州二賈，和他由百花山莊帶出來的金蘭、玉蘭。」

展葉青道：「當真會嗎？」

孫不邪怒道：「老叫化就不願再生人世，別說他們了，你這娃兒，怎生如此多疑，連老夫之言，也不肯信。」

無爲道長已從懷中取出金針，高聲說道：「三弟掌好燈火。」

展葉青應了一聲，高舉起手中火燭。

無爲道長看準了蕭翎穴道，金針疾沉而下。

金針入穴，突見蕭翎張嘴吁一口氣，道：「冷死我了！」

無爲道長拔出金針，道：「是了，那北天尊者練的寒毒氣功，他身爲寒氣所侵，開兩副逐寒之藥試試。」

孫不邪眼看蕭翎突然啓口說話，心中大喜，道：「這金針過穴之法不錯，道長再試兩針如何？」

無爲道長道：「他身受寒毒，如若不能逐除寒氣，就算讓他清醒過來，也是無用。」

孫不邪道：「不知何處有逐寒之藥？」

無爲道長道：「他受寒毒，和一般受寒之人不同，藥量必得下重，貧道開好藥方，叫人配上兩副就是。」

孫不邪道：「好！你快開藥方，老叫化去配藥。」

無爲道長道：「天色將明，稍候片刻再去如何？」

孫不邪冷冷說道：「人命關天，生死一髮，這等大事，也是可以遲延的嗎？」

無爲道長苦笑一下，道：「老前輩的話雖不錯，但貧道卻不得不小心從事……」

孫不邪道：「開個藥方，輕而易舉，難道還要等待很久不成？」

無爲道長無可奈何地道：「蕭大俠內功，已到了寒暑難侵之境，但此刻卻爲陰寒所侵，那自非普通的寒氣了，也不能用普通驅寒之藥，貧道必得仔細琢磨一番，才能開出藥方。」

孫不邪想了一想，暗道：這話倒也不錯，當下不再言語。

無爲道長輕歎一聲，道：「老前輩但請放心，以蕭翎的內功，雖受北天尊者陰寒掌力所

傷，但一時之間，卻不致有性命之憂。」

孫不邪黯然說道：「就目下情勢而論，蕭翎一人的生死，已不是他一人之事，而是天下武林同道的安危……」

無爲道長道：「老前輩說得不錯，蕭大俠的生死，關係著整個武林同道興亡，而且我們武當派首當其衝，老前輩對蕭大俠的生死，固然是關心得很，但貧道對蕭翎的關心，只怕不在老前輩之下。」

孫不邪道：「老叫化對醫學一道，是全無研究，蕭翎的生死，全要憑仗道長了。」

無爲道長道：「爲蕭大俠，爲我們武當派，貧道都會盡我心力。」

說罷，凝目沉思，不再言語。

孫不邪緩步走到蕭翎倒臥的木榻前面，低頭望去，只見蕭翎緊閉雙目，面色蒼白，嘴唇發青，不禁心頭黯然，伸出手去，抓住蕭翎的右手，只覺蕭翎掌、指一片冰冷，似是全無半分生機，頓時覺著鼻孔一酸，流下來兩滴老淚。

這當兒，突聞得轟然一聲暴響，傳了過來。

孫不邪心神一震，道：「哪來的暴響之聲？」

展葉青道：「傳警訊號。」身子一側，衝出房門。

轉臉望去，只見無爲道長仍然在凝目沉思，似是正在用心思索著一件十分爲難的事，對那暴響之聲，充耳不聞。

只見展葉青急急奔到無爲道長身側，伸手推著無爲道長，道：「師兄，傳警訊號升起，恐已有強敵來了。」

無爲道長一躍而起，道：「傳警訊號？」

展葉青道：「不錯，小弟適才登樓查看，見那傳警火花，似是起於湖畔，想是強敵已經渡湖了。」

無爲道長回顧了孫不邪一眼，道：「老前輩留此看護蕭翎，貧道與展師弟回去瞧瞧。」

孫不邪道：「老叫化和你同去，留下令師弟在此守護蕭翎，萬一是那北天尊者去而復返，老叫化當和他一決生死。」

無爲道長道：「據貧道看法，那北天尊者受傷不輕，決不會去而復返，八成是沈木風的屬下，追尋至此。」

他心中很急，說完了最後一句話，人已飄身離室。

展葉青拔步欲行，卻被孫不邪伸手攔住，道：「小娃兒，你留這裏好好看顧蕭翎，老叫化和你師兄同去。」

展葉青道：「這個，這個……」

但聞無爲道長說道：「孫老前輩武功，強你百倍，有他同行，縱遇強敵，亦可對付，你就留在這裏吧！」

但聞話聲逐漸遠去，話說完，人也消失在夜色之中不見。

孫不邪縱身躍離室門，一點院中實地，人已躍上屋面，眨眼間消失不見。

展葉青輕輕歎息一聲，隨手關上房門，搬把椅子，坐在蕭翎身旁。

大約過了一盞熱茶的工夫，突然蕭翎夢囈般地叫道：「好冷啊！好冷啊！」

展葉青站起身子，拉起棉被，蓋在蕭翎的身上。

就在他動手替蕭翎蓋棉被的當兒，突然砰的一聲大震，緊閉的木門，突然大開。

一陣夜風，吹了進來，燭影搖晃，燈光暗而復明。

展葉青迅快地轉過身子，右手一抬，長劍出鞘，凝目望去，只見一個頭挽宮髻，身著綠衣，胸繡金花的美麗婦人，緩步進入室中。

展葉青道：「金花夫人！」

金花夫人冷冷說道：「不錯。」

目光一掠蕭翎接道：「他傷得如何？」

展葉青長劍一揮，灑出一片劍花，道：「他雖已無拒敵之能，但有我展某在此，諒你也不能加害於他。」

金花夫人神色肅然，緩步向木榻前行去。

展葉青長劍推出，劃起一道銀虹，喝道：「站住，要再向前進一步，當心我劍下無情。」

金花夫人淡然說道：「別激怒我……」

展葉青道：「激怒你又能怎樣？」

傷。」

金花夫人道：「要你試試白線兒的威力。」

展葉青道：「白線兒？」

金花夫人道：「天下最毒、最奇的怪蛇，如生雙翼，靈活無比，全身堅硬如鐵，刀劍難傷。」

展葉青道：「有這等事，在下倒是有些不信了。」

金花夫人道：「這不能試，沒有一個人，能有第二次再試的機會……」

展葉青冷冷說道：「我如何能信得過你？」

金花夫人右手探入懷中，取出一個尺餘長，半寸徑的玉盤，揚手冷漠地說道：「你和我兄弟的交情如何？」

展葉青道：「誰是你的兄弟？」

金花夫人道：「蕭翎。」

展葉青回顧了蕭翎一眼，道：「不算好，也不太壞。」

金花夫人突然長長歎息一聲，又收起玉盤，道：「我如讓你死在白線兒毒口之下，我那兄弟醒來之後，心中定然不快。」

展葉青道：「這倒不用夫人多慮……」

金花夫人接道：「我沒有很多時間，你快說，除了咱們動手之外，還有什麼法子，我可以

過去看看我兄弟的傷勢。」

展葉青道：「你如是真的無意下手加害於他，瞧瞧他的傷勢無妨，不過……」

金花夫人道：「不過什麼？快些說呀！」

展葉青道：「爲了防患未然，我要點你幾處穴道，使你沒有抗拒之能，如若你動手加害於他，我可出手阻止。」

金花夫人冷冷說道：「好！你出手吧……」

雙手交叉，閉目而立。

展葉青左手疾出，點了金花夫人兩處大穴，一側身，道：「你可以行近木榻瞧他，但不得出手觸及到他。」

金花夫人冷冷地望了展葉青一眼，緩步行近木榻，星目神凝，盯注在蕭翎臉上，瞧了一陣，道：「他傷得很重！」

展葉青道：「很重。」

金花夫人道：「北天尊者獨門玄冰掌力，除了他自製的解藥之外，天下無解救之藥……」

展葉青接道：「這倒不勞費心，敝師兄精通醫道，自有逐寒之法。」

金花夫人冷笑一聲，道：「令師兄那點道行有限得很……」

緩緩退後五步，道：「快解開我的穴道，我去找北天尊者，替他討取解藥。」

展葉青怔了一怔，伸手拍活了金花夫人穴道，道：「北天尊者的武功高強，你去求藥，那無疑是自投羅網。」

金花夫人冷笑一聲，道：「這似乎不關你的事了。」

展葉青呆了一呆，半晌答不出話。

金花夫人道：「好好照顧他，等我的消息，如是明天二更之前，我還不能趕到，那你們就不用等我了。」說罷轉身向外行去。

展葉青急急說道：「站住！」

金花夫人已然走出室門，回過頭來，說道：「你還有什麼事？」

展葉青道：「適才有警訊傳來，可是和你有關？」

金花夫人道：「沈木風親率高手，追蹤至此。」

展葉青道：「在下還有一事不明。」

金花夫人道：「此刻我寸陰如金，你快些問吧！」

展葉青道：「你何以知道蕭翎在此養傷？」

金花夫人道：「你們和北天尊者動手，我一直隱身在暗中觀察。」

展葉青道：「這麼說來，沈木風也知道了。」

金花夫人道：「如是沈木風知道蕭翎在此，早已追來此地了。」

也不容展葉青再多問話，縱身而起，躍上屋面，身子一閃而沒。

展葉青望著金花夫人遠去的背影，長長歎息一聲，緩步走回蕭翎的木榻之前。

金花夫人之言，他雖不能全信，但也無法不信，想到師兄此刻或已和沈木風短兵相接，展開了生死之戰，心中更是焦急萬端，心中想趕去助戰，但丟下蕭翎一人在此，又有些放不下心。

一時間，茫然無主，不知該如何才好。

時間在焦急中過去，直鬧得展葉青坐立不安。

正當六神無主的當兒，突然室外響起了步履之聲。

展葉青心中早有戒備，呼的一聲吹熄室中火燭，拔出長劍，隱身在門後。

只聽孫不邪的聲音起自室外，道：「蕭翎傷勢如何？」

展葉青道：「依然如故。」

只見人影一閃，孫不邪推門而入。

展葉青還劍入鞘，摸出火摺子，燃起火燭，問道：「老前輩可曾遇到沈木風了嗎？」

孫不邪道：「遇到了。」

展葉青一皺眉頭，道：「敝師兄現在何處？」

孫不邪大步行到蕭翎木榻前面，低頭望著蕭翎，道：「令師兄已然渡過湖去，和群豪會合一起。」

展葉青道：「老前輩可曾和沈木風等動過手嗎？」

孫不邪道：「如若是動上了手，老叫化只怕也不能好好的回來了。」

展葉青呆了一呆，道：「那沈木風專爲我等而來，既然碰上了，何以不曾動手？」

孫不邪道：「老叫化也是奇怪，大概是咱們還不該死。」

展葉青道：「究竟是怎麼了？」

孫不邪伸出手去，按在蕭翎頭上，道：「老叫化和令師兄趕到湖畔，沈木風早已在湖畔等候，三言兩語，老叫化和令師兄，都已被包圍了起來，雙方眼看就要動手，突聞一種奇異的樂聲傳來，沈木風突然下令收兵而退，事情就是這麼簡單，你要老叫化如何能想得明白。」

展葉青輕輕歎息一聲，道：「這麼說來，那樂聲是幫助咱們的了。」

孫不邪道：「這個老叫化想不明白，只怕令師兄也不明白。」

語聲微微一頓，又道：「這裏可有什麼事故嗎？」

展葉青道：「金花夫人來過。」

孫不邪呆了一呆，道：「金花夫人來過？」

展葉青道：「不錯。」

孫不邪道：「她怎知你和蕭翎在此？」

展葉青道：「蕭翎和北天尊者動手之時，她已在旁側隱身觀看。」

孫不邪道：「她追蹤至此？」

展葉青道：「大概是吧！」

孫不邪道：「那妖婦滿身藏著毒物，她可曾動過蕭翎？」

展葉青道：「有在下在此，自然是不會讓她碰到蕭翎一下。」

孫不邪雙目凝注展葉青的臉上，道：「那金花夫人桀驁不馴，如何能令她聽你的話？」

展葉青道：「在下先點了她雙臂穴道，才讓她行近蕭翎木榻，如若她稍有舉動，我就立刻可以置她死地。」

孫不邪道：「以後呢？」

展葉青道：「她看過蕭翎之後，我拍活她的穴道，放她而去。」

孫不邪道：「她臨去之際，可曾留下話嗎？」

展葉青道：「她說去替蕭大俠謀取解藥，要我們在此地等候於她，大約明晚二更之前，她當趕到此地。」

孫不邪道：「她哪裏去取解藥？」

展葉青道：「去找北天尊者。」

孫不邪道：「那金花夫人武功雖然不錯，但決非那北天尊者之敵。」

展葉青歎道：「她語意十分堅決，看來不似謊言……」

語聲微微一頓，又道：「在下不解的是，那金花夫人，何以會對蕭翎如此關心？」

孫不邪一皺眉頭，道：「這種事，問老叫化子，那算是白問了。」

展葉青道：「老前輩在此看顧蕭翎，晚輩去看看敝師兄。」

孫不邪道：「你去吧！不過老叫化的看法，蕭翎只怕是很難撐到明夜二更，你見著令師兄，告訴他要他早些來此，以便隨時施救。」
展葉青一抱拳，道：「晚輩記下了。」一躍而出。
孫不邪伸手取過一把木椅，放在蕭翎木榻旁側，緩緩坐了下去，望著仰臥在木榻上的蕭翎，心中感慨萬端，暗暗忖道：如是老叫化不勸他，他也許和中州二賈，留在四海君主那五彩巨舟之上，那也沒有今日之禍了。
只覺蕭翎這次大難，都由自身而起，心中更是難過。
漫漫長夜，就在孫不邪惶惶不安之中度過。

次晨天亮，李老丈遣人送上了一頓豐盛的早餐。
蕭翎手足愈來愈涼，靜臥不醒，除了還有一縷微弱的氣息之外，簡直和死人無別，孫不邪心中十分焦慮，食難下嚥，連一口水也未喝。
天到中午時分，無爲道長才匆匆趕到，手中提著兩包逐寒藥物。
孫不邪親入廚房，煎好藥物，捧入靜室。
蕭翎一張俊臉，已完全變成了鐵青之色，全身僵硬。
無爲道長和孫不邪費了不少氣力，才把煎好的藥物，灌入蕭翎腹中。
孫不邪對無爲道長兩副逐寒之藥，寄望甚大，是以一直目不轉睛地望著蕭翎。

五六　伊人何處

哪知蕭翎服下藥物之後，有如石沉大海，過去了一個時辰，仍然不見有何效用。

孫不邪一皺眉頭，道：「道長，你可是用錯藥了？」

無爲道長道：「貧道曾親自檢查藥物，所有的藥物，都是地道之物，決不會錯。」

孫不邪道：「如果沒有用錯過藥，蕭翎服下藥物之後，怎的毫無效果？」

無爲道長尷尬一笑，道：「這大約因爲貧道岐黃之術不精，處方有誤……」

孫不邪輕輕歎息一聲，道：「這麼看來，只有寄望於那金花夫人了！」

無爲道長早已聽那展葉青述說昨夜之事，當下接道：「如若那金花夫人當真能夠取得北天尊者的解寒之藥，那自是萬無一失了！」

孫不邪道：「別說那金花夫人不是北天尊者的敵手，就算她能夠取得藥物，也未必會如約趕來。」

無爲道長道：「這個貧道的看法就和老前輩不同了，那金花夫人如真能取得解藥，定然會如約而來，就是她取不到解藥，只要未死在北天尊者手下，亦將會如約趕來……」

等待中的時光，過得特別漫長，孫不邪更是焦急無比，來回在室中走動，不時行近蕭翎木榻之前，一下摸摸蕭翎的額角，一下按按蕭翎前胸，焦急之情，如坐針氈。

無爲道長心中雖然焦急，但尚能沉得住氣，閉目而坐，一語不發。

好不容易盼望到天色入夜，無爲道長晃燃火摺，燃起桌上火燭。

這是一段黯然沉悶的時光，無爲道長和孫不邪，心頭如同壓上了一塊千斤重鉛，相對無言。

夜近二更時分，仍是毫無動靜，孫不邪心中哀傷，一心想著蕭翎的生死，不知時已二更。

無爲道長卻是心如火焚，霍然站起，行到門口，打開室門，向外望去。

但見夜空幽寂，哪裏有金花夫人的蹤影。

不禁黯然一歎，忖道：「完了，就算她取得解藥，但如再晚來上半個時辰，那蕭翎一息斷絕，只怕也無法回生了……」

忖思之間，突聞遙遠處，傳過來一個女子的呼叫之聲。

凝神聽去，那聲音似是隱隱在呼叫蕭翎之名。

靜夜之中，這聲音至少在兩里之外。

無爲道長心中一動，回頭說道：「老前輩好好的照顧蕭翎，貧道去去就來。」

也不待孫不邪答話，縱躍出室，循聲找去。

那呼叫蕭翎的聲音，斷斷續續傳來，無爲道長施用出了全力，循聲奔去。

他輕功卓絕，疾如飄風，片刻之間，已奔行了兩、三里路。

凝目望去，只見黯淡星光下，站著一個背插長劍，身著玄色勁裝的少女，不斷地呼叫蕭翎之名。

那少女似是已警覺到有人行近，停止了呼叫之聲，道：「什麼人？」

無爲道長暗暗吃了一驚，道：這女子是何許人物，耳目如此靈敏？

緩步繞過一株大樹，走了過來，道：「貧道無爲。」

那玄衣少女兩道秋波直射過來，望著無爲道長，冷冷地說道：「你來這裏做什麼，我又不是在叫你。」

語氣雖然冷漠，詞意卻一派天真。

無爲道長道：「姑娘呼叫之人，可是蕭翎嗎？」

玄衣少女道：「不錯啊！你可知道他現在何處？」

無爲道長點點頭，道：「如是不知蕭翎現在何處，貧道也不會來此了。」

玄衣少女急道：「快帶我去見他。」

無爲道長道：「姑娘如不肯說出身分、姓名，貧道決不會帶姑娘去。」

那玄衣少女急道：「我叫陸娟黛，行了吧！快帶我去見他。」

無爲道長道：「陸娟黛！從未聽人說過。」

陸娟黛道：「不知道我，那你總該知道我爹爹吧？」

無爲道長道：「令尊是誰？」

陸娟黛道：「我爹爹北天尊者。」

無為道長怔了怔，道：「原來是冰宮公主，貧道失敬了。」

陸娟黛急道：「我什麼都說了，還不快些帶我去見蕭翎，我爹爹那玄冰掌惡毒無比，再晚了恐怕沒有救了。」

無為道長心中暗道：此刻的蕭翎已經是奄奄將斃，不論此女說的話是真是假，何不先帶她去碰碰運氣。

當下說道：「貧道帶路。」轉身行去。

陸娟黛一面奔行，一面催促無為道長走快一些。

兩人趕回靜室，只見孫不邪左手扶著蕭翎的身子，右手按在蕭翎的命門穴上，正以本身真氣灌入蕭翎內腑。

孫不邪抬頭瞧了無為道長一眼，道：「你騙了老叫化。」

陸娟黛急行兩步，奔到木榻前面，接口說道：「快放開他。」駢指如戟，點向孫不邪的右腕脈穴。

孫不邪右手一抬，讓避開去，一躍而起，揮手劈出一掌，目光卻投注在無為道長的臉上，道：「道長，這位姑娘是誰？」

無為道長道：「北天尊者之女，來救蕭翎之命，老前輩請讓開吧！」

陸娟黛一語不發，右手硬接了孫不邪一記掌力，左手卻從懷中摸出了一粒丹丸，塞向蕭翎

口中。

孫不邪掌力何等雄渾，陸娟黛硬接一掌，被震得向後疾退了兩步，左手藥丸，差了兩步，無法投入蕭翎口中，心中大是惱怒，飛起一腳，踢向孫不邪的小腹。

孫不邪飛身一躍，離開木榻，落在室壁一角。

陸娟黛口中恨聲說道：「如是耽誤了他的性命，我就要你們兩人爲他償命。」右手探出，扶住蕭翎身軀，左手捏著丹丸，疾快地塞入了蕭翎口中。

金丹入口，自化玉液，瀝瀝入喉。

無爲道長兩目凝神投注蕭翎的臉上，瞧著他服下藥物的變化，一面監視著陸娟黛的舉動。

孫不邪兩道目光，更是全神貫注在蕭翎的身上，那藥物果然是靈驗無比，蕭翎服用過藥物不久，突然伸動了一下雙手。

無爲道長眼看蕭翎似欲醒了過來，心中大喜道：「陸姑娘的藥物，果然是靈驗得很。」

孫不邪聽得呆了一呆，低聲說道：「這位姑娘是什麼人？」

無爲道長道：「貧道不是早就告訴過老前輩嗎，她是北天尊者的女兒。」

孫不邪道：「她姓什麼？」

無爲道長道：「北天尊者姓什麼？」

孫不邪低聲說道：「據老叫化所知，那北天尊者自稱複姓百里，他的女兒怎會姓陸？」

無爲道長吃了一驚，道：「當真嗎？」

孫不邪道：「自然是當真的了，老叫化幾時講過謊言……」

說著右手一把抓住了無爲道長，急急地接道：「不管她姓張姓王，也不用管她是不是那北天尊者的女兒，目下咱們擔心的是蕭翎的生死，她只要能夠醫好蕭翎的傷勢，那就行了。」

無爲道長點點頭，道：「老前輩說得不錯。」

這時，躺在床上的蕭翎，忽然一伸雙臂，道：「凍死我了。」忽地一挺身，坐了起來。

孫不邪大喜道：「兄弟，你好了嗎？」

燈光下只見蕭翎的臉色仍是一片慘白，雙目無神，回過頭來，望了孫不邪一眼，緩緩說道：「晚輩好些了……」

目光轉到無爲道長臉上，道：「多謝道長救命。」

他身體雖尙未復元，但神志仍極清醒。

無爲道長道：「是這位姑娘救了你。」

蕭翎望了木榻前面的少女一眼，道：「姑娘和在下素不相識，何以來此相救？」

無爲道長原來想她是北天尊者之女，但因不願說出真正姓名，故而隨口捏造出一個陸娟黛來應付，但是蕭翎也不相識，才知此女真是冒名替姓而來。

不禁心中一動，一面暗中運氣，緩步向蕭翎木榻前行去，一面說道：「蕭大俠再仔細看看，這位姑娘是北天尊者之女。」

蕭翎雙目盯注在她臉上瞧了一陣，搖搖頭道：「她不是。」

無爲道長不等那少女開口辯駁，急急接道：「她叫陸娟黛。」

蕭翎搖著頭，道：「這就更不對了，那北天尊者之女，乃複姓百里，單名一個冰字，怎的會姓起陸來了？」

這當兒，無爲道長已然行到那陸娟黛的身側，突然出手一把，抓住了那陸娟黛的右腕脈門，冷冷說道：「姑娘冒充那北天尊者之女，是何居心？」

陸娟黛神情鎭靜地微微一笑，道：「放開我。」

無爲道長道：「姑娘請向後退五步，貧道就放開姑娘。」

陸娟黛回顧了蕭翎一眼，道：「道長可是怕我傷了他嗎？」

無爲道長道：「不錯，姑娘和蕭大俠相距過近，如是陡然出手，貧道自知救援不及。」

陸娟黛道：「如是我會傷他，那也不用救他了。」

無爲道長道：「姑娘話雖說得不錯，但姑娘身分未明之前，究竟是叫人難以放心，還是請退後五步的好。」

陸娟黛無可奈何地向後退了五步，道：「現在可以放開我了吧！」

無爲道長放開陸娟黛的右腕，合掌說道：「姑娘雖冒名前來，但貧道仍然感激姑娘救治了蕭大俠的傷勢。」

這座屋本不太大，陸娟黛退後五步，已到了門口，背依在木門之上，緩緩說道：「蕭相公當真不認識小婢了嗎？」

蕭翎凝目瞧了陸娟黛一陣，搖搖頭道：「不認識。」

陸娟黛道：「蕭相公認識香雪姊姊嗎？」

蕭翎道：「認識，她是百里姑娘的貼身女婢，在下和她見過幾面。」

陸娟黛道：「香雪追隨姑娘，悄然而去，追尋你的下落，小婢本要同行，卻被姑娘強令留下，要小婢追隨在老爺身側，探聽你的消息，姑娘心中早已知道，她如逃走之後，老爺必將遷怒於你，因此，姑娘出走之日，順便取了老爺煉製的靈丹兩瓶，分了兩粒，存在小婢之處……」

蕭翎輕輕歎息一聲，道：「倒是被你家姑娘料中了。」

陸娟黛道：「姑娘曾經告訴小婢，留心老爺舉動，萬一被他尋著蕭相公，出手傷了你，就要小婢送上解藥。」

蕭翎道：「姑娘何以知道在下受傷呢？」

陸娟黛道：「我們冰宮衛隊，今天中午擒住了一位金花夫人，據說她是想去偷老爺煉製的靈丹，小婢一時心血來潮，忽然想到相公，因此跑去問那金花夫人，起初之時，她不肯說，直到天到初更，我再去看她時，她才說出來救你之事，小婢當時大爲震驚，想不到姑娘臨去的留言，竟然會如此的靈驗……」

蕭翎道：「原來如此，這其間的陰差陽錯，竟然是如此的巧合。」

只聽得陸娟黛接道：「小婢問她相公現在何處。」

無為道長接道：「金花夫人定然告訴你了。」

陸娟黛道：「不錯啊！」

無為道長道：「她既然告訴了你，為何不直來此地？」

陸娟黛道：「那金花夫人說了一半，老爺恰好派人來提她問話，小婢只好躲了起來……」

長長吁一口氣，接道：「當時天色已經不早，小婢勢難等她回來，只好依照她說的大約方向，趕來此地，哪知找來找去，也找不著，心中一動，我便大呼相公之名……」

她目光一掠無為道長，接道：「這位道長循聲找去，定要問我之名，形勢迫切，只好冒充一下我們姑娘的身分。」

蕭翎道：「陸娟黛可是你真名嗎？」

陸娟黛道：「小婢名叫娟黛，這姓乃是小婢真姓，我雖冒充姑娘身分，以求早些見到相公，但卻不敢借用姑娘之名……」

只見孫不邪舉手一揮，熄滅火燭，道：「有人來了！」

但聞衣袂飄風之聲傳來，似是有人從屋面上躍落院中。

孫不邪暗中運起掌力，正待喝問，耳間已響起一個女子聲音，道：「蕭翎的傷勢如何了？可有什麼變化？」

無為道長道：「是金花夫人。」隨手打開木門。

只見金花夫人雙手捧著胸腹，緩步行了進來。

孫不邪晃燃火摺子，燃起了火燭。
凝目望去，只見金花夫人緊咬著牙關，長髮披垂，舉步落足之間，似是拖著了一塊重鉛。
顯然，金花夫人似是受了很重的傷。
只見金花夫人抬頭望了站在蕭翎木榻前面的陸娟黛一眼，道：「你來了。」
陸娟黛點點頭，道：「來啦。」
金花夫人雙腿一軟，跌坐在地上。
陸娟黛急急奔了過來，扶起金花夫人，道：「你傷得很重嗎？」
金花夫人點點頭，道：「你可是送解藥給他的嗎？」
陸娟黛道：「他已經服用下去了。」
金花夫人道：「娟黛姑娘，多謝你了，如是等我趕來，也許已經來不及了。」
蕭翎緩緩坐起身子，走下木榻，道：「夫人傷在何處？」
金花夫人苦笑一下，道：「不要緊，我死不了……」
突然一張嘴巴，吐出了一口鮮血。
陸娟黛掏出絹帕，拭去金花夫人前胸的血漬，道：「你可是傷在我們老爺的手下？」
金花夫人搖搖頭，道：「不是……」
無爲道長接道：「陸姑娘，她傷在內腑，不宜多言，姑娘最好是別再問她。」
伸手入懷中摸出一個玉瓶，倒出了兩粒丹藥，接道：「陸姑娘，讓她服下這兩粒丹丸。」

陸娟黛接在手中，遞了過去。

倔強的金花夫人，突然伸手接過丹丸，道：「我還不用人來服侍。」張口吞下了兩粒丹丸。

蕭翎道：「夫人，在下得這位陸姑娘送來解藥，服用之後，傷勢已然大見好轉，夫人請上榻休息一會兒如何？」

金花夫人傷勢雖重，但她生性倔強，仍是裝出往日一般模樣，言笑自若，當下說道：「蕭兄弟，人人都叫我金花夫人，你也要這般叫我嗎？」

蕭翎一皺眉頭，道：「那要我叫你什麼？」

金花夫人道：「叫我大姊姊啊！我不是一直叫你小兄弟嗎？」

蕭翎略一沉吟，道：「好！姊姊請上木榻休息一下如何？」

金花夫人挺身站起，身子搖了兩搖，似是將要倒下，陸娟黛伸手來扶，卻被她揮手摔掉，搖搖擺擺地行近木榻，坐了下去。

蕭翎想到金花夫人為了救自己之命，不惜冒險犯難，身受如此重傷，心中大是不安，緩步走近木榻說道：「姊姊，那無為道長醫道精深，要他替姊姊看看傷勢如何？」

他已知金花夫人脾氣倔強，如是請無為道長替她把脈，被她一口回絕，那未免太使無為道長難看，故而先行和她商量。

只見金花夫人搖搖頭，道：「不用了，我自己的傷勢，自己清楚，只要休息一夜，就可復

元。」

無爲道長口齒啓動，欲言又止。

孫不邪對那金花夫人，原無好感，但他此刻卻觀念大變，輕輕咳了一聲，道：「無爲道長的醫術，雖然不及毒手藥王，但亦算世間罕有的良醫，姑娘何必固執，爲什麼不讓他瞧瞧？」

蕭翎接道：「孫老前輩說得不錯，姊姊最好能讓無爲老前輩替你把脈。」

金花夫人道：「你當真怕我死了嗎？」

蕭翎向金花夫人微笑道：「姊姊爲了救我蕭翎之命，身受如此重傷，蕭翎心中何安。」

金花夫人笑道：「好吧！爲了讓你安心，那就有勞道長了。」

無爲道長緩緩行了過來，伸出右手，食、中二指把著金花夫人左腕脈穴，良久之後，緩緩說道：「夫人的傷勢，應該不很重，只是負傷之後，一直未得靜坐調息，急急趕路，才使傷勢惡化起來。」

金花夫人微微一笑，道：「看得不錯啊！」

蕭翎接口道：「可有療好之望？」

無爲道長道：「此刻她氣血已攻內腑，必得多養息一些時日才行。」

金花夫人道：「需要多長的時間？我不能在這裏停得太久。」

無爲道長道：「多則七日，少則五天。」

金花夫人道：「不行，那就不用瞧了，明天午時，我必得離開此處動身。」

無爲道長道：「不是貧道危言聳聽，如若夫人不得適當休息，還要匆匆趕路，傷勢再變惡化，就算華佗重生，扁鵲還魂，只怕也無能再救夫人之命了。」

金花夫人微微一笑，道：「我如留這裏靜養五日，就算集合天下名醫於斯，也無法救我之命。」

她喘了兩口氣，接道：「正因爲我還想多活一些日子，才要匆匆離此。」

蕭翎道：「爲什麼呢？」

金花夫人笑道：「你一定要知道嗎？」

蕭翎道：「不錯。」

金花夫人道：「事已至此，告訴你也不妨事了，那沈木風已在我身上下了毒手，每隔十日，必得服下一粒解藥，以延緩毒性的發作，三日之後，就是我服用解藥的日子，過了期限，將毒發而死。」

蕭翎道：「有這等事嗎？」

金花夫人笑道：「難道我還騙你？別說我了，凡是百花山莊中重要人物，大都如此，越是武功高強的人，服的毒藥也越是厲害，據說那毒藥乃毒手藥王苦心研配而成，惡毒無比，除了沈木風握有的獨門解藥之外，天下沒有可以解救之藥。」

無爲道長道：「如若她明日中午離此，就算能夠趕回百花山莊，服下沈木風的解藥，但這數百里的行程，也足以要她的命了。」

蕭翎輕輕歎息一聲，道：「道長說來說去，那是一點辦法也沒有了。」

無為道長道：「辦法倒有一個，只不知蕭兄是否答應？」

蕭翎道：「什麼辦法？」

無為道長道：「貧道施展金針過穴之法，廢了她的武功……」

蕭翎道：「散了她的武功，也無法阻止她內腑毒發，也是難以救她之命。」

無為道長道：「有一種最為慘酷的解藥之法，那就是廢了她武功之後，把她放在蒸籠之內，用陳年老醋，蒸除她身上之毒。」

蕭翎道：「一定成嗎？」

無為道長道：「貧道如無把握，也不會說出口了。」

蕭翎道：「除去她內腑奇毒之後，還可以使武功復元嗎？」

無為道長搖搖頭，道：「不成了，這一生一世，都無法再練武功。」

蕭翎道：「除此之外呢？」

無為道長道：「貧道再無良策。」

蕭翎沉吟了一陣，道：「茲事體大，在下如何做得主意。」

無為道長道：「蕭大俠和那金花夫人商量，生死之間自然由她抉擇。」

蕭翎歎息一聲，道：「眼下只有如此了。」緩步走回室中。

只見金花夫人靠在棉被之上，圓睜著一雙星目，臉上卻滿是睏倦之色。

她似是極力保持著清醒的神智，和輕鬆的心情，微微一笑，道：「你們在談些什麼？」

蕭翎道：「談姊姊的傷勢。」

金花夫人搖搖頭，道：「不用談了，明日午時之前，我必得離開此地，除非無爲道長在明日午時之前，能治療好我的傷勢。」

蕭翎口齒啓動，欲言又止。

金花夫人道：「兄弟有話說嗎？」

蕭翎道：「你爲救我之命，落得如此下場，此言叫我如何開口。」

金花夫人笑道：「不妨事，你儘管說出口來就是。」

蕭翎道：「無爲老前輩有一良策……」

無爲道長道：「那是最笨的法子，如何能談得良策二字。」

蕭翎接道：「那辦法雖可救姊姊之命，但要廢除你一身武功，不知姊姊的意下如何？」

金花夫人笑道：「廢除我一身武功，那是比要我性命更爲重大了。」

蕭翎道：「因此，在下不敢作主，生死之間，要由姊姊自己抉擇了。」

金花夫人笑道：「我不想死，但更不願被人廢去武功，因此明日午時之前，必得離此，趕回百花山莊，盡半夜半日之功，打坐調息，也許可助我體能恢復一些。」

無爲道長道：「爲時已晚，此刻，夫人不但不能奔走行動，而且連運氣調息，亦將使傷勢惡化，唯一之策，就是靜臥不動。」

金花夫人突然挺身而起，道：「此言當真嗎？」

無為道長道：「夫人此刻可有愈來愈覺睏倦之感？」

金花夫人道：「不錯。」

無為道長道：「那就不會錯了。」

金花夫人突然一提真氣，道：「既是如此，我要連夜走了。」

蕭翎急急說道：「夫人止步。」

金花夫人回頭笑道：「又叫我夫人了。」

無為道長接道：「按貧道查看夫人脈象，難以撐過百里行程，必將傷發而死。」

金花夫人道：「就算明知必死，也得冒險一試。」

無為道長道：「你沒有十分之一的機會，不用賭了。」

蕭翎接口說道：「道長，如若用一具軟榻，讓她躺在軟榻之上，抬回百花山莊，對她傷勢，是否有礙？」

無為道長道：「那倒是無礙了。」

蕭翎道：「既是如此，姊姊請等候片刻，我送你回去……」

孫不邪道：「你要去百花山莊？」

蕭翎道：「我只送她到十里之外，就兼程而回。」

無為道長道：「蕭大俠忘記了一件事。」

蕭翎道：「什麼事？」

無爲道長道：「蕭大俠大傷初癒，亦不宜奔走勞碌。」

金花夫人咯咯一笑，道：「蕭兄弟，你能有這份心意，我已經感激不盡了，你送我未免危險太大，沈木風耳目靈敏，如是被他發覺，不但牽累到你，而且也害了我。」

蕭翎道：「但姊姊不能奔走……」

金花夫人接道：「不要緊，我只要能夠奔行百里，就算倒臥路旁，大半也會遇上沈木風的暗樁，此刻，他正値用我之時，必會想盡方法救我……」

語聲微微一頓，黯然接道：「你要好好保重，姊姊去了，但願日後咱們還能見面。」

縱身一躍，飛出室外，飛上屋面而去。

蕭翎本要追趕，卻被孫不邪伸手攔住，道：「蕭兄弟，那金花夫人說得不錯，你如要送她，不但害了自己，而且也害了她。」

陸娟黛突然行到門口，道：「小婢也該回去了，萬一被尊者發覺，只怕性命難保。」

孫不邪道：「既有性命之險，姑娘爲何還要回去？」

陸娟黛輕輕歎道：「冰宮戒律，私行逃亡，必予追殺，小婢不能留此……」

目光一掠蕭翎，接道：「蕭相公日後遇上我家姑娘時，還望好好待她。」

轉身一躍，繼金花夫人之後，登上屋面，飛躍而去。

孫不邪望著陸娟黛消失的背影，長長歎息一聲，道：「女孩子的心事，眞叫老叫化想不明

白。」

無為道長長吁一口氣，道：「蕭大俠的傷勢如何了？」

蕭翎道：「寒冷盡消，體能漸復，大致說來，已算復元了。」

無為道長輕輕歎息一聲，道：「那很好，貧道也算減去了一個負擔。」

孫不邪突然接道：「道長可是準備在此和沈木風決一死戰嗎？」

無為道長略一沉吟，道：「貧道自知憑我們武當派一己之力，決難抗拒那百花山莊，就算約得二、三好友相助，然無疑以卵擊石，難與為敵，但目下形勢迫人，如不能奮起抗拒，只有束手待縛一途了。」

孫不邪接道：「道長不是已經派人連絡九大門派中人，要他們派遣高手相助嗎？」

無為道長歎道：「那沈木風雖然實力強大，但九大門派如能選派出高手，縱然未必能夠勝他，也該是一個平分秋色之局，只可惜……」

突然住口不言。

孫不邪道：「怎麼？可是九大門派不肯相互支援，派遣高手助戰嗎？」

無為道長道：「雖然未曾拒派高手，但也不肯全力相助，唉！九大門派各存私心，以求自保，豈不正好中了沈木風的下懷，集中全力，個個擊破。」

孫不邪道：「這話不錯，但不知道長有何高明之策？」

無為道長道：「近百年來，武林九大門派，雖無大恩大怨，但小衝突，卻是在所難免，

也一直未能出一個使各大門派敬服的人才，致使各大門派之間，關係變得十分淡漠，尤以少林派，近數十年來，幾乎是不同其他門派往來。」

孫不邪接道：「據老叫化所知，道長和少林現代掌門人私交甚篤，難道是江湖傳言有誤嗎？」

無爲道長道：「雖和少林掌門頗有私交，但因此事關係太大，那少林掌門也不便強行作主……」語聲微微一頓，接道：「私交總歸於私交，但一旦面臨到重要關頭，只怕私交就難發揮作用了……」

他心中感慨甚多，言罷，不禁黯然一歎。

孫不邪道：「九大門派，故步自封，互不支援，那是自取滅亡了。」

蕭翎道：「目下最重要的事，是如何應付強敵……」

語聲微微一頓，道：「在下有一件不解之事，還得道長指教。」

無爲道長道：「什麼事？」

蕭翎道：「那金花夫人怎會到了此地？」

無爲道長略一沉吟，把經過之情，仔細地說了一遍。

蕭翎奇道：「沈木風何以會突然撤走？」

孫不邪道：「老叫化也是想不明白。」

無爲道長道：「唯一可疑之處，就是那一陣樂聲，沈木風聽得那樂聲之後，似是甚爲震

驚，豪氣盡消，全軍而退。」

蕭翎道：「道長精通音律之學，可能聽出那樂聲是什麼樂器所奏嗎？」

無爲道長道：「非簫非笛，似是兩種樂器混在一起……」

沉吟了一陣，道：「似乎是一種古箏，和洞簫混合而成。」

孫不邪道：「老叫化想遍數百年來武林人物，就想不到哪一個人，有著樂聲退敵之能。」

蕭翎道：「這確實有些奇怪，在下學藝之時，亦曾聽到家師講說天下武林高人往事，但未聽過有樂聲退敵之能。」

孫不邪道：「此時此地，不用再談這些事了，咱們也該回去瞧瞧了。」

蕭翎探手入懷，取出一錠黃金，放在木案之上，熄去火燭，道：「咱們走吧！」當先出室。

孫不邪緊隨在蕭翎身後而出，一把抓住蕭翎左腕，笑道：「蕭兄弟體能尚未恢復，老叫化助你一臂之力。」

陡然一提真氣，飛身躍上屋面。

蕭翎聽到沈木風帶人追蹤，爲樂聲所退，但心中仍是擔心父母安危，一路上急急奔行。

行至湖邊，只見那雲陽子帶著四個中年道長，早已在湖邊等候。

無爲道長低聲問道：「可有事故？」

雲陽子搖搖頭，道：「一切安好，未見來犯之敵。」

蕭翎急急接道：「道長可曾見過家父、家母嗎？」

雲陽子道：「貧道心知兩位老人家是那沈木風用心所在，因此，特請中州二賈和司馬乾等，護至山中一處隱秘所在，躲藏起來了。」

蕭翎心中暗道：你不要弄巧成拙。口中卻問道：「他們回來沒有？」

雲陽子道：「還在山上。」

蕭翎輕輕咳了一聲，不再多問，飛身躍上木舟。

無為道長、孫不邪和蕭翎，同乘一舟，雲陽子帶四位武當弟子，共乘一舟。

雙舟齊發，破浪而行。

蕭翎想到父母兩度遇險之事，對兩位老人家的安危，特別惦記，那小舟行速雖然很快，但他卻仍然覺著不夠，親自運槳，舟行如飛。

小舟靠岸，蕭翎顧不得和孫不邪等多打招呼，直向父母房中奔去。

只見木門大開，室中一片黑暗。

蕭翎輕輕咳了一聲，道：「有人嗎？」

內室中傳出來金蘭的聲音，道：「蕭相公嗎？」

蕭翎道：「不錯，家父母尚未歸來嗎？」

室中火光一閃，點起一支火燭，金蘭勁裝佩劍，緩步走了出來，道：「老爺、夫人，已有

啇爺、杜爺等保護上山而去。」

蕭翎道：「你可知他們現在何處嗎？」

金蘭道：「不知道。」

蕭翎回頭望去，只見孫不邪和雲陽子，並肩站在門外，當下接道：「道長知道嗎？」

雲陽子笑道：「蕭大俠但請放心，貧道擔保令尊、令堂安好無恙。」

蕭翎抱拳一揖，道：「在下知道長心思周密，但未見得家父母之前，在下實難放心。」

雲陽子道：「貧道已派人施放訊號，招請他們回來。」

蕭翎道：「道長如知去處，最好能帶在下去看看。」

雲陽子道：「蕭大俠如此孝心，貧道自是應命，不過，就貧道所料，中州二賈此刻已經接得訊息，保護著令尊、令堂下山而來，如是我等上山尋找，錯了道路，反而耽誤了時間。」

蕭翎歎息一聲，道：「好吧！咱們就在此等候，但不知要等上多少時間？」

雲陽子道：「至多不會超過一個時辰。」

蕭翎緩步走回父母居住的房中，燃起一支火燭，呆呆坐在廳中。

雲陽子知他連經兩次父母被擄的大變之後，已成驚弓之鳥，心中正自憂苦，也不多言，默默而坐。

一支火燭燒完，仍不見蕭氏夫婦和中州二賈歸來。

金蘭重新燃上一支蠟燭，緩步退到廳門口處。

蕭翎忍了又忍，仍然是忍耐不住，說道：「道長，咱們等了多久？」

雲陽子道：「尚不足一個時辰。」

蕭翎輕輕咳了一聲，欲言又止。

雲陽子口中說得輕鬆，心中卻是感覺到有些不對，緩緩站起身子，道：「蕭大俠請坐片刻，貧道去問問那傳訊弟子。」

也不待蕭翎答話，起身出室而去。

雲陽子剛剛行到室門口處，一條人影疾如飛鳥一般，直竄而入，幾乎和雲陽子撞了一個滿懷。

雲陽子身子一閃，避開來勢，伸手一把，抓住了來人左腕。

蕭翎霍然站起，凝目望去。

只見來人道裝佩劍，正是武當門下弟子。

雲陽子緩緩放了那人手腕，說道：「什麼事如此匆忙？」

那道人雙掌合十，欠身對雲陽子一禮，道：「弟子奉急命而來，一路奔走，早已累得神智不清了，還望師叔原諒。」

蕭翎右手一按桌面，急步而至，道：「什麼事？快說！」

那道長喘了口氣，道：「弟子奉命守護山上一處要道……」

蕭翎急急接道：「我那父母，可是又被擄去了嗎？」

那道人滿臉慚愧之色，道：「弟子守在要道之上，不知怎的竟被人點了穴道。」

雲陽子臉色一變，道：「以後呢？你怎麼醒了過來？」

那道人道：「弟子被掌門師尊救醒。」

雲陽子道：「掌門道長現在何處？」

那道人道：「掌門人救醒弟子之後，問明經過，命弟子傳命師叔，通知蕭大俠，一起入山，弟子奉命，一路急奔而來。」

大變已生，蕭翎焦急的心情，反而平靜下來，低聲對那道人說道：「你一路奔跑，定然十分辛苦，好好休息去吧！」

那道人欠身對雲陽子和蕭翎行了一禮，悄然而退。

雲陽子仰面望天，長長吁一口氣，道：「想不到果然出了變故，實叫貧道慚愧得很。」

蕭翎道：「事已至此，道長也不用自責了，咱們上山瞧瞧去吧！」

雲陽子道：「貧道帶路。」放腿向前奔去。

蕭翎緊隨雲陽子身後而行。

這兩人輕功卓絕，全力奔行，有如兩道掠空流矢。

片刻工夫，已奔出七、八里路，翻越了兩座山嶺。

這時，天色已亮，四周景物，已然大致可見。

雲陽子陡然停下腳步，目光轉注一叢深草之中。

蕭翎道：「道長可是走迷了路？」

雲陽子搖搖頭，快步行入一叢深草之中，拖出一個佩劍的中年道人，略一查看，揮手一掌，拍在那人背心之上。

只聽那道人長吁一口氣，緩緩睜開了雙目，望了雲陽子一眼，掙扎而起，拜伏地上。

雲陽子沉聲說道：「不用多禮了，告訴我經過之情。」

那道長垂首說道：「弟子守在此地，被人點了穴道，多虧師叔相救。」

雲陽子道：「什麼人點了你的穴道？」

那道人道：「弟子聞得衣袂飄風之聲，還未來得及回頭瞧看，已被點中了穴道。」

雲陽子略一沉吟，回頭對蕭翎說道：「蕭大俠，來人點穴手法，十分輕微，用心不在傷人，就此而論，貧道推想那人決非沈木風。」

蕭翎道：「唉！奇怪的是，除了沈木風之外，還有何人要擄去在下的父母呢？」

雲陽子舉手一揮，低聲對那道人說道：「此地已沒有你的事了，你下山去吧！」

那道人應了一聲，轉身而去。

雲陽子望了蕭翎一眼，接道：「百花山莊中人，一向手段毒辣，對本門弟子決不會如此留情。」

蕭翎道：「這就有些奇怪了。」

說話之間，瞥見無爲道長帶著中州二賈和東海神卜司馬乾，急急行來。

蕭翎眼看中州二賈無恙，先放下一半心來。

無爲道長等來勢甚快，片刻間已到了兩人身前。

中州二賈並肩行到蕭翎身前，突然跪了下去，道：「小弟等該死，敬望大哥責罰。」

蕭翎雙手齊出，扶起中州二賈，道：「兩位兄弟快請起來，把詳細經過告訴小兄。」

商八輕輕歎息一聲，道：「小弟把兩位老人家安排一處石洞之內，小弟守在洞內，杜兄弟守在洞外，夜半之時，突聞杜兄弟摔倒之聲，小弟衝出石洞，果然洞外站著一個全身黑衣的蒙面人，杜兄弟已被人點了穴道，倒在路側……」

蕭翎道：「你和那人動過手嗎？」

商八道：「乍驚大變，心神失常，只顧前面之敵，卻不料後面突受襲擊，而且那人出手奇快，小弟驚覺到時，已被他點了穴道。」

蕭翎目光轉到杜九臉上，緩緩說道：「杜兄弟可曾看清楚來人嗎？」

杜九道：「說來慚愧，小弟被人施用暗器擊中穴道。」

無爲道長接道：「那是一種豆粒打穴的絕技，非有絕頂內功，難以施爲，何況又是對付杜兄這等高手。」

蕭翎目光轉注到司馬乾的身上，道：「司馬兄可曾瞧到敵人了嗎？」

司馬乾輕輕歎息一聲，道：「說來慚愧得很，兄弟守在商兄之後，商兄出洞之時，小弟已

然驚覺，因此，凝神戒備……」

長長吁一口氣，接道：「在小弟預料之中，商、杜二兄，就算遇上強敵，也得有數十回合惡戰，卻不料強敵竟然奇快無比，兄弟見人影一閃，還道是商兄，還出言招呼一聲，卻不料那一聲呼叫，竟被他判明了兄弟停身之地，揚手打來了一把暗器，兄弟雖然避開了幾枚，仍然被擊中兩處……」

蕭翎道：「這麼說來，司馬兄也是傷在那豆粒打穴的暗器之下了。」

司馬乾道：「大約是洞中太過黑暗，他認穴不準，兄弟雖被暗器擊中，幸未傷及穴道，還有再戰之能……」

蕭翎接道：「司馬兄和他動過手了？」

司馬乾道：「交手兩招，兄弟就被那人點中了穴道。」

蕭翎道：「司馬兄先爲暗器打傷，再行和他動手，先天上已經吃了大虧，那是一場勢不均、力不敵的搏鬥了。」

司馬乾苦笑一下，道：「話雖如此，但那人武功高強，才是致勝主因，兄弟自信，兩回合之內，能點中我穴道，舉世間只怕沒有幾個。」

蕭翎沉吟了一陣，道：「家父母可被人擄走了嗎？」

司馬乾道：「兄弟被點中穴道之後，洞中再無防守之人，令尊、令堂，自然是……」

無爲道長接道：「貧道趕到那石洞之後，已無兩位老人家蹤影，連玉蘭也同時失蹤不見。」

蕭翎道：「道長可曾撿得那人打出的暗器嗎？」

無為道長緩緩從衣袋之中，摸出黃豆大小般的兩粒暗器，遞了過去，問道：「不知蕭大俠可識得此等暗器？」

蕭翎接在手中，瞧了一陣，道：「不認識。」

無為道長道：「這叫菩提子，是一種全憑內力打出，擊人穴道的暗器。」

蕭翎道：「道長可知當今武林之世，有何人施用這種暗器嗎？」

無為道長道：「就貧道記憶所及，武林中確有一人施用這等暗器，不過，那人早已被關入了禁宮之中……」

蕭翎道：「禁宮未開，那人自然是不會重出江湖了。」

無為道長道：「正因如此，貧道才有著茫無頭緒之感。」

蕭翎道：「那人可有弟子？」

無為道長道：「就貧道所知，那人並未收錄過弟子……」

語聲微微一頓，又道：「還有一件令人難解之事，來人用心，似是只為兩位老人家，對本派中各處守道弟子，出手都甚留情，雖有七個弟子，被人點了穴道，但卻無一人受傷，那決非百花山莊中的人了。」

司馬乾接道：「還有一件奇怪之處，就是此人何以知道我們藏身石洞？」

無爲道長回顧了雲陽子一眼，道：「那石洞所在之地，除了你我之外，咱們武當門下，還有何人知曉？」

雲陽子道：「三弟也許知道。」

無爲道長道：「三弟之外呢？」

雲陽子道：「除了三弟之外，只有大師兄身側兩個童子，知道此事了。」

無爲道長道：「小兄相信他們都不會洩露此事。」

蕭翎道：「道長，在下心中有件事，不吐不快。」

無爲道長道：「蕭大俠儘管請說。」

蕭翎道：「沈木風在各大門派之中，都派有臥底的奸細，貴派自是亦不例外。」

無爲道長呆了一呆，道：「此事當真嗎？」

蕭翎道：「是我親目所見，自然是不會錯了。」

無爲道長道：「貧道立刻召集我武當門下，蕭大俠可能指認出來？」

蕭翎搖搖頭，道：「沈木風召集他們，在深夜之中，在下那時身爲百花山莊的三莊主，亦曾敬陪末座，不過與會之人，都戴著面紗，十分神秘，在下雖知其事，卻是難認其人。」

無爲道長沉吟了一陣，道：「蕭大俠可知道他們的名字嗎？」

蕭翎搖搖頭，道：「不知道。」

說話之間，瞥見孫不邪風馳電掣一般，奔了過來。

雲陽子道：「如是蕭大俠說得不錯，那奸細潛伏在咱們武當派中，已是非一日時光，大師兄不用焦急，咱們既知道了此事，日後留心一些，不難查出。」

但聞衣袂飄風之聲，孫不邪奔到了幾人身側，說道：「擄去兩位老人家的，決非百花山莊中人。」

無爲道長道：「老前輩可曾找到一點頭緒嗎？」

孫不邪緩緩從懷中摸出一張素箋，道：「幾位先瞧瞧這個，老叫化再說經過不遲。」

無爲道長接過素箋，只見上面寫道：沈木風處心積慮，必欲獲得兩位老人家，好以此脅迫蕭翎，爲其所用，爲了兩位老人家的安全，暫行接引到一處隱秘所在，代爲奉養。

字跡潦草，分明是匆匆寫成。

無爲道長把素箋遞向蕭翎，問道：「老前輩在何處取得這張素箋？」

孫不邪道：「諸位在搜查那石洞之時，老叫化卻登上了附近一座高峰之上，四面查看，果然被我瞧到一條人影，奔向正南而去，老叫化發現了這點線索，立刻施用出了全身氣力追趕……」

蕭翎接道：「老前輩追上了嗎？」

孫不邪道：「如論那人輕功，老叫化本難追上，所幸他未曾發覺老叫化子隨後追蹤，等他發覺之時，老叫化已追他到了五丈之內……」

雲陽子知他武功高強，忍不住問道：「以老前輩功力，既然已追到五丈之內，那人定然是

難以逃走了？」

孫不邪道：「他發覺老叫化子追蹤之後，立時放腿急奔，老叫化緊追不捨，一口氣翻越了六、七座山峰，那人輕功絕佳，老叫化追了七、八道山嶺，也不過追上丈餘左右。」

無爲道長道：「可是那人放下這張素箋之後，老前輩就放他而去。」

孫不邪搖搖頭，道：「老叫化瞧出情勢不對，只好嚇唬著說道：『不論跑到天涯海角，上天入地，老叫化也要追上你爲止，就算追個十年、八年，老叫化也不在乎。』」他頓了一頓，又道：「那人大約是出道不久的人物，聽老叫化這麼一嚇唬，竟停了下來。」

蕭翎急急接道：「老前輩和他動手了？」

孫不邪道：「動手了，打了十幾個照面。」

雲陽子道：「那人可是被老前輩打死了？」

孫不邪一皺眉頭，道：「你們這般搶著追問，要老叫化先答覆你們哪個才好？」

無爲道長道：「老前輩說得是，你慢慢說吧！」

孫不邪道：「老叫化就是激他動手，眼看他停了下來，自是急撲而上，想不到他手中的劍招，竟然是淩厲異常，老叫化幾手險招，想先搶下他的兵刃，再好生擒於他，哪知竟是難以如願，唉！這一次，老叫化重入江湖，實在會到了不少後起之秀。」言下，神色黯然。

蕭翎道：「老前輩可曾瞧到他的模樣嗎？」

孫不邪搖搖頭，道：「並沒有。」

蕭翎道：「爲什麼？」

孫不邪道：「他戴著一副面罩，掩了本來的面目。」

蕭翎歎息一聲，道：「以後呢？」

孫不邪道：「他和老叫化動手打了十幾個照面，老叫化仍然瞧不出他的破綻，情勢所迫，正想施下毒手，那人又有一個同伴趕到，投給老叫化這張素箋之後，聯袂而去。」

無爲道長道：「若不是貧道多此一舉，把兩位老人家送往山上，也許就不會有此事了。」

蕭翎強忍著心中苦悲，說道：「此事如何能夠怪得道長。他們有謀而來，就算不上山來，也是一樣……」

月光下，兩顆晶瑩的淚珠，奪眶而出，接道：「在下難安的是，因爲年邁雙親，都非武林中人，這些武林中的恩怨，竟然牽纏到兩位老人家的身上。」

孫不邪道：「蕭兄弟出道時間雖短，但因緣際會，卻使你在短短的時日中，揚名於江湖之上，名人煩惱，自古皆然，還望兄弟振作一些，老叫化已經是退出江湖的人了，但我願拚著這條老命，助你在武林中成就一番事業，死而無悔……」

語聲微頓，接道：「不僅如此，老叫化還將用我在武林中一點賁望，替你約幾個助拳之人，亦要影響我丐幫弟子，助你一臂。」

蕭翎抱拳一個長揖，道：「晚輩何德何能，竟得老前輩如此垂青。」

孫不邪哈哈一笑，道：「說起來似是爲你，其實，卻是爲我武林同道造福，說穿了，老叫

化並不是助你，而是拖你下水。」

蕭翎道：「老前輩言重了。」

孫不邪道：「目下要緊的是，先把兩位老人家找到，然後，設法找一處安全、隱秘的所在，把兩位老人家安頓下來，蕭兄弟才能放手爲我武林同道效命。」

無爲道長道：「老前輩說得是。」

孫不邪目光投注到蕭翎的身上，道：「照老叫化和他們動手的情形看來，那兩人確非百花山莊中的人物。」

蕭翎道：「奇怪的是，在下實難想出除了這百花山莊之外，還有何人要擄去我父母？」

孫不邪突然舉掌拍了一下腦袋，道：「會不會是那四海君主？」

蕭翎精神一振，道：「不錯，不是沈木風派人所爲，定然是那四海君主。」

孫不邪道：「如果真是四海君主所爲，那就不難找到他們了。」

無爲道長道：「貧道覺著來人擄去兩位老人家，內心似無惡意。」

蕭翎道：「如果沒有惡意，爲什麼要施用此等手段，把他們迫擄而去呢？」

無爲道長道：「貧道雖無法猜知個中隱情，但想來當不致離譜太遠。」

蕭翎道：「何以見得呢？」

無爲道長道：「我武當門下派在各處要道的弟子，都被點了穴道，但個個都未受傷，如非那主腦人物，諄諄告誡，焉會有此等巧事？」

孫不邪道：「咱們先試試中州二賈那兩條虎獒，能否追蹤出一點頭緒再說。」

大約又過了一頓飯工夫，中州二賈跑得滿頭大汗而來。

兩人身後，緊隨著兩條虎獒。

孫不邪望了那兩條虎獒一眼，只見一個個神駿非凡，雄偉尤過猛虎，當下說道：「這兩條大狗，看來倒是雄偉得很，但不知是否學過了追蹤之能。」

商八道：「我們兄弟，仗此二獒，確實解決了不少疑難之事，只是昨夜至今，來往之人甚多，只怕要混淆了牠們的嗅覺，能否找得出來，那要碰碰運氣了。」

蕭翎道：「事不宜遲，兩位就要牠們試試吧！」

商八道：「這得孫老前輩帶路了。」

孫不邪道：「如是老叫化子知道他們逃往何處，那也用不到你們的兩條狗了。」

杜九冷冷說道：「老前輩不要誤會，咱們只要孫老前輩，帶咱們同往你和那兩人動手之處，先讓兩條虎獒，嗅到那人氣息，才能追蹤尋找。」

孫不邪道：「原來如此。」轉身向前行去。

群豪緊隨身後，放腿而奔。

翻過了數座山嶺，到了一處平坦之地，孫不邪陡然停下來，道：「就在此地了。」

商八道：「老前輩請仔細辨認一下，如是錯了地方，那可是差之毫釐，錯之千里了。」

孫不邪伸手指著身前四、五尺處一塊草坪，道：「老叫化記得清清楚楚，決錯不了。」

商八突然伏下身去，對著兩條虎獒比畫了一陣，兩條虎獒一齊撲向那草坪之上，低頭嗅了一陣，返身撲向孫不邪。

杜九急急說道：「老前輩不要怕，牠們只是嗅嗅你身上的氣息。」

孫不邪道：「兩條大狗，老叫化還不在乎。」

只見兩條虎獒，在孫不邪身上嗅了一陣，齊齊仰起頭來，汪汪兩聲大叫。

商八突然低嘯一聲，兩條虎獒又放腿奔到商八身側。

只見商八雙手揮動，又比畫了一陣，兩條虎獒突然轉身向前奔去。

商八、杜九，齊齊放腿疾追，緊隨在兩條虎獒之後。

無為道長低聲對雲陽子吩咐數言，雲陽子轉身向山下奔去，無為道長卻緊追著蕭翎、孫不邪等，隨那虎獒而去。

蕭翎心中焦急，快行幾步，迫在商八的身側，問道：「兄弟，你看可以追尋到嗎？」

商八道：「如是孫老前輩帶的位置不錯，兩隻虎獒追循的路線，就是來人的去處了。」

只見兩隻虎獒，一面不停地在地上嗅著，一面向前奔去。

東奔西走，圍著幾座山包也不知轉了多少圈，直到次日午時，來到一處曠野。

忽見路邊站著一個面色慘白的女人，原來是金花夫人。

金花夫人昨夜便遇上了百花山莊中人，服下了沈木風送來的解藥，雖然毒性緩解，但傷勢未癒，是以行動很慢。

幾個人剛打過招呼，只聽無為道長道：「孫老前輩，這是什麼聲音？」

群豪凝神聽去，但聞一陣裊裊的樂聲，傳了過來。

那聲音十分奇怪，似簫非簫，似琴非琴。

聽上去，似是兩種樂器合奏而成的樂聲。

孫不邪道：「好像是驚退那沈木風的樂聲。」

無為道長道：「那就不錯了，貧道亦有此感。」

蕭翎突然縱身而起，道：「在下去瞧瞧是何等人物。」

他動作奇快，說完了一句話，人已飛躍出兩丈以外。

孫不邪道：「道長請留在此地，老叫化跟著他去。」

無為道長道：「老前輩小心一些，最好別與人衝突起來。」

他話未說完，孫不邪人已追到兩丈開外。

金花夫人道：「這是怎麼回事？」

無為道長歎息一聲，道：「說來令人難信，如非貧道親自目睹，別人說給我聽，我也是難以相信，想不到世間當真有此等怪事。」

金花夫人接道：「道長不用繞圈子，還是明明白白的說下去吧！」

無為道長道：「那夜沈木風率領百花山莊中的高手，把貧道和孫老前輩圍了起來，如就當時形勢而論，要是動起手來，貧道和孫老前輩勢非要傷在那沈木風率領的高手圍攻之下，就在雙方劍拔弩張之際，突然響起了一陣奇怪的樂聲，沈木風聞得那樂聲之後，立刻率眾倉惶而遁，免去了一場大戰，也算救了貧道和孫老前輩一次性命。」

但聞金花夫人咯咯大笑，打斷了無為道長之言。

杜九冷冷說道：「有什麼好笑的！」

金花夫人道：「聽起來好像是白日說夢，實在叫人難信！」

無為道長道：「貧道親身所經，決非謊言，夫人不信，那也是沒有法子的事，好在此事除了貧道之外，還有那孫老前輩在場。」

商八輕輕歎息一聲，道：「世間之事，無奇不有，五年之前，在下那蕭大哥，還是一位弱不禁風的書生，但五年之後，他已是江湖之上，安危所寄的英雄人物了。」

且說蕭翎施展輕功提縱身法，循聲找去，一口氣奔出了四、五里路，到了一座茅屋外面。

夜色中燈光隱隱，由那茅屋中透了出來。

這時，那奇怪的樂聲，已然停了下來。

蕭翎停下腳步，望著那茅屋出神。

只聽衣袂飄風之聲，孫不邪疾追而至，低聲問道：「蕭兄弟，找到了嗎？」

蕭翎道：「就晚輩所聽得那樂聲判斷，似是就在那茅舍之中。」

孫不邪道：「既是如此，何以不到茅屋瞧瞧？」

蕭翎道：「好！咱們叩門求見！」

這是一座孤立在荒野的獨立茅屋，四面野草及膝，看上去更增荒涼。

兩人行到那茅舍前面，只見雙門緊閉，凝神聽了片刻，室中毫無聲音。

孫不邪雖已年近古稀，但暴急脾氣，仍是未改，舉手一掌，拍在木門之上，道：「有人在嗎？」

只聽屋內傳出一個冷漠的聲音，道：「什麼人，這等無禮！」

孫不邪正待發作，心中忽然一動，暗道：如若這茅舍之中，當真是那奏樂之人，可不能對他發作。

當下輕輕咳了一聲，道：「區區孫不邪。」

室中又傳出那冷漠的聲音，道：「你是男人，還是女人？」

孫不邪心中暗道：當今武林之中，後起之人，也許有不識我孫不邪的人，但這名字總該聽長輩講過才是，至低限度，老叫化這等粗的喉嚨，也該聽出是堂堂丈夫。

當下說道：「閣下連男女的聲音，也聽不出來嗎？」

茅舍中又傳出那冷漠的聲音，道：「你聽聽我的聲音，是男人還是女人？」

孫不邪怔了一怔，暗道：論他之聲，頗似男子口音，但他如是堂堂男兒，怎會問出此等之

言？任他孫不邪見多識廣，一時間也鬧得沒了主意，回顧了蕭翎一眼，低聲說道：「兄弟，你說他是男子，還是女人？」

蕭翎道：「是男子口音。」

孫不邪道：「老叫化亦有此感。」

乃提高了聲音，說道：「閣下分明是男子口音。」

但聞那冷漠的聲音又道：「這就不對了。」

孫不邪一皺眉頭，道：「聽閣下這一句話，定是男子無疑。」

右手運功，發出內勁，砰的一聲，震斷門閂，推開了木門。

正待舉步而入，忽覺一股強猛的暗勁，直向外面湧來。

那力道不但來得強猛，而且迅快無比，孫不邪還未看清室內景物，一股潛力，已逼過來。

孫不邪倉促之間，無暇多思，本能地推出一掌。

兩股潛力一觸之下，捲起一陣狂風，孫不邪只覺全身微微一震，不自主的退了出來。

但聞砰的一聲，那大開的木門，忽然又關了起來。

蕭翎雖然未接對方掌力，但卻眼看著孫不邪被逼退了出來，心中暗道：不知何許人物，有此等功力。

口裏卻問道：「老前輩，看清楚那人了嗎？」

孫不邪道：「未瞧清楚……」語音轉低，道：「兄弟，咱們遇上了高明人物，不可造次出手。」

蕭翎道：「難道咱們退回去嗎？」

孫不邪道：「那是更不成了。」

高聲接道：「老叫化有一事請教閣下，還望不吝賜教。」

茅舍中又傳出那冷漠的聲音，道：「什麼事？」

孫不邪道：「適才老叫化聽到一種樂聲，可是閣下奏出的嗎？」

室中人道：「那奏樂之人，早已離開此地了。」

孫不邪急道：「那人往何處去了？」

室中人道：「天涯茫茫，誰知行蹤何處？」

蕭翎伸手摸摸木門，心中暗道：以那孫老前輩的掌力，舉手之間，就可以把這木門震碎，除非室中人發出的掌力，能夠保持著一種適當的均衡，才可保持這木門不為掌力震壞，其間不但要有著足以和孫不邪抗拒的功力，而且運勁發掌之間，必得拿捏恰到好處。

心念及此，不禁駭然。

大約孫不邪亦感覺到，遇上了生平少遇的勁敵，並未再立刻出手，沉思了良久，才緩緩說道：「閣下掌力雄渾，決非普通之人，那也不用再裝模作樣了，難道老叫化還沒有一會高人的資格嗎？」

他這等擺明叫陣，料想對方縱然不開門相見，亦將有個交代，哪知等了甚久時光，竟是不聞有人回應。

孫不邪難再耐胸中之氣，怒聲叫道：「閣下未免欺人過甚了。」

砰聲一掌，擊在木門之上。

只聽一陣嘩嘩亂響，茅舍木門，受不住孫不邪強猛的掌力，裂成數片，散落地上。

這情形大出了孫不邪意料之外，不禁一呆。

蕭翎身子一側，當先衝入室中。

凝目望去，只見室中一片空洞，哪裏還有人影，敢情室中之人，早已藉機遁走。

孫不邪晃燃火摺子，瞥見屋角處，留有一張素箋。

蕭翎疾快地搶上前去，搶起素箋，就火光之下望去，只見上面寫道：「字奉蕭大俠收閱：沈木風耳目靈敏，爲令尊、令堂安危計，不得不隱秘行蹤……」

蕭翎呆了一呆，道：「看將起來，他還是幫我們的人了。」

孫不邪道：「看下去。那沈木風詭計多端，在未確切了然內情之時，不能相信。」

蕭翎道：「老前輩說得是。」

凝目向下看去。

「令尊、令堂，已不勝奔勞之苦，必得找一處適當之地，休息一些時日，但那沈木風魔掌，已指向兩位不解武功的老人，必欲得之而後快，沈木風耳目眾多，暗樁處處，你明他暗，彼此相鬥，你先已吃了大虧，再要設法去保全父母，只怕力所難及。閱過此函，盼即焚燬，我如有暇見你時，自會派人找你，切切留書，敬望放心。」

短短一張留箋，下面並未署名。

孫不邪道：「你可要留下這張素箋？」

蕭翎略一沉吟，道：「不用留了。」

伸手放在火摺子上，眨眼間，素箋化爲灰燼。

孫不邪道：「看他留書口氣，似是和你很熟。」

蕭翎道：「不錯，但我費盡了心機，卻是想不出是何人？」

孫不邪道：「就眼下情勢而論，咱們似是已無法追上令尊、令堂了。」

蕭翎道：「唉！他不署名，又未說明身分，叫在下如何能夠放開胸懷呢？」

孫不邪道：「蕭兄弟，老叫化要勸你幾句了，此時此情，不論你如何焦急，也是無法可想了，那人如若有要挾咱們之處，必然會在此信說明他的用心，至低限度，也該有幾句威脅之言。但老叫化綜觀全信，是一字一句也未含威脅之意，照老叫化的經驗，這人決無惡意。」

這時，孫不邪手中的火摺，已經燃完，火焰一閃而熄。

蕭翎仰起臉來，長長吁一口氣，道：「到此刻，咱們總算弄清楚了一件事。」

孫不邪道：「什麼事？」

蕭翎道：「那驚退敵人的樂聲，和擄走晚輩的父母之人，是一人所爲了。」

孫不邪一拍大腿，道：「嗨！英雄出少年，老叫化當真是老糊塗了，竟然未曾想到此事

……」

蕭翎苦笑一下，道：「想到又該如何？」

孫不邪道：「自然是有關係了，就那夜形勢而論，你傷重奄奄，臥床難起，老叫化和無爲道長，被那沈木風率領著很多高手，圍堵在湖邊，如不是那一陣縹緲而來的奇怪樂聲，勢必要動手不可，老叫化和無爲道長，只怕都難逃過那次劫難，株連所及，連那雲陽子等一干武當門下，馬文飛等，只怕都難逃死亡之厄，擄去令尊、令堂的人，既然和驚退沈木風的同爲一人，那是決無惡意了。」

蕭翎心頭略寬，歎息一聲，道：「老前輩，此刻應該如何？」

孫不邪道：「想那無爲道長，早已等得不耐，咱們先趕回到那邊，和他們會合一起，再作道理。」

蕭翎道：「眼下也是只有此法了。」

兩人行出茅屋，聯袂而起，原道而返。

孫不邪一邊趕路，一面說道：「兄弟，見著無爲道長之後，最好別提此事。」

蕭翎道：「爲什麼？」

孫不邪道：「目下江湖，風煙萬里，兄弟你好比風煙中一輪明月，百花山莊一戰，不但使你成名，而且武林之中，已把你視作抗拒那沈木風的徵象，也許你還不知，你已隱隱成武林中領袖人物，沈木風處心積慮要生擄令尊、令堂，用心就在想迫你就範，爲他所用，他心中明

白，今後能夠和他在江湖分庭抗禮，阻止霸統江湖的，非你莫屬。不是老叫化子年長幾歲，愛動心機，令尊、令堂的行蹤，知道的人是越少越好。」

蕭翎點點頭，道：「老前輩說得是，如是他們問起，咱們該如何回答才是。」

孫不邪笑道：「據實而言，只說一半就是。」

兩人輕功，均已登峰造極，談話之間，已到了原地。

無爲道長、中州二賈等，正自等得心急，眼看兩人歸來，齊齊迎了上去。

金花夫人體能未復，身子靠在古柏之上，高聲說道：「你們瞧到那吹簫之人沒有？」

孫不邪生恐蕭翎說漏了嘴，哈哈一笑，道：「老叫化和蕭兄弟追到了一座茅屋前面，那簫聲就從茅屋之中傳來……」

蕭翎道：「只聞其聲，未見其人。」

無爲道長道：「是怎麼回事？」

金花夫人道：「你們不會進去瞧瞧嗎？」

孫不邪道：「老叫化在屋外說了幾句話，那人就借老叫化說話時光，打開後窗而去，我和蕭兄弟進入茅屋，已然是不見人蹤了。」

無爲道長道：「這麼說來，他是不願和咱們相見了。」

孫不邪道：「大概是吧！」

商八回顧蕭翎一眼，道：「大哥，虎獒雖嗅覺靈敏，但經此一擾，怕無法再追下去了。」

蕭翎歎道：「他們早已有了算計，追亦無用，事已至此，急也不在一時，不追也罷。」

無為道長道：「蕭大俠意欲何往？」

蕭翎道：「貴派弟子和馬文飛等，都在湖畔相候，咱們先行趕回去一行如何？」

無為道長心中暗自奇怪道：這蕭翎怎會忽然改變了心意，竟然不再追尋父母行蹤。他為人持重，心中雖有所疑，但卻不肯說出口來。

只聽杜九冷冷說道：「小弟等無能，致使兩位老人家被人擄去，縱然要追到天涯海角，也要把兩位老人家找回來。」

蕭翎輕輕歎息一聲，道：「杜兄弟的心意，小兄十分感激，不過，此刻情勢不同，咱們不能棄置那麼多受傷的武林同道不管。」

孫不邪亦甚表贊同，忙道：「不錯啊！老叫化也是這等想法，如若咱們離開，那沈木風再派高手施襲，雖有雲陽子等武功高手相護，只怕雙拳也難敵四手。」

金花夫人突然站了起來，道：「諸位既然要返回原地，那我是不能同行了……」目光轉到蕭翎的身上，說道：「蕭兄弟多多珍重，姊姊去了。」搖搖擺擺地向前行去。

蕭翎心中大急，縱身一躍，攔住了金花夫人的去路，道：「姊姊傷勢未癒，如何能夠獨身行動？」

金花夫人咯咯一笑，道：「如以兄弟之意呢？」

蕭翎道：「小弟之意，姊姊先和我等走在一起，小弟也好略盡保護之責。」

金花夫人道：「你可是想勸我棄暗投明，擺脫百花山莊？」

蕭翎道：「這個小弟倒不敢擅作主意，但請姊姊治好傷勢之後，再獨行其是不遲。」

金花夫人突然收斂了臉上的笑容，緩緩說道：「如我此刻和你同返湖畔，沈木風立刻可知此項消息。」

蕭翎道：「姊姊可是很怕那沈木風？」

金花夫人道：「他只要斷給我一次解藥，立時可使我毒發而死，你說，要不要怕他呢？」

蕭翎道：「兄弟心中有一件事，百思不解。」

金花夫人道：「問問姊姊我看，也許我能告訴你。」

蕭翎道：「小弟亦曾在那百花山莊住了甚久，何以沈木風未在我蕭翎身上下毒？」

金花夫人道：「這只能說你的運氣好些，也許他沒來得及，也許他未想到你一個初出茅廬的小伙子，也敢和他作對。」

蕭翎沉吟了一陣，歎道：「姊姊定要走嗎？」

金花夫人道：「我想留下這條命，那就非走不可。」

蕭翎黯然說道：「你傷勢甚重，沿途之上，無人保護，豈不是危險得很？」

金花夫人笑道：「兄弟放心，就憑姊姊我身帶的毒物，也可保護我了。」

說罷，揮揮手，緩步而去。

她傷勢未癒，體力未復，走起路來，東倒西歪，似是隨時都會摔倒在地上。

蕭翎只看得心中大生不忍，急步追了過去，攔住金花夫人，抱拳一揖，道：「姊姊數番救我之命，小弟一無回報，此刻你傷勢如此之重，毫無自衛之能，蕭翎不知也還罷了，如今我既然親眼所見，如何能放心讓你孤身而去？」

金花夫人兩道明亮的眼神，盯注在蕭翎的臉上，笑道：「不要這樣多情，姊姊閱人多矣！哪裏還會吃下這碗迷湯。」

言罷，也不待蕭翎答話，匆匆轉身而去。

望著金花夫人的背影，蕭翎內心中感慨萬千，自己本非江湖人，但離奇的遇合，卻把他造成了一個武林中傑出劍士，也捲人了江湖上的正邪大決鬥中。

無端事故天上來，到處是凶險，到處是搏殺，而且，連累到無辜的父母……

岳小釵芳蹤縹緲，但那一縷情絲，卻繫緊了蕭翎的心，也帶走了蕭翎無限的懷念……

百里冰用情如海深，不惜叛離冰宮，覓情天涯，臨去之時，又留下心腹女婢，及時送來了救命的靈丹……金花夫人雖然沒有說明什麼，但她處處的呵護、愛惜，已然坦裸出無限情意，此後，又該是如何一個結局？

正是。

江湖大局如殘棋，生死成敗指顧間。
一身情債歸何處，取捨無從兩茫然。

欲知詳情，請續看《岳小釵》

臥龍生武俠經典珍藏版 24

金劍雕翎（四）大結局

作者：臥龍生
發行人：陳曉林
出版所：風雲時代出版股份有限公司
地址：10576台北市民生東路五段178號7樓之3
電話：(02) 2756-0949　　傳真：(02) 2765-3799
執行主編：劉宇青
美術設計：許惠芳
行銷企劃：林安莉
業務總監：張瑋鳳
出版日期：臥龍生60週年珍藏版 2023年1月
版權授權：春秋出版社呂秦書
ISBN ：978-986-5589-89-9
風雲書網：http://www.eastbooks.com.tw
官方部落格：http://eastbooks.pixnet.net/blog
Facebook：http://www.facebook.com/h7560949
E-mail：h7560949@ms15.hinet.net
劃撥帳號：12043291
戶名：風雲時代出版股份有限公司

風雲發行所：33373桃園市龜山區公西村2鄰復興街304巷96號
電話：(03) 318-1378　　傳真：(03) 318-1378
法律顧問：永然法律事務所 李永然律師
　　　　　北辰著作權事務所 蕭雄淋律師

行政院新聞局局版台業字第3595號 營利事業統一編號22759935

定價：320元　　**版權所有　翻印必究**

國家圖書館出版品預行編目資料

金劍雕翎／臥龍生 著. -- 臺北市：風雲時代出版股份有限公司，2021.06- 冊；公分（臥龍生武俠經典珍藏版）
ISBN：978-986-5589-86-8（第1冊：平裝）
ISBN：978-986-5589-87-5（第2冊：平裝）
ISBN：978-986-5589-88-2（第3冊：平裝）
ISBN：978-986-5589-89-9（第4冊：平裝）

863.57　　　　110007334